D1317942

SULTANA

Jean P. Sasson

SULTANA

Traduit de l'américain
par Marie-Thérèse Cuny

document

FRANCE LOISIRS
123, boulevard de Grenelle, Paris

Ce livre a été publié par William Morrow and Company, Inc.,
New York sous le titre :

PRINCESS

Une édition du Club France Loisirs, Paris,
réalisée avec l'autorisation des Éditions Fixot

Ce livre est dédicacé à Jack W. Creech.

*Il a toujours cru à la nécessité de raconter l'histoire de Sultana.
Lui, et lui seul, sait l'angoisse que j'ai endurée en revivant, à
travers ce livre, ma longue amitié avec Sultana. Lui, plus que tout
autre, m'a généreusement épaulé de son amitié et de son affection
tandis que ce livre devenait lentement réalité.*

L'histoire de Sultana est véridique. Bien que les mots soient ceux de l'auteur, l'histoire est celle de Sultana. Les tragédies épouvantables dont il est question ici ont réellement eu lieu.

Les noms ont été changés et les différents événements altérés de façon à protéger l'anonymat des protagonistes.

En racontant cette histoire vraie, il n'est pas dans les intentions de l'auteur, ni de Sultana, de désavouer la foi musulmane.

Avant-propos

Quand je suis descendue de l'avion, à l'aéroport de Téhéran, le 3 août 1984, j'ai été très impressionnée par la marée noire des tchadors, et le sentiment d'oppression qui m'a alors saisie m'est revenu, aussi fort, aussi violent, quand j'ai lu l'histoire de Sultana. Je me suis attachée à cette princesse saoudienne inconnue de moi comme à une sœur, et je suis fière, aujourd'hui, d'accueillir son témoignage dans la collection « Betty Mahmoody présente ».

Musulmane, profondément respectueuse du Coran et de ses enseignements, réellement attachée à sa culture, Sultana m'a d'autant plus bouleversée que son témoignage, unique, vient de l'intérieur. Jamais encore une femme musulmane n'avait aussi courageusement levé le voile sur les secrets de son pays.

La vie de Sultana est un tragique paradoxe : elle est née princesse, mais dans une famille et une époque qui font d'elle une esclave.

Très jeune, Sultana apprend que les femmes ont, dans son pays, si peu d'importance que leurs naissances et leurs morts ne sont jamais inscrites sur un registre public. De tout son instinct elle se révolte contre l'aliénation la plus violente : l'affirmation que les femmes sont fondamentalement inférieures aux hommes. Dès lors, elle choisit son combat, pour la liberté et la justice. Ce combat est jalonné des horreurs que les hommes de son pays font subir aux femmes qui ne se plient pas à leurs désirs de puissance et de domination.

Les prisons d'Arabie Saoudite sont celles que les hommes et les femmes s'imposent à eux-mêmes ; ce sont les prisons les plus dures à ouvrir. Pour briser le cercle vicieux qui les entraîne dans des relations n'apportant que le malheur, Sultana choisit l'espoir : c'est en éduquant leur mari, mais aussi leurs fils et leurs filles, que les femmes musulmanes pourront, peu à peu, conquérir les droits qui feront d'elles des êtres humains à part entière.

J'ai appris que *Jamais sans ma fille* avait franchi les frontières d'Arabie Saoudite. J'espère que mon histoire contribuera à tisser les liens de la liberté entre l'Occident et l'Orient, et je souhaite de tout mon cœur que le témoignage de Sultana soit entendu. Le cri terrible qu'elle lance est un dramatique appel au changement, mais aussi, pour les femmes, un message d'espoir.

Betty Mahmoody

Princesse

Au cœur d'un pays soumis à la domination des rois, je suis une princesse, l'un des membres de la famille royale de la tribu Al Sa'ūd, les dirigeants actuels du royaume d'Arabie Saoudite. Mais parce que je crains des représailles qui s'exerceraient sur ma famille et moi, pour punition de ce que je vais vous raconter, je ne peux pas révéler ma véritable identité, et vous ne me connaîtrez que sous le nom de Sultana. Mais parce que je suis une femme dans un pays entièrement dominé par les hommes, il m'est interdit de m'adresser à vous directement, et j'ai dû prier mon amie Jean Sasson, qui est écrivain, de m'écouter et de vous raconter mon histoire.

Dans mon pays, l'existence des femmes se dissimule derrière le voile noir du secret. Leurs naissances et leurs morts ne sont jamais inscrites sur un registre public, alors que les naissances et les décès des hommes sont enregistrés dans la famille ou dans la tribu. Lorsqu'une fille vient au monde, on éprouve en général du chagrin ou de la honte. Certes, les naissances à l'hôpital se multiplient, les déclarations auprès de l'état civil augmentent, mais à la campagne la majorité des naissances se passent à la maison. Et le gouvernement d'Arabie Saoudite ne procède à aucun recensement de la population.

Je me suis souvent demandé si tout cela signifie que nous, les femmes du désert, nous n'existons pas. Puisque notre arrivée en ce monde, comme notre départ, n'est enregistrée nulle part.

Si personne n'a connaissance de mon existence, cela veut-il dire que je n'existe pas?

C'est cette inexistence, plus que les injustices qui jalonnent ma vie, qui m'a poussée à prendre le risque — et il est réel — de dire mon histoire. Les femmes d'Arabie sont enfouies sous le voile et sévèrement contrôlées par la stricte société patriarcale, mais quelque chose doit changer. Toutes les contraintes, toutes les restrictions traditionnelles ne pèsent que sur notre sexe, et nous sommes lasses d'attendre notre liberté.

À l'aide de mes souvenirs les plus anciens et de mon journal secret, que je tiens depuis l'âge de onze ans, je vais tenter de vous brosser un portrait de la vie d'une princesse de la maison Al Sa'ūd. La mienne.

Je m'efforcerai de décrypter pour vous les existences secrètes des autres femmes saoudiennes, ces millions de femmes ordinaires qui ne sont pas de naissance royale.

Ma passion de la vérité est simple, claire. Je suis une femme parmi toutes ces femmes ignorées par leur père, méprisées par leur frère, abusées par leur mari. Je ne suis pas unique en mon genre. Il y en a tellement d'autres qui n'ont pas la possibilité de raconter leur histoire...

Il est rare que la vérité s'échappe ainsi d'un palais saoudien, car le plus grand secret plane sur notre société, mais tout ce que j'ai dit, et ce que l'auteur a écrit, est vrai.

Pour comprendre mon existence, il vous faut connaître mes ancêtres. À ce jour, et depuis l'époque des premiers émirats du Najd, six générations d'Al Sa'ūd se sont succédé

16

sur les terres bédouines qui font actuellement partie du royaume d'Arabie Saoudite. Ces premiers Al Sa'ūd n'avaient pour ambition immédiate que la conquête permanente des parcelles de désert environnantes. Ils vivaient à l'aventure, au rythme des raids nocturnes contre les tribus voisines.

L'année 1891 fut un véritable désastre, car le clan Al Sa'ūd, vaincu au cours d'une bataille, se vit contraint de fuir le territoire du Najd. À cette époque, Abd al Aziz, l'homme qui deviendra mon grand-père, était encore enfant. Il eut beaucoup de mal à survivre aux épreuves de cette terrible bataille du désert. Plus tard, il a raconté le jour où il s'est senti consumé de honte, le jour sinistre où son père lui a intimé l'ordre de se cacher à l'intérieur d'un immense sac suspendu au harnachement de son chameau. Sa sœur Nura était enfermée dans un second sac, de l'autre côté de la monture. Humilié qu'on l'empêche, en raison de sa jeunesse, de combattre pour sauver sa terre, le jeune garçon, furieux, contemplait désespérément le désert depuis son sac d'infortune, lentement balancé au rythme du chameau paternel. Ce fut un tournant de sa jeune vie. Il n'a jamais oublié ce moment terrible où, mortifié par la défaite de sa famille, il a vu lentement disparaître la splendeur fantomatique et superbe de son pays natal.

Au bout de deux années de vie nomade à travers le désert, la tribu Al Sa'ūd a trouvé refuge sur la terre du Kuweit. Mais cet exil était si insupportable pour Abd al Aziz qu'il fit très tôt le vœu de reconquérir les sables du désert, qu'il considérait jadis comme les siens.

C'est ainsi qu'à l'âge de vingt-cinq ans, en septembre 1901, Abd al Aziz décida de retourner chez lui. Le 16 janvier 1902, après des mois d'épreuves, ses hommes et lui mirent sévèrement en déroute ses ennemis, les Rasheed.

Dans les années qui suivirent, et afin de s'assurer la loyauté des tribus du désert, Abd al Aziz épousa trois cents femmes, qui lui donnèrent en peu de temps cinquante fils et quatre-vingts filles. Les fils de son épouse favorite furent dotés d'un statut de faveur ; ils sont actuellement la force et le cœur du pouvoir dans notre pays. Aucune des épouses d'Abd al Aziz ne fut plus aimée que Hassa Sudairi. Ce sont ses fils qui tiennent maintenant les rênes du pouvoir au sein des Al Sa'ūd, et dirigent le royaume forgé par leur père. Fahd, l'un d'entre eux, est notre roi actuel.

Un grand nombre des fils et filles ont épousé des cousins de la branche dominante de notre famille, comme les Al Turki, les Jiluwi et les Al Kabir. Les princes et les princesses issus de ces unions comptent parmi les plus influents des Al Sa'ūd.

À l'heure où je vous parle, en 1991, notre immense famille représente environ vingt et un mille membres. Mille approximativement, tous princes et princesses, descendent directement du roi Abd al Aziz. Moi, Sultana, je suis l'une de ces descendantes directes.

En 1891, la famille de ma mère s'est jointe au clan des Al Sa'ūd, dans leur fuite de Riyad, après la défaite infligée par le clan Rasheed. Dix ans plus tard, les hommes sont repartis avec Abd al Aziz pour reconquérir son territoire. Le frère de ma mère a combattu à son côté. Cette démonstration de loyauté a favorisé notre entrée dans la famille royale, par l'intermédiaire de mariages avec les filles du roi. Ainsi s'est forgé ma destinée de princesse.

Quand elle eut douze ans, on maria ma mère à mon père. Elle n'était qu'une enfant. À vingt ans, il était un homme. Le mariage eut lieu en 1946, au lendemain de la Seconde Guerre mondiale, qui avait eu pour conséquence l'arrêt de la production de pétrole. Le pétrole, aujourd'hui force vitale de l'Arabie Saoudite, n'avait pas encore enrichi la famille de mon père, les Al Sa'ūd, mais son importance se faisait déjà sentir par certains petits à-côtés. Par exemple, les chefs des grandes nations se bousculaient pour faire des cadeaux à notre roi. L'ancien Premier ministre britannique, Winston Churchill, avait offert à Abd al Aziz une luxueuse Rolls Royce. D'un vert éclatant, pourvue d'un trône en guise de banquette arrière, elle scintillait comme une émeraude sous le soleil. Mais quelque chose dans cette limousine, aussi splendide qu'elle fût, dut décevoir le roi, car il la donna à l'un de ses frères favoris, Abdullah.

Abdullah, l'oncle de mon père et son ami proche, lui offrit à son tour cette automobile pour accomplir son voyage de noces à Djeddah. Mon père accepta, surtout pour faire plaisir à ma mère qui n'était jamais montée dans une voiture. En 1946, et depuis des temps immémoriaux, le chameau était le mode de transport habituel au Moyen-Orient. Il a fallu encore trois décennies pour que le Saoudien moyen roule enfin confortablement dans une voiture.

Pendant leur lune de miel, qui dura sept jours et sept nuits, mes parents traversèrent le désert en direction de Djeddah. Malheureusement, dans sa hâte à quitter Riyad, mon père avait complètement oublié d'emporter sa tente. En raison de cet oubli et de la présence indiscrète d'un certain nombre d'esclaves, le mariage ne fut pas consommé avant l'arrivée à Djeddah.

Après un court séjour à Djeddah, mes parents sont revenus à Riyad, où la tribu patriarcale des Al Sa'ūd avait installé sa dynastie.

Cette traversée du désert, épuisante et poussiéreuse, reste l'un des plus heureux souvenirs de ma mère. Ensuite, et pour toujours, elle a divisé sa vie en deux époques : « avant le voyage » et « après le voyage ».

Une fois, ma mère m'a confié que ce périple avait annoncé, symboliquement, la mort de sa jeunesse, mais qu'elle était alors trop enfant pour comprendre ce qui l'attendait. Ses parents, morts à la suite d'une épidémie, l'avaient laissée orpheline à huit ans, et ses frères l'avaient mariée à douze ans avec un homme d'une personnalité extrême, démesurée, et de la plus noire cruauté. Si bien qu'elle ne pouvait devenir dans la vie qu'une esclave obéissante.

Mon père était un homme sans aucune clémence. Ma mère était donc une épouse mélancolique et dépressive. De leur union tragique sont nés seize enfants, dont onze ont survécu à une enfance difficile. Aujourd'hui, mes neuf sœurs et moi-même vivons une existence entièrement décidée et contrôlée par les hommes auxquels on nous a mariées.

Mon frère Ali, l'unique survivant mâle issu de l'union de mes parents, est un important prince saoudien, un homme d'affaires nanti de quatre épouses et de très nombreuses maîtresses. Il mène, lui, une existence de plaisir et de faste.

Enfance

À ma naissance, j'étais libre. Aujourd'hui, je suis enchaînée. Auparavant, on me laissait la bride sur le cou, j'étais en quelque sorte invisible, anonyme, sans intérêt pour les hommes. L'âge de raison a transformé mon existence : maintenant, je vis non plus une vie, mais la peur quotidienne.

Il ne me reste aucun souvenir des quatre premières années de ce tranquille anonymat. Je suppose que j'ai ri et joué comme tous les autres enfants, heureusement inconsciente de ce que ma vie, en l'absence d'organe masculin, n'a aucune valeur au pays de ma naissance.

Mon premier souvenir précis est un souvenir de violence. J'ai quatre ans, et ma mère, si douce d'habitude, vient de me gifler en plein visage. Pourquoi? Parce que j'ai imité mon père faisant ses prières, mais qu'au lieu de m'incliner en direction de La Mecque, je me suis mise à genoux devant mon frère Ali, qui a six ans. Je suis alors persuadée qu'il est un dieu. Comment pouvais-je savoir qu'il n'en est rien?

Trente-deux ans plus tard, je ressens encore le feu de cette gifle et l'aiguillon ardent qui a fait douloureusement naître en moi les premières interrogations : si mon frère n'est pas un dieu, pourquoi donc le traitait-on comme tel?

Dans une famille composée de dix filles et d'un seul fils, la peur dominait la maison : peur qu'une mort injuste ne vienne prendre la vie de l'unique enfant mâle ; peur qu'aucun autre enfant mâle ne lui succède ; peur que Dieu n'ait maudit notre maison en la peuplant uniquement de filles.

Ma mère appréhendait chacune de ses grossesses, priant pour avoir un fils, craignant l'arrivée d'une fille comme une malédiction. Habitée par cette peur, elle mit au monde fille après fille, l'une après l'autre, jusqu'à dix.

Sa peur devint panique lorsque mon père prit une nouvelle épouse, plus jeune, avec l'espoir qu'elle lui donnerait d'autres enfants mâles, ces fils si précieux. La nouvelle femme donna naissance à trois fils mort-nés, avant que mon père divorce. Finalement, c'est avec sa quatrième femme que mon père eut les fils qu'il désirait. Mais mon frère, le premier-né, continua à régner en maître.

Comme mes sœurs, je feignais moi aussi d'adorer ce frère ; en réalité, je le haïssais, comme seule une esclave sait haïr.

Le pays de mes ancêtres a infiniment peu changé depuis des millénaires. Certes, des gratte-ciel modernes ont surgi du désert, certes, les soins médicaux les plus modernes sont à la disposition de tous, mais la considération pour les femmes et pour la qualité de leur existence fait toujours hausser les épaules d'indifférence.

Dans ce pays, il n'est rien que les hommes n'aient fait, rien qu'ils n'aient imaginé pour encourager la naissance d'un garçon plutôt que d'une fille. La valeur d'un enfant né au royaume d'Arabie Saoudite s'évalue toujours à l'absence ou à la présence de l'organe mâle.

Les hommes de mon pays estiment qu'ils se comportent

exactement comme ils le doivent. En Arabie Saoudite, la fierté et l'honneur de l'homme émanent de ses femmes. Il doit donc établir son autorité et son pouvoir sur la sexualité de ses femmes, sous peine d'encourir la disgrâce publique. Les hommes sont tellement persuadés que les femmes ne commandent pas leurs propres désirs, qu'il leur paraît essentiel de prendre un soin jaloux de la sexualité féminine. Ce pouvoir absolu sur la femme n'a rien à voir avec l'amour, il n'est que la peur de voir terni l'honneur masculin.

L'autorité de l'homme saoudien est illimitée ; sa femme et ses enfants ne survivent que s'il le désire. Dans nos foyers, l'homme est un État dans l'État. Cette situation complexe commence avec l'éducation des jeunes garçons. Dès son plus jeune âge, on enseigne au petit homme que les femmes n'ont que peu d'importance, qu'elles n'existent que pour assurer son confort et ses besoins. L'enfant est quotidiennement témoin du dédain que son père manifeste envers sa femme et ses filles. Ce mépris familial affiché par le père l'amène au mépris général pour les femmes et rend impossible toute idée d'amitié avec une représentante du sexe opposé. Il ne connaît que la relation de maître à esclave, et il n'est guère étonnant qu'à l'âge où il est encore assez petit pour avoir une camarade, il la considère déjà comme un objet et non comme une partenaire de jeux.

Ainsi, il est naturel que les femmes de mon pays soient ignorées par leur père, méprisées par leurs frères et abusées par leurs maris. Ce cycle infernal est difficile à rompre car les hommes, imposant ce genre de vie à leurs épouses, fabriquent en même temps leur propre malheur conjugal.

Comment un homme peut-il être réellement satisfait entouré d'une telle misère ? Il est évident que les hommes de mon pays, en prenant une femme après l'autre, puis une maîtresse après l'autre, sont perpétuellement à la recherche de la satisfaction. Très peu d'hommes savent qu'ils pourraient trouver le bonheur dans leur propre demeure avec une seule épouse, qui serait leur égale. En traitant les femmes en esclaves, comme leur propriété, les hommes se sont rendus eux-mêmes aussi malheureux que les épouses qu'ils dominent. Ils ont fait de l'amour et du vrai compagnonnage quelque chose d'inaccessible, aussi bien pour eux que pour elles.

Il serait faux de blâmer pour cela la foi musulmane et de lui imputer la triste condition des femmes dans notre société. Bien que le Coran précise que la femme vient après l'homme, de même que la Bible autorise les hommes à commander aux femmes, notre prophète Mohammed, lui, n'enseignait que douceur et équité envers les êtres de mon sexe. Mais les hommes qui succédèrent au prophète Mohammed choisirent, eux, de suivre les coutumes et les traditions des âges de l'ignorance, plutôt que de prendre pour exemple les paroles de Mohammed.

Notre prophète condamnait l'infanticide — coutume banale de son temps — pour éliminer les filles non désirées. Les mots mêmes de Mohammed traduisent son inquiétude concernant les mauvais traitements et l'indifférence envers les femmes : « Quiconque a une fille et ne l'enterre pas vivante, ne la réprimande pas, ou ne lui préfère pas son héritier mâle, celui-là, que Dieu l'emmène au Paradis. »

Ali me jette par terre à coups de gifles, mais je refuse de lui céder la jolie pomme rouge éclatant que vient de me donner le cuisinier pakistanais. Ses joues se gonflent de rage au moment où je me relève avec ma pomme. Je me dépêche d'y planter les dents pour d'énormes bouchées que j'avale d'un seul coup.

En refusant de me soumettre à ses prérogatives

masculines, j'ai commis un acte grave, dont je ne vais pas tarder à subir les conséquences. Ali m'expédie deux coups de pied rapides et court chercher le chauffeur de notre père, Omar, un Égyptien. Mes sœurs, qui craignent Omar au moins autant que mon père ou Ali, s'évaporent aussitôt dans les profondeurs de la villa. Je dois affronter toute seule le courroux des hommes de la maison.

Omar, suivi d'Ali, surgit par la porte de service. Je sais bien qu'ils seront vainqueurs, car ma jeune vie est déjà riche de nombreux précédents : j'ai appris très tôt que chacun des désirs d'Ali doit être exaucé.

Pourtant, j'avale précipitamment le dernier morceau de la pomme et regarde mon frère d'un air triomphant.

J'ai beau me débattre, les énormes poings d'Omar me soulèvent de terre pour me transporter jusqu'au bureau paternel. Mon père se résigne dédaigneusement à lever les yeux de son grand livre noir. Il jette un regard irrité sur cette incongruité apparemment inévitable, sa fille non désirée, tout en ouvrant les bras en direction de ce joyau inestimable, son fils aîné.

Ali est autorisé à parler, alors qu'il m'est interdit de répondre.

Dévorée du désir d'obtenir, moi aussi, l'amour et l'approbation de mon père, je retrouve tout à coup mon courage. Je crie la vérité sur l'incident. Mon père et mon frère, stupéfiés par cette soudaine explosion, restent silencieux. Il est vrai que les femmes de mon monde se sont résignées à négocier avec cette société implacable pour elles. Dès leur jeune âge, elles apprennent à manipuler les hommes plutôt qu'à les affronter. Ainsi se sont éteints les cœurs ardents des femmes bédouines d'autrefois, si orgueilleuses et si fières. Plus exactement, on les a étouffés sciemment. Les femmes soumises d'aujourd'hui savent rester à leur place.

J'ai la peur au ventre en entendant résonner ma voix

25

aussi fort. Mes jambes tremblent sous moi quand mon père se dresse sur sa chaise. Je vois le mouvement de son bras, et pourtant je ne ressens pas le coup sur mon visage.

En punition, tous mes jouets iront à Ali. Pour m'apprendre que les hommes sont mes maîtres, mon père décrète qu'il aura le droit exclusif de remplir mon assiette à table. Ainsi, triomphant, Ali ne me donnera désormais qu'une portion congrue et les plus mauvais morceaux.

Tous les soirs, je vais me coucher affamée car il a ordonné que l'on place un garde devant ma porte et lui a défendu de laisser ma mère ou mes sœurs m'apporter de la nourriture. De plus, mon cher frère vient me narguer vers minuit : il entre dans ma chambre les bras chargés de plats délicieusement odorants, de poulets rôtis et de riz chaud.

Ali se lasse finalement de m'infliger cette torture mais, à neuf ans, il est devenu mon ennemi intime.

Je n'ai moi-même que sept ans mais avec l'« affaire de la pomme », je prends conscience du fait que je ne suis qu'une femme enchaînée par des hommes sans scrupules. J'ai bien vu comment ils ont brisé, anéanti les âmes de ma mère et de mes sœurs, mais je demeure confiante, optimiste, persuadée qu'un jour la vraie justice remédiera à ma souffrance actuelle.

Ainsi déterminée depuis l'enfance, je ne pouvais devenir que le trublion de la famille.

Il y a tout de même eu de bons moments dans ma jeune existence. Les heures les plus joyeuses, je les dois à la tante de ma mère. Veuve, trop âgée, donc libérée de toutes les complications dues aux hommes, elle est gaie et toujours prête à nous conter de merveilleuses histoires de sa jeunesse, du temps des batailles entre tribus. Témoin de la naissance de notre pays, elle nous fascine avec ses contes fabuleux sur le courage et la vaillance du roi Abd al Aziz et de ses partisans. Mes sœurs et moi, assises, jambes croisées, sur les précieux tapis d'Orient, nous plongeons avec délices dans le récit dramatique des grandes victoires de nos ancêtres, tout en picorant dans les plats de friandises aux dattes et de pâtisseries aux amandes. Ma vieille tante m'inspire une fierté nouvelle de ma famille, en évoquant le courage et la bravoure au combat des Al Sa'ūd.

Dans ma jeunesse, ma famille était privilégiée, bien que pas encore riche. Puis la production de pétrole a répandu biens et nourriture à profusion et, surtout, a favorisé l'accès aux soins médicaux, considérés comme le luxe suprême.

Nous vivons alors dans d'immenses villas faites de blocs de béton peints d'un blanc immaculé. Chaque année, invariablement, les tempêtes de sable transforment ce blanc neigeux en beige douteux, et les esclaves de mon père repeignent consciencieusement en blanc les pierres couleur de sable et les grands murs qui entourent les propriétés. La maison de mon enfance, qui me semblait banale, était pour les Occidentaux un château et pourtant, en y repensant, je me rends compte qu'aux yeux des Saoudiens d'aujourd'hui elle reste une simple demeure.

Enfant, je trouve la maison familiale bien trop vaste pour offrir un confort chaleureux. Les longs couloirs sans fin sont sombres et sinistres. Les pièces de formes et de dimensions différentes bifurquent bizarrement, en un labyrinthe compliqué destiné à dissimuler les secrets de nos existences.

Père et Ali vivent dans le secteur des hommes, au second étage. J'ai pris l'habitude d'aller espionner cet endroit mystérieux avec la curiosité naïve de l'enfant que je suis. D'épais rideaux de velours rouge empêchent la lumière du soleil de pénétrer. Un parfum mêlé de tabac turc et de whisky alourdit l'atmosphère. Juste un coup d'œil fugace et je file ensuite au quartier des femmes, au rez-de-chaussée, où mes sœurs et moi-même occupons une aile immense.

La chambre que je partage avec Sara fait face au jardin privé des femmes. Maman en a fait peindre les murs en jaune lumineux, si bien qu'elle a cet éclat de vie si dramatiquement absent du reste de la villa.

Les serviteurs de la famille et les esclaves vivent dans de minuscules pièces sans air, dans un bâtiment à part, au fond du jardin. Notre villa dispose de l'air conditionné, alors que les quartiers des domestiques sont très mal équipés pour supporter le climat chaud du désert. Les servantes et les chauffeurs étrangers ne parlent que de leur angoisse à l'heure de dormir. L'unique soulagement qu'on leur octroie est une maigre brise provenant de ventilateurs électriques. Père dit que, s'il leur donne l'air conditionné, ils dormiront toute la journée.

Depuis l'époque de mon grand-père, nous possédons une famille d'esclaves soudanais, six en tout. Chaque année, lorsque mon père revient de son pèlerinage à La Mecque, cette population s'agrandit de nouveaux enfants esclaves. Les pèlerins, venus du Soudan ou du Nigeria pour devenir Hadji, vendent leurs enfants aux riches Saoudiens afin d'assurer leur voyage de retour au pays. Une fois sous la responsabilité de mon père, ils ne sont plus rachetés ou revendus, comme l'étaient les esclaves en Amérique. Ils participent à notre vie familiale, ou aux affaires de mon père, comme si c'étaient les leurs. Les enfants sont nos camarades de jeu et ne ressentent aucune contrainte de leur état d'esclavage. En 1962, lorsque notre gouvernement a libéré les esclaves, notre famille soudanaise s'est effondrée. Ils ont pleuré en suppliant mon père de les garder tous et, depuis ce jour, ils vivent dans la maison paternelle.

Omar, et lui seul, occupe une petite pièce dans la

demeure du maître. Un long cordon doré pend à l'entrée principale de la maison. Il est relié à une cloche de vache, dans la chambre d'Omar. Quand on a besoin de lui, on la fait sonner. Et, de jour comme de nuit, le tintement de la cloche oblige Omar à sauter sur ses pieds et à courir jusqu'à la porte de mon père. Souvent, je fais résonner cette cloche à plusieurs reprises au beau milieu des siestes d'Omar, ou en plein cœur de la nuit. Après quoi, essoufflée et le cœur battant, je me réfugie au fond de mon lit, pour faire semblant de dormir comme une bonne petite fille innocente.

Une nuit, ma mère m'attend au pied de mon lit, juste au moment où je le regagne en courant. L'air fâché par le vilain comportement de sa petite fille, elle me tord l'oreille et menace de prévenir mon père.

Mais elle ne l'a jamais fait.

Mon père a toujours gardé vivant le souvenir de notre roi bien-aimé Abd al Aziz. Il parle de ce grand homme comme s'il le rencontrait quotidiennement, si bien qu'à huit ans je reçois un choc le jour où j'apprends que le vieux roi est mort en 1953, trois ans avant ma naissance!

Après la mort de notre premier souverain, notre royaume fut en grand danger, car le successeur désigné du vieux roi, son fils Sa'ūd, était malheureusement dépourvu des qualités d'un chef. Il dilapidait avec tant d'extravagance l'essentiel des revenus du pétrole du pays en palaces, limousines et colifichets pour ses femmes, que notre jeune nation était sur le point de sombrer dans un véritable chaos économique et politique.

Je me souviens du jour où les hommes de la famille régnante se sont réunis chez nous. À cette époque, en 1963, je suis encore une infernale petite curieuse de sept ans.

Omar fait irruption dans le jardin, tout imbu de son

importance, criant aux femmes de s'en aller. Il agite les mains vers nous en faisant des vagues pour nous repousser, comme s'il chassait des chameaux de la maison, et nous mène vraiment comme un troupeau jusqu'à un minuscule salon.

Sara, ma sœur, supplie alors ma mère de la laisser se cacher derrière le balcon en arabesques pour jouir du rare bonheur d'apercevoir nos dirigeants au travail.

Alors que nous voyons souvent nos maîtres puissants, oncles et cousins, lors des réunions familiales, il est hors de question de nous laisser assister à ce qui a l'air d'être une importante affaire d'État.

On écarte les femmes de toutes les choses importantes et, bien entendu, au moment où une fille atteint l'âge des périodes menstruelles et du voile qui l'accompagne, la séparation d'avec les hommes autres que son père ou ses frères est immédiate et totale.

Nos existences sont tellement monastiques et lugubres que, ce jour-là, même notre mère a pitié de nous. Elle nous rassemble toutes dans un corridor pour nous permettre d'épier furtivement à travers le balcon et d'écouter les hommes dans le grand salon, au-dessous de nous.

Comme je suis la plus jeune, ma mère me tient contre elle et, par mesure de précaution supplémentaire, applique ses doigts sur mes lèvres. Si jamais il nous surprend, mon père entrera dans une rage terrible.

Comme mes sœurs, me voilà fascinée par ce défilé impressionnant de fils, arrière-petits-fils et neveux du défunt roi, tous ces hommes immenses dans leurs robes flottantes, qui arrivent lentement, gravement, avec dignité.

Le visage habituellement stoïque du prince royal Faysal attire particulièrement notre attention. Malgré son jeune âge, je vois bien qu'il est triste et accablé. En 1963, tous les Saoudiens sont conscients du fait que le prince Faysal dirigerait le pays avec compétence, alors que le roi Sa'ūd, lui, brille par son incompétence. On murmure ici et là que le règne de Sa'ūd n'est plus que le symbole de l'unité familiale si férocement protégée. On sent bien qu'il s'agit d'un étrange arrangement, injuste pour le pays et pour le prince Faysal, et qui ne devrait pas durer.

Le prince Faysal se tient à l'écart du groupe. Sa voix calme s'élève au-dessus du fracas des conversations pour demander qu'on le laisse s'exprimer sur les affaires d'une si grave importance pour la famille et le pays.

Il dit sa crainte de voir le trône, si difficile à conquérir, bientôt perdu. Il explique que les gens du peuple sont fatigués des excès de la famille royale et qu'ils envisagent non seulement de se débarrasser de leur frère Sa'ūd, en raison de ses mœurs décadentes, mais aussi de se détourner complètement du clan Al Sa'ūd pour lui préférer un gouvernement religieux.

En faisant cette mise au point d'une voix ferme, le prince Faysal regarde sévèrement les jeunes princes, dont les manquements aux règles de vie traditionnelles des Bédouins croyants risquent de faire chuter le trône. Il dit encore que son cœur est lourd de tristesse de voir tant de jeunes nobles si peu disposés à travailler et préférant se contenter de leurs rentes mensuelles tirées de la fortune du pétrole.

Un long silence suit, pendant qu'il attend la réaction de ses frères et des membres de sa famille. Comme rien ne semble venir, il ajoute que lui, Faysal, est aux commandes de cette fortune du pétrole, que le flot d'argent versé aux princes pourrait bien se tarir et qu'un travail honorable devrait être envisagé par chacun. Puis, avec un signe de tête à l'intention de son frère Mohammed, il s'assied en soupirant.

Depuis le balcon, je remarque le malaise de plusieurs de mes jeunes cousins. Même si leurs rentes mensuelles ne dépassent pas dix mille dollars, les hommes du clan Al Sa'ūd s'enrichissent de plus en plus aux dépens du pays.

L'Arabie Saoudite est une immense contrée, et la majorité des biens immobiliers appartiennent à notre famille. Sans compter que pas un contrat de construction ne peut être signé sans bénéfice pour l'un des nôtres.

Le prince Mohammed, le troisième frère aîné, prend la parole : d'après ce que nous pouvons entendre depuis notre cachette, le roi Sa'ūd réclamerait que lui soit rendu l'exercice du pouvoir absolu, qu'on lui a retiré en 1958. On le soupçonne de dire du mal de son frère Faysal dans les provinces. La famille Al Sa'ūd vit un épisode dramatique de son histoire, elle qui a toujours affiché un front uni devant les citoyens d'Arabie Saoudite.

En écoutant cela, je me souviens de l'histoire que racontait mon père sur la manière dont le frère cadet de Faysal, Mohammed, a été écarté de la succession au trône. Le vieux roi avait déclaré que, si la nature de Mohammed se trouvait renforcée par le pouvoir de la couronne, beaucoup d'hommes mourraient, car son caractère violent était bien connu.

Je reporte mon attention sur la réunion pour entendre le prince Mohammed expliquer que la monarchie elle-même est menacée. Il envisage l'éventualité d'un renversement du roi et l'installation du prince Faysal à sa place.

À ces mots, le prince Faysal a un hoquet de surprise si violent que le bruit cloue la bouche de Mohammed. Bouleversé, Faysal répond calmement à son parent qu'il a promis à son père bien-aimé, sur son lit de mort, de ne jamais s'opposer à son frère Sa'ūd. Il ajoute qu'en aucun cas il ne rompra sa promesse, même si Sa'ūd devait ruiner le pays, et que si le renversement de son frère devient le sujet principal de cette réunion, lui, Faysal, n'a plus qu'à s'en aller.

Dans un bourdonnement de voix, les hommes de notre famille se mettent d'accord pour que Mohammed tente de faire entendre raison au roi Sa'ūd.

Maintenant, nous regardons les hommes boire leur tasse

de café du bout des lèvres, tout en renouvelant leurs serments de respecter le vœu de leur père : que tous les fils d'Abd al Aziz affrontent le monde en une force unie et indéfectible.

Quand vient l'heure d'échanger les salutations traditionnelles, les hommes sortent de la pièce, les uns derrière les autres, aussi silencieusement et gravement qu'ils y sont entrés. C'est fini.

D'après le peu que je sais, cette réunion a été le début de la fin du règne de mon oncle, le roi Sa'ūd. Comme l'histoire l'a révélé, comme notre famille et nos concitoyens l'ont constaté avec tristesse, les fils d'Abd al Aziz ont été contraints de chasser l'un des leurs du pays. Sa'ūd était si désespéré qu'il a envoyé une lettre de menaces à Faysal. Ce seul geste a scellé son destin, car il est impensable qu'un homme insulte ou menace son propre frère. Selon la loi non écrite du Bédouin, on ne doit jamais se retourner contre son frère.

Une crise fiévreuse s'est déclenchée alors au sein de la famille et dans toute la contrée. Plus tard, nous avons appris qu'une révolte, fomentée par l'oncle Sa'ūd, avait été conjurée grâce à la prudence avec laquelle le prince Faysal accéda à la couronne. Il choisit de se tenir à l'écart et de laisser ses frères et les religieux décider eux-mêmes du meilleur cap à suivre pour notre jeune pays. En agissant ainsi, il distinguait le drame personnel et le mouvement de révolte, rendant ce dernier moins explosif et permettant donc aux hommes de l'État de prendre les décisions adéquates.

Deux jours plus tard, nous apprenons l'abdication du roi Sa'ūd par l'une de ses épouses, qui fait irruption chez nous dans un état d'extrême agitation. Je suis sidérée de la voir déchirer son voile et l'arracher de son visage devant nos domestiques mâles.

Elle arrive de Nasriyah, le palais du désert d'oncle

Sa'ūd, un édifice qui, à mon avis, représente le miracle de ce que peut offrir l'argent lorsqu'il est inépuisable, et le ruineux exemple de ce qui va mal dans notre pays.

Mes sœurs et moi, nous nous serrons prudemment contre notre mère, tant notre tante semble avoir perdu tout contrôle d'elle-même. Elle hurle des accusations contre notre famille, se montre particulièrement virulente à l'égard du prince royal Faysal, lui reprochant les ennuis de son époux. Elle crie que les frères de son mari ont conspiré pour s'emparer d'un trône pourtant attribué par leur père au fils de son choix, Sa'ūd. Puis elle fond en larmes en nous racontant que le conseil religieux des *Ulemas* est venu au palais ce matin même afin de demander à son mari d'abdiquer.

Cette scène qui se déroule devant mes yeux me ravit. Dans notre société, nous avons rarement l'occasion d'assister à ce genre d'affrontement, et je trouve cela passionnant. D'habitude, nous parlons doucement et, en apparence, nous acceptons les choses, pour démêler ensuite les difficultés, mais en secret.

Lorsque notre tante, une très belle femme aux longues boucles brunes, se met à s'arracher les cheveux, puis à arracher de son cou un superbe collier d'énormes perles, je comprends qu'il s'agit réellement d'une affaire grave.

Maman parvient tout de même à l'apaiser suffisamment pour l'entraîner dans le salon boire une tasse de thé calmante.

Mes sœurs s'agglutinent devant la porte close en essayant d'écouter ce qu'elles chuchotent. Pendant ce temps, j'enroule autour de mon doigt une énorme touffe de cheveux de ma tante et me baisse, l'air de rien, pour ramasser les magnifiques perles éparses. Les mains bientôt pleines, je les range soigneusement dans un vase vide du corridor, afin de les mettre à l'abri.

Maman reconduit notre tante en larmes dans la Mercedes noire qui l'attend dehors, et nous regardons partir à toute vitesse le chauffeur et son inconsolable passagère.

Nous n'avons plus revu notre tante, car elle a suivi mon oncle et toute sa suite, en exil.

Notre mère nous fait comprendre qu'il ne faut pas en vouloir à l'oncle Faysal. Notre tante a, bien sûr, employé certains mots, mais elle est amoureuse d'un homme qu'elle estime gentil et généreux. Pourtant, un tel homme n'est pas nécessairement un bon dirigeant. Notre mère nous explique aussi que l'oncle Faysal saura mener notre pays vers une ère de stabilité et de prospérité et que, pour cela, il mérite davantage la couronne que d'autres, moins capables.

Un Occidental aurait pu penser que ma mère était complètement inculte, mais elle était d'une sagesse remarquable.

La famille

L'été 1932, au cours d'un voyage en Turquie, notre oncle Faysal est tombé amoureux d'une jeune fille exceptionnelle, nommée Iffat al Thunayan.

Ayant appris la visite du prince saoudien à Constantinople, la jeune Iffat, accompagnée de sa mère, voulut le rencontrer à propos d'un litige de propriété survenu à la mort de son père. D'origine saoudienne, les Thunayan ont été emmenés en Turquie par les Ottomans, au cours de leur long règne dans cette région. Saisi par la beauté d'Iffat, Faysal a invité la mère et la fille en Arabie Saoudite, afin de régler le malentendu.

Non seulement, Faysal a fait restituer sa propriété à Iffat, mais il l'a épousée. Plus tard, il avait coutume de dire qu'il avait pris, ce jour-là, la décision la plus sage de sa vie. Ma mère racontait qu'il allait de femme en femme, comme un homme obsédé, jusqu'à sa rencontre avec Iffat.

Durant le règne de mon oncle Faysal, Iffat est devenue la force directrice et agissante en faveur de l'éducation des filles. Sans ses efforts, les femmes ne seraient toujours pas acceptées à l'école en Arabie Saoudite.

Encouragée par l'épouse du roi Faysal, ma mère s'est efforcée de nous instruire, mes sœurs et moi, malgré la résistance de mon père. Depuis des années, il refusait d'envisager la moindre possibilité dans ce sens. Mes cinq sœurs aînées n'ont reçu pour enseignement que l'apprentissage par cœur du Coran. Une institutrice privée venait à la maison et, pendant deux heures, six après-midi par semaine, mes sœurs devaient répéter inlassablement les versets du Coran après Fatima, leur professeur égyptien. Fatima devait avoir environ quarante-cinq ans et était extrêmement sévère. Un jour, elle a demandé à mes parents l'autorisation d'étendre son enseignement aux sciences, à l'histoire et aux mathématiques. Père a répondu un NON catégorique, et la lancinante récitation des mots du Prophète, et uniquement de ses mots, a continué à résonner à travers la villa.

Pourtant, au fur et à mesure que passent les années, mon père s'est rendu compte que beaucoup de parents, dans la famille royale, avaient autorisé leurs filles à bénéficier d'un enseignement. L'arrivée de la grande fortune pétrolière ayant soulagé presque toute les femmes saoudiennes du travail ménager, sauf dans les tribus bédouines et les villages ruraux, l'inactivité et l'ennui sont devenus un véritable problème national. Les membres de la famille royale sont bien plus riches que la plupart des Saoudiens, si bien que, grâce à l'argent du pétrole, chaque foyer a fait venir des domestiques d'Extrême-Orient et d'autres régions pauvres.

Tous les enfants ont besoin de s'intéresser à quelque chose, mais mes sœurs et moi, nous n'avions alors rien d'autre à faire que jouer dans nos chambres, ou tenir salon dans le jardin des femmes. Nulle part où aller et très peu pour s'occuper car, lorsque j'étais jeune, il n'existait même pas de zoo ou de parcs dans la ville. Ma mère pensait que le poids de ses cinq filles bourrées d'énergie serait moins lourd à porter si elles étudiaient, ce qui, en plus, aurait le mérite de leur ouvrir l'esprit.

Finalement, avec l'appui de tante Iffat, maman a réussi à faire plier notre père.

C'est ainsi que les cinq plus jeunes filles de la famille, y compris Sara et moi, avons la joie de connaître les prémices de la difficile acceptation de l'éducation féminine.

Notre première salle de classe est installée dans la maison d'un parent. Sept familles du clan Al Sa'ūd y emploient une jeune femme venue d'Abu Dhabī, une ville arabe voisine dans les Émirats. Notre petit groupe d'élèves, seize en tout, est appelé le *Kutab,* nom d'une méthode collective d'enseignement pour les filles, alors à la mode.

Nous nous rendons chaque jour dans cette maison, du samedi au jeudi, de neuf heures du matin à deux heures de l'après-midi.

Notre éducatrice a eu la chance d'avoir un père moderne qui l'a envoyée faire ses études en Angleterre. À cause de son infirmité, un pied-bot, personne n'a voulu l'épouser, si bien qu'elle a pu choisir la voie de la liberté et de l'indépendance. Elle nous a raconté en souriant que son pied déformé était un cadeau offert par Dieu afin que son cerveau, lui, ne se déforme pas. Elle a un salaire et prend ses décisions dans la vie sans subir l'influence de quiconque. Toutefois, elle vit dans la maison de notre royal cousin, car il est toujours impensable pour une femme célibataire de vivre seule en Arabie Saoudite.

Sara, ma sœur préférée, se montre brillante. Elle est plus rapide que les filles deux fois plus âgées qu'elle. L'institutrice lui demande même si elle a son certificat et hoche la tête de surprise en s'entendant répondre non.

J'aime notre éducatrice parce qu'elle est gentille et patiente quand j'ai oublié d'apprendre une leçon. Au contraire de Sara, je ne suis pas un modèle scolaire et je m'amuse lorsque l'institutrice montre quelque désappointement devant mes faibles prestations. Le dessin m'intéresse beaucoup plus que les mathématiques, je trouve plus agréable de chanter que de réciter mes prières. Sara me pince parfois, quand je me tiens mal, mais alors je hurle de

39

détresse et perturbe tant la classe, qu'elle finit par me laisser à mes mauvaises manières.

Notre institutrice, vraiment, aurait mérité un autre nom que celui qui lui a été donné vingt-sept ans plus tôt. Elle aurait dû s'appeler « Sakena », qui signifie en arabe « sérénité ».

Miss Sérénité dit à maman que Sara est la meilleure élève qu'elle ait jamais eue. Je me mets aussitôt à sauter à pieds joints en hurlant :

— Et moi ?

Après un long moment de silence, elle répond en souriant :

— Sultana deviendra sûrement célèbre.

Le soir, au dîner, maman rapporte fièrement la remarque concernant Sara à notre père. Visiblement satisfait, père sourit à ma sœur. Maman est radieuse de bonheur, mais père s'empresse aussitôt de lui demander cruellement comment il se peut qu'une fille sortie de son ventre soit capable d'apprendre. Bien entendu, il n'a jamais songé à reconnaître à ma mère la moindre contribution dans les performances d'Ali, brillant élève en tête de sa classe, à l'école moderne de la ville. Je suppose que les résultats intellectuels des enfants ne peuvent provenir que de l'héritage paternel.

Le temps a passé mais, aujourd'hui encore, j'enrage à regarder mes sœurs aînées tenter péniblement de faire des opérations et des soustractions. Je dois quelques prières de gratitude à tante Iffat, pour avoir changé la vie de tant de femmes saoudiennes.

Évidemment, j'admirais le caractère énergique de ma tante, et voulais devenir comme elle en grandissant. Elle a même eu le courage d'engager une nurse anglaise pour ses enfants et, de toute la nichée royale, ce sont eux les moins perturbés par leur trop grande fortune. Parmi les royaux cousins, beaucoup se sont malheureusement laissé entraîner par cette soudaine coulée d'abondance. Ma mère disait toujours que les Bédouins, qui avaient su résister à la terrible désolation du désert, ne survivraient pas à l'énorme richesse jaillie des champs de pétrole.

Pour la majorité des jeunes Al Sa'ūd, le travail et les vœux pieux de leurs pères ne sont d'aucun secours. Les enfants de ma génération ont été pourris par cette fabuleuse aisance. Leur fortune les a privés de toute ambition et de vrais plaisirs. La faiblesse de notre monarchie est certainement responsable de notre penchant à l'extravagance, qui sera, je le crains, notre perte.

La plus grande partie de mon enfance s'est passée en voyages d'une ville à l'autre. Le sang du Bédouin nomade coule dans les veines des Saoudiens, et nous ne sommes pas plus tôt rentrés d'un voyage que nous discutons déjà du suivant. Nous, les Saoudiens, nous n'avons plus de moutons à faire paître, mais nous ne pouvons pas nous empêcher d'aller contempler de plus vertes pâtures.

Riyad est le siège du gouvernement, cependant aucun des membres de la famille Al Sa'ūd n'aime particulièrement cette ville. Tous se plaignent à longueur de temps de la vie affreuse qu'on y mène. Il y fait trop chaud, trop sec, les religieux s'y prennent trop au sérieux, les nuits sont trop froides... La majorité de la famille préfère Djeddah ou Tayf. Djeddah, avec son vieux port, est plus ouverte à l'évolution comme à la modération. Là, à l'air de la mer, on respire beaucoup mieux.

Généralement, nous y passons les mois de décembre à mars. Il nous faut ensuite retourner à Riyad, de mars à mai. Puis la chaleur des mois d'été nous chasse vers les montagnes de Tayf, de juin à septembre. Ensuite, nous revenons à Riyad pour octobre et novembre. Bien entendu, nous passons le mois de Ramadān et les deux semaines du Hadj à La Mecque, notre ville sainte.

En 1968, j'ai douze ans et mon père devient incroyablement riche. Malgré cette richesse, il est le moins extravagant des Al Sa'ūd. Pourtant, il a décidé de faire construire pour chacune de ses quatre familles quatre palais, à Riyad, Djeddah, Tayf et en Espagne. Les palais sont exactement semblables dans chacune des villes, jusqu'à la couleur des tapis et au choix des meubles. Mon père déteste le changement, il veut se sentir chez lui, dans la même maison, tout en voyageant d'une ville à l'autre. Il exige que ma mère nous achète quatre fois chaque objet personnel, y compris les sous-vêtements. Il refuse que sa famille s'encombre de bagages. On se procure mes livres et mes jouets par paquets de quatre destinés à chacun des palais. C'est troublant pour moi de me retrouver dans ma chambre à Djeddah pareille à celle de Tayf, identique à celle de Riyad, devant les mêmes vêtements suspendus dans les mêmes penderies.

Ma mère se plaint rarement mais, lorsque mon père achète quatre Porsche rouges identiques à mon frère Ali, qui n'a alors que quatorze ans, elle gémit tout haut que c'est une honte, un tel gaspillage avec autant de pauvres dans le monde.

Mais dès qu'il s'agit d'Ali, aucune dépense ne compte...

À dix ans, Ali a reçu sa première montre Rolex en or. Je suis particulièrement jalouse, car j'ai demandé à mon père un lourd bracelet d'or aperçu au souk, et il a brutalement refusé. Pendant deux semaines, Ali fait grand cas de sa Rolex, puis je m'aperçois, un jour, qu'il l'a oubliée sur une table, à côté de la piscine. Morte de jalousie, je prends une pierre et je mets la montre en morceaux.

Pour une fois, ma méchanceté n'est pas découverte, et c'est avec un vrai plaisir que j'assiste aux réprimandes de mon père, reprochant à Ali sa négligence et lui recommandant de prendre soin, à l'avenir, de ce qui lui appartient. Bien entendu, au bout d'une semaine à peine, on offre à

Ali une nouvelle Rolex en or, et ma rancune d'enfant se transforme en réel désir de vengeance.

Ma mère me parle souvent de cette haine pour mon frère. En femme sage, elle a bien vu cette flamme dans mes yeux, même quand je m'incline devant l'inévitable. Je suis la plus jeune de la famille, donc dorlotée par ma mère, mes sœurs et mes autres parents. En y repensant, je ne peux pas nier que j'étais outrageusement gâtée. À cause de ma petite taille pour mon âge, en comparaison de mes sœurs, grandes et bien charpentées, on m'a traitée comme un bébé pendant toute mon enfance. Mes sœurs étaient sages et réservées, de convenables princesses saoudiennes. J'étais dissipée et insoumise, me préoccupant fort peu de ma royale image. Comme j'ai dû abuser de leur patience ! Mais, aujourd'hui encore, chacune de mes sœurs se précipiterait pour prendre ma défense au moindre danger.

Triste contraste, pour mon père, je représente, fillette, le summum des déceptions. Et je passe mon enfance à essayer de gagner son affection... Finalement, désespérant d'obtenir son amour, je m'efforce d'attirer son attention par n'importe quel moyen, au risque qu'elle prenne la forme de punition pour mes nombreux méfaits.

Je me dis que si mon père est contraint de me regarder aussi souvent que possible, il sera obligé de reconnaître mon caractère particulier et se mettra à m'aimer autant qu'il aime Ali. Mais les moyens tortueux et frondeurs que j'emprunte le mènent de la totale indifférence au véritable rejet.

Ma mère a accepté le fait que ce pays où nous sommes nées prédestine à l'incompréhension entre les sexes. Je suis encore une enfant, le monde est devant moi, j'ai du mal à parvenir à une telle conclusion.

En y repensant, je suppose qu'Ali devait avoir aussi ses

bons côtés, mais il m'est très difficile de passer sous silence son plus grave défaut : la cruauté.

Un jour, je le vois malmener le fils de notre jardinier, un handicapé. Le malheureux enfant a de grands bras et des jambes bizarrement tordues. Il paraît ridicule dès qu'il se met à marcher. Les camarades d'Ali viennent souvent en visite et ils prennent l'habitude de convoquer le pauvre Sami pour lui demander d'exécuter devant eux sa « marche de singe ». Ali ne fait jamais attention au regard pathétique de Sami, ni aux larmes qui roulent sur ses joues.

Quand Ali découvre des chatons, il les dissimule et hurle de rire en observant leur mère qui tente en vain de les retrouver. Nul dans cette maisonnée ne se préoccupe de le châtier, puisque notre père ne voit aucun mal dans les jeux cruels de son fils.

Un jour, après un sermon émouvant de ma mère, je prie pour ressentir des sentiments fraternels à l'égard d'Ali et décide d'adopter avec lui la tactique saoudienne — la manipulation de préférence à l'affrontement. Grâce à ma mère, je comprends enfin que ma ligne de conduite actuelle ne peut que m'entraîner sur un chemin épineux, et je prends de bonnes résolutions.

En plus, ma mère ajoute à son sermon qu'il s'agit là d'un souhait de Dieu, et se servir de Dieu pour convaincre un enfant de changer son comportement est toujours une formule magique.

Hélas ! Mes bonnes intentions se retrouvent piétinées en l'espace d'une semaine par le lâche comportement d'Ali.

Avec mes sœurs, nous avons déniché un chiot. Manifestement abandonné par sa mère, il couine de faim. Surexcitées par notre trouvaille, nous nous précipitons à la recherche de biberons de poupée et de lait de chèvre chaud. Nous revenons ensemble avec la nourriture. Pendant des jours, le chiot est ainsi nourri et il grossit. Nous l'enveloppons de chiffons et nous le promenons dans une poussette. Il est devenu notre distraction préférée.

La plupart des musulmans n'aiment guère les chiens, mais il est rare qu'une personne fasse du mal à un petit, quelle que soit l'espèce à laquelle il appartient. Même notre mère, musulmane dévote, ne résiste pas aux charmants batifolages du chiot.

Un après-midi, alors que nous promenons Basem — « le rieur » en arabe — dans la poussette, Ali passe près de nous avec ses amis. Voyant leur admiration pour notre petit chien, Ali décide que le chien est à lui. Mes sœurs et moi nous mettons à pleurer et à nous débattre, tandis qu'il tente de nous arracher Basem. Notre père, entendant ce charivari, descend de son bureau. Ali lui explique qu'il veut le chien, et notre père nous ordonne de le lui donner. Rien de ce que nous pourrions dire ou faire ne changera la décision paternelle. Ali veut le chiot. Ali aura le chiot. Les larmes coulent sur nos joues mais, déjà, Ali est parti avec Basem dans les bras.

L'éventualité que je puisse éprouver un quelconque amour pour mon frère vient de mourir définitivement. Ma haine se solidifie d'autant que j'apprends qu'Ali, vite fatigué des jappements de Basem, en allant voir ses amis, l'a tout simplement jeté par la portière de la voiture en marche.

Les seize ans de Sara

Je suis triste, ma sœur Sara est en larmes dans les bras de ma mère. Sara est la neuvième fille de mes parents : elle a trois ans de plus que moi, Ali est né entre nous deux. C'est **son** seizième anniversaire, et elle devrait être contente, **mais** ma mère vient d'apporter de mauvaises nouvelles de **chez** notre père.

Sara porte le voile depuis ses premières règles, il y a deux ans. Le voile l'a transformée en une « non-personne ». Elle a cessé de parler de ses rêves d'enfance et de ses grands projets. Elle a pris ses distances par rapport à moi, sa jeune sœur, qui ne suis pas encore concernée par l'institution du voile. La dureté de cet éloignement soudain m'a fait regretter le bonheur de notre enfance partagée. Tout à coup, il me paraît évident que le bonheur n'existe qu'en comparaison du malheur, car j'ignorais que nous étions si heureuses jusqu'à ce que le malheur de Sara me saute aux yeux.

Sara est ravissante, bien plus jolie que moi ou mes autres sœurs. Mais sa grande beauté est une malédiction, car beaucoup d'hommes en ont entendu parler par leur mère ou leurs sœurs, et souhaitent l'épouser.

Sara est grande et mince, sa peau blanche est laiteuse. Ses immenses yeux bruns scintillent, et elle sait que tout le monde admire sa beauté. Ses longs cheveux noirs font notre admiration et notre envie.

En dépit de sa beauté naturelle, Sara est réellement gentille, et tous ceux qui la connaissent l'aiment.

Malheureusement, une autre malédiction la frappe : elle n'est pas seulement belle, elle est aussi intelligente et exceptionnellement brillante. Dans notre pays, les femmes brillantes sont vouées au malheur, car elles n'ont aucune possibilité d'exploiter leurs dons.

Sara veut étudier l'art en Italie, et être la première à ouvrir une galerie d'art à Djeddah. Elle travaille dans cette intention depuis l'âge de douze ans. Sa chambre est pleine de livres de tous les grands maîtres. Elle me soûle de récits et de descriptions de l'art européen.

Juste avant l'annonce de son mariage, je fouine en douce dans sa chambre, et je vois la liste des endroits qu'elle a l'intention de visiter à Florence, Venise et Milan. Je sais malheureusement que tous ces rêves n'aboutiront jamais.

Chez nous, la plupart des mariages sont arrangés par l'entremise des vieilles femmes mais, dans notre famille, c'est notre père qui décide de tout. Et il a décidé depuis longtemps que sa plus jolie fille devait épouser un homme de grand pouvoir et de grande fortune.

Celui qu'il a choisi pour sa fille la plus désirable appartient à une famille de grands commerçants de Djeddah, qui ont une grosse influence sur les finances de notre propre famille. Le fiancé n'a été élu qu'en raison des affaires passées et futures.

L'homme destiné à ma sœur a soixante-deux ans. Sara sera sa troisième femme. Bien qu'elle n'ait jamais rencontré ce vieillard, il a entendu parler de sa grande beauté par les femmes de sa famille, et il est impatient de conclure le mariage.

Maman a tenté d'intervenir au nom de Sara, mais notre père, ainsi qu'à son habitude, a répondu sans aucune émotion aux larmes de sa fille.

Et voici le moment d'apprendre à Sara qu'on va la marier.

Maman m'ordonne de quitter la chambre mais, comme elle a le dos tourné, je la trompe facilement en faisant du bruit avec mes pieds et mine de claquer la porte, puis je me glisse à l'intérieur d'un placard entrouvert. Là, je verse amèrement des larmes silencieuses sur le sort de ma sœur, maudissant en bloc notre père, notre pays, notre culture.

Sara sanglote si fort que je perds la plupart de ses paroles, mais je l'entends crier qu'on la mène au sacrifice comme un agneau.

Ma mère pleure, elle aussi, mais ne trouve pas de mots pour consoler et réconforter Sara. Elle sait bien que son mari a entièrement le droit de disposer de ses filles et de décider pour elles de n'importe quel mariage. Six de mes dix sœurs sont mariées à des hommes qu'elles n'ont pas choisis. Maman sait que les quatre suivantes devront prendre le même affreux chemin. Aucun pouvoir sur terre ne peut arrêter cela.

Maman m'entend remuer dans le placard. Elle plisse les yeux et hoche la tête en me voyant mais ne fait rien pour m'obliger à partir. Au contraire, elle me demande d'aller chercher des serviettes fraîches et reporte son attention sur Sara. À mon retour, elle les place sur le front de ma sœur, et la calme jusqu'à ce qu'elle s'endorme. Enfin, elle s'assied, regarde sa jeune fille pendant de longues minutes, puis se redresse pesamment.

Avec un regard triste, elle me prend par la main et m'emmène à la cuisine. Il n'est pas l'heure de déjeuner, et le cuisinier fait la sieste, mais maman me prépare une assiette de gâteaux et un verre de lait froid. J'ai treize ans, mais je suis encore petite pour mon âge. Elle me serre contre sa poitrine en silence, un long moment.

Les pleurs de Sara ne font malheureusement qu'endurcir le cœur de notre père. Un jour, je surprends les supplications qu'elle lui adresse. Elle est tellement bouleversée qu'elle l'accuse de haïr les femmes. Elle argumente à l'aide d'un vers de Bouddha : « La victoire engendre la haine, si le vaincu est humilié... »

Raide de colère, notre père lui tourne le dos et s'en va tandis que Sara se lamente derrière lui, jurant qu'elle aurait préféré ne jamais venir au monde, puisque la souffrance ici-bas l'emporte toujours sur le bonheur de vivre.

D'une voix tonitruante, notre père lui rétorque que la date de son mariage sera avancée afin de lui éviter les tourments de l'attente.

Habituellement, notre père vient chez nous une fois toutes les quatre nuits. Les musulmans croyants disposant de quatre épouses arrangent ainsi leurs soirées, afin que chaque épouse et chaque famille profitent de leur présence à égalité. Lorsqu'un homme refuse d'aller chez sa femme et ses enfants, c'est que la situation est grave, et il s'agit alors d'une sorte de punition.

Notre maison est dans une telle effervescence, à cause du chagrin de Sara, que notre père demande solennellement à notre mère — la première épouse, donc la plus importante — d'avertir ses trois autres femmes qu'il fera désormais une rotation entre les trois maisons, toutes les trois nuits, et évitera la nôtre. Avant de quitter la villa, il ordonne durement à ma mère de débarrasser Sara de ses revendications hystériques et de l'amener paisiblement à suivre sa destinée. Ce qui, selon ses propres termes, « est le devoir d'une épouse attentive et d'une bonne mère ».

Je me souviens à peine des noces de mes autres sœurs. Vaguement de leurs larmes, mais j'étais si petite que le traumatisme émotionnel d'un mariage avec un étranger ne m'effleurait pas encore l'esprit.

Aujourd'hui je peux, en fermant les yeux, faire renaître chaque détail des événements qui se sont déroulés durant les mois qui ont précédé le mariage de Sara, le mariage lui-même et les choses affreuses qui se sont passées les semaines suivantes.

Dans ma famille, j'ai la réputation d'être l'enfant la plus difficile, la fille qui a usé au maximum la patience de ses parents. Volontaire, téméraire et insouciante, j'ai provoqué certains ravages dans notre maisonnée. J'ai bourré de sable le moteur de la Mercedes toute neuve d'Ali. J'ai subtilisé de l'argent dans l'attaché-case de mon père. J'ai enterré dans le jardin la collection de pièces d'or d'Ali. J'ai déversé des serpents verts et d'énormes lézards dans la piscine pendant qu'Ali sommeillait sur son matelas pneumatique.

Au contraire, Sara a toujours été considérée comme une fille obéissante et douce, qui a toujours obtenu des résultats parfaits dans son travail scolaire. J'ai beau l'aimer énormément, je la trouve faible.

Mais, pendant les semaines précédant son mariage, Sara nous étonne. Apparemment, elle dissimulait une force de caractère et un courage surprenants, car elle se met à appeler le bureau de notre père quasiment tous les jours pour lui signifier qu'elle refuse de se marier. Elle appelle même le bureau de celui qu'on lui destine pour laisser un message particulièrement dur à son secrétaire indien, disant qu'elle le trouve vieux et répugnant, qu'il ferait mieux d'épouser des femmes et non des jeunes filles. Évidemment, le secrétaire ne s'empresse pas de transmettre de tels propos. Les océans auraient risqué de déborder et les volcans d'exploser autour de lui, s'il l'avait fait.

Déterminée, Sara rappelle en demandant à parler à l'homme en personne! On l'informe qu'il est à Paris pour quelques semaines.

Apprenant le comportement de sa fille, notre père débranche nos téléphones et enferme Sara dans sa chambre.

Et la réalité se fait cruellement menaçante. Le jour du mariage approche.

Toutes ces semaines de douloureuses tortures n'ont en rien affecté la beauté de Sara. Elle apparaît plus belle encore, plus diaphane — une créature de paradis — qui n'est pas faite pour ce bas monde.

Comme elle a maigri, on ne voit plus que ses yeux noirs, immenses dans son visage si délicatement ciselé. Son regard est profond, infini. Je peux contempler jusqu'à son âme, à travers les immenses pupilles noires. J'y lis la peur.

Je la vois encore aujourd'hui, comme alors. Je vois arriver nos sœurs aînées, toute une pléiade de cousines, de tantes, accourues très tôt le matin pour préparer la fiancée au goût de son futur époux.

Je suis là, dissimulée dans un coin de l'immense salon transformé en salle d'habillage, tellement immobile, figée comme une pierre, que ma présence indésirable n'attire même pas l'attention des femmes.

Elles sont au moins une quinzaine à s'occuper du moindre détail de ce mariage. Notre mère et la plus âgée de nos tantes accomplissent le premier rituel, celui du *halawa*.

Le corps de Sara tout entier doit être rasé, à l'exception de ses cheveux et de ses sourcils, la peau débarrassée du moindre poil. On a préparé pour cela dans la cuisine une mixture particulière qui achève de bouillir, un mélange de sucre, d'eau de rose, de jus de citron. Ma mère et ma tante l'appliquent sur le corps de ma sœur. Lorsque la pâte a séché sur la peau, elles l'enlèvent brusquement et Sara est ainsi entièrement épilée.

On prépare ensuite le henné pour l'ultime rinçage de ses boucles magnifiques. Sa chevelure a maintenant de splendides reflets de lumière.

52

Ses ongles sont peints d'un rouge si éclatant que j'y retrouve en frissonnant la couleur du sang.

La robe de mariage, en dentelle rose pâle, est accrochée dans l'encadrement d'une porte. On a soigneusement rassemblé sur la table de toilette l'indispensable collier de diamants, le bracelet et les boucles d'oreilles assortis. Ils ont été envoyés il y a déjà plusieurs semaines par le marié, en guise de cadeau, mais Sara ne les a encore ni vus ni touchés.

Lorsqu'un mariage saoudien est heureux, le salon d'habillage résonne de rires et déborde d'activités impatientes. Pour les noces de Sara, l'ambiance est lugubre. Ses suivantes pourraient tout aussi bien préparer son corps pour la tombe. Tout le monde parle en sourdine.

Pas un mot ne tombe des lèvres de Sara. Je la trouve étrangement soumise, après ses réactions fougueuses des dernières semaines. Plus tard, je comprends qu'elle est dans une sorte d'état hypnotique. En effet, de crainte que Sara n'humilie notre famille en exprimant son refus, ou même qu'elle n'insulte le marié, notre père a donné des ordres aux médecins pakistanais du palais. Ils lui ont injecté suffisamment de tranquillisants pour lui faire passer cette journée sans incident. Nous avons su aussi que les mêmes médecins ont remis à l'époux des tranquillisants destinés à Sara, en lui expliquant qu'ils éviteraient des malaises à sa jeune épouse, particulièrement nerveuse et surexcitée par ce mariage.

Comme le marié n'avait jamais rencontré sa femme, il a dû trouver, les jours suivants, qu'elle était curieusement docile et calme. Mais comme, dans notre pays, beaucoup d'hommes âgés épousent de très jeunes filles, ils ont l'habitude de les voir complètement terrorisées.

Le battement des tambours annonce l'arrivée des invités.

Les femmes en terminent avec Sara. Elles glissent par-dessus sa tête la délicate robe de dentelle, tirent la ferme-ture Éclair et chaussent ses pieds de mules roses. Ma mère dispose le collier de diamants autour de son cou. Je crie que ce lourd collier scintillant est un nœud coulant, un piège. L'une de mes vieilles tantes me cogne sur la tête, une autre me tord l'oreille, mais aucun son ne sort de la bouche de Sara. Nous la regardons toutes fixement dans un silence mêlé d'effroi et de respect. Jamais mariée n'a été plus belle.

Une énorme tente a été installée dans la cour pour la cérémonie. Le jardin est inondé de fleurs importées de Hollande. Un étonnant tapis de milliers de pétales, de toutes les couleurs, couvre le sol. Fascinée par cette splen-deur, j'oublie un court instant le drame de cette journée.

La tente déborde d'invités. Les femmes de la famille royale, croulant sous les diamants, les rubis et les éme-raudes, partagent cet événement avec les femmes du commun, occasion rare de se rencontrer. Les femmes saoudiennes de classe ordinaire sont en effet autorisées à assister aux mariages, à condition qu'elles demeurent voi-lées et ne se mêlent pas aux nobles. L'une de mes amies m'a raconté que parfois des hommes se dissimulent sous le voile et se joignent à ces femmes pour pouvoir contempler nos visages interdits.

Tous les invités masculins sont supposés faire la fête dans le meilleur hôtel de la ville, et accepter le même mélange social que les invitées féminines. Parler, danser, manger... de leur côté.

Les mariages en Arabie Saoudite sont fêtés séparément par les hommes et par les femmes, dans des lieux diffé-rents. Les seuls représentants masculins admis durant la célébration sont le marié, son père, le père de la mariée et un religieux chargé de la courte cérémonie. Cette fois-ci, le père du marié étant décédé, seul notre père est chargé d'accompagner le fiancé au moment où il prend femme.

Lorsque les esclaves et les serviteurs découvrent les plats, c'est une véritable course en direction du festin. Les femmes voilées sont les premières à se jeter sur la nourriture ; elles enfournent les aliments sous leur voile, avec avidité. Les autres invitées goûtent avec soin le saumon fumé de Norvège, le caviar russe, les œufs de caille et autres gourmandises. Quatre tables immenses plient sous le poids des plats. Les hors-d'œuvre à gauche, les plats principaux au milieu, les desserts à droite et, de l'autre côté, les boissons. Pas une goutte d'alcool n'est visible, bien entendu, mais nombre d'épouses royales transportent dans leurs sacs de petites fioles ornées de joyaux. De temps à autre, elles disparaissent en riant dans les salons de toilette, pour une gorgée furtive.

Des danseuses du ventre égyptiennes évoluent au milieu de la tente. Une foule de femmes de tous âges les regarde sans bouger, observant les mouvements de la danse avec un intérêt mitigé. C'est le meilleur moment du mariage pour moi, alors que la plupart des femmes semblent plutôt gênées par ce divertissement érotique.

Les gens qui m'entourent se prennent en général très au sérieux et, comme tous les Saoudiens, considèrent avec suspicion toute manifestation de gaieté ou de plaisir. Mais, ce jour-là, je suis complètement abasourdie de voir l'une de mes tantes, pourtant âgée, surgir du public et se joindre aux ondulations des danseuses. Elle est étonnamment douée. Malheureusement, j'entends ici et là les murmures de désapprobation de la plupart de mes parentes.

Le roulement des tambours résonne à nouveau : Sara va faire son apparition. Les invitées se tournent avec impatience vers l'entrée de la villa.

Les portes s'ouvrent en grand et Sara, encadrée par notre mère et une tante, et suivie d'une escorte, s'avance sous le dais.

On lui a caché le visage sous un lourd voile rose maintenu par une tiare de perles roses. Ce simple voile ne sert qu'à rehausser sa remarquable beauté.

Un lourd murmure d'approbation accueille sa parfaite attitude de suppliciée. Après tout, une jeune épouse vierge doit jouer son rôle et se montrer terrorisée jusqu'au plus profond d'elle-même.

Des douzaines de femmes de la famille forment sa suite et emplissent l'air des chants traditionnels du désert, célébrant la joie et l'excitation de la fête. Ce sont des trilles haut perchés, qu'elles produisent en frappant leur langue sur leur palais, avec frénésie. D'autres femmes se joignent à elles, avec des hurlements stridents.

Sara trébuche, aussitôt redressée par notre mère.

Déjà, mon père et le marié arrivent.

Je savais que ce dernier était plus âgé que notre père, mais c'est la première fois que je le vois. J'en suis révoltée. À mes yeux d'enfant, cet homme est un vieillard. Je trouve aussi qu'il ressemble à une fouine. L'idée physique, réelle, qu'il va toucher ma sœur, poser les mains sur elle, ma délicate et farouche Sara, m'écœure.

En relevant le voile de Sara, le marié grimace un sourire affecté, lourd de sous-entendus. Trop droguée pour réagir, elle ne manifeste aucune émotion face à son nouveau maître.

La cérémonie officielle du mariage s'est déroulée des semaines auparavant. Aucune femme n'était présente. Seuls les hommes ont participé à cette cérémonie, qui consiste à signer l'agrément de la dot et à échanger les documents légaux. Aujourd'hui, quelques mots vont simplement compléter ce rituel.

Le religieux regarde notre père en prononçant la phrase symbolique qui unit Sara à cet homme, en échange de la remise de la dot. Puis il se tourne vers le marié, qui déclare accepter Sara pour épouse et ajoute que, désormais, elle se trouve placée sous sa protection. Aucun homme ne regarde Sara, à aucun moment de cette cérémonie.

Le religieux lit maintenant des passages du Coran, puis bénit le mariage de ma sœur. Aussitôt les femmes se remettent à crier et hululer de toute la force de leurs langues. Sara est mariée ! Les hommes redressent la tête, souriant de contentement.

Sara est toujours sans réaction. Le marié sort une petite bourse de sa poche et jette des pièces d'or aux invités. J'enrage en le regardant accepter leurs félicitations d'un air suffisant. Puis il prend ma sœur par le bras et s'empresse de l'entraîner avec lui.

Les yeux de Sara s'accrochent aux miens à l'instant où elle passe devant moi. Je sais que quelqu'un devrait l'aider. Je sais aussi que personne ne le fera.

Et les mots qu'elle lançait à notre père me reviennent à l'esprit : « La victoire engendre la haine quand le vaincu est humilié. »

Mon âme en peine ne trouve même pas de consolation dans la certitude que le marié ne connaîtra jamais le bonheur dans cette union injuste et cruelle.

Car il n'est pas de châtiment assez fort pour lui.

Divorce

Durant les trois mois suivant son mariage, père nous défend de rendre visite à Sara. Il prétend qu'elle a besoin de temps pour s'habituer à sa nouvelle vie, à ses nouvelles responsabilités, et que la vue de sa famille ne servirait qu'à raviver son désir de retourner à une existence de rêves inutiles. Nous avons beau exprimer notre angoisse devant cet esclavage, nous n'obtenons qu'un refus aussi catégorique qu'insensible.

D'après notre père, Sara doit accomplir ce pour quoi toute femme est née : servir son maître, lui donner du plaisir et lui faire des enfants.

Sara n'a rien emporté de sa chambre. Elle a peut-être compris que ses livres et ses objets précieux ne rendraient que plus triste son existence actuelle.

Pour moi, c'est exactement comme si elle était morte. Son absence crée un vide noir et sinistre dans ma vie. Je prends le deuil à ma façon, en passant de longues heures dans sa chambre au milieu de ses affaires personnelles. Je m'intéresse à ses passions, je me sens investie d'une partie de sa personnalité. Je lis son journal et ses rêves me paraissent être les miens. Je pleure en m'interrogeant sur la sagesse d'un Dieu qui permet au diable de mettre une innocente en esclavage.

Lorsque ma mère me trouve dans le lit de Sara, revêtue de sa chemise de nuit et lisant ses livres d'art, elle ordonne que la porte de sa chambre soit fermée à clef.

Nous n'avons pas à supporter les trois mois d'attente que nous impose notre père avant de revoir Sara. Cinq semaines après son mariage, elle tente de se suicider.

Ce jour-là, je suis dans le jardin, occupée à « discuter » avec quelques-unes des bêtes de notre tout nouveau zoo privé. Soudain, Omar surgit en courant, s'emmêlant les pieds dans ses babouches tant sa hâte à franchir la porte d'entrée est grande. D'habitude, Omar a le teint très bronzé mais, là, il est livide. Il brosse rapidement sa djellaba, secoue le sable de ses sandales en les frappant contre le mur, et me crie de courir chercher ma mère.

Maman a un sixième sens dès qu'il s'agit de ses enfants. À peine a-t-elle vu Omar qu'elle lui demande ce qui est arrivé à Sara.

Lorsqu'un parent est malade, blessé ou mort, pas un Arabe ne peut annoncer la vérité à sa famille. Nous sommes des gens incapables d'être porteurs de mauvaises nouvelles. Si un enfant meurt, le malheureux chargé d'apprendre le décès à la famille commencera par dire que l'enfant ne va pas très bien. Après interrogatoire, il ajoutera qu'on a dû le transporter chez le médecin. Puis il finira par admettre qu'il est à l'hôpital. Après une série de supplications pour obtenir des renseignements, la famille apprendra tout de même que la maladie est sérieuse, et que tout le monde ferait mieux de se préparer à passer la journée au chevet de l'être aimé. Plus tard encore, le messager admettra douloureusement que la vie de l'être cher est en danger.

Des heures peuvent passer avant qu'on découvre à quel point une nouvelle est grave. Mais nul n'admettra jamais la mort de l'être aimé. Le pire qu'un Arabe puisse faire, en apportant de mauvaises nouvelles, est de préparer la famille à en recevoir de plus inquiétantes encore de la part du médecin.

Omar raconte donc à maman que Sara a mangé de la viande avariée et qu'elle est hospitalisée dans une clinique de Djeddah. Père lui envoie un avion privé sur l'heure. Maman serre les lèvres d'inquiétude et part en courant chercher son *abaaya* et son voile.

Je m'accroche à elle en pleurant pour qu'elle accepte de m'emmener avec elle. Elle cède contre ma promesse de ne pas faire de scène à la clinique si Sara est dans un état désespéré. Je promets et cours vers la chambre de Sara. Je tape du pied dans la porte et secoue rageusement la serrure, jusqu'à ce qu'une servante trouve la clef. Je veux absolument emporter le livre d'art favori de ma sœur.

Omar nous conduit au bureau de notre père, car il a oublié de prendre nos autorisations de voyage. En Arabie Saoudite, un homme doit rédiger une lettre d'autorisation pour les femmes de sa famille qu'il laisse voyager. Sans ces papiers, nous serions arrêtées immédiatement au bureau de douane, et on nous refuserait la permission de monter dans l'avion. Père nous remet également nos passeports, en disant à ma mère qu'il sera peut-être nécessaire d'emmener Sara à Londres pour un traitement.

Viande avariée ? Londres ? Je sais ce qui est avarié, c'est l'histoire de mon père. Je suis convaincue que ma sœur est morte.

Nous volons vers Djeddah dans un petit avion privé. Le voyage est confortable, mais il règne dans la cabine une atmosphère lourde de tension. Maman parle peu et garde les yeux fermés durant presque tout le vol. Quelques années plus tôt, elle a accompli son premier voyage en automobile. Je vois bouger ses lèvres silencieusement, et je me doute qu'elle fait une double prière à Dieu : d'abord pour la vie de Sara, et ensuite pour que l'avion nous mène vers elle saines et sauves.

Le pilote et le copilote sont américains, et leur façon d'être, amicale et libre, m'attire immédiatement. Ils me demandent si je veux venir dans la cabine de pilotage. Devant mes gesticulations frénétiques, maman m'accorde la permission avec réticence. Je tape du pied et agite les bras avec énergie. Jamais je n'ai eu droit au cockpit. C'est toujours pour Ali.

Au début, je suis épouvantée à la vue du ciel ouvert, immense. L'avion a l'air d'un jouet entre la terre et le ciel.

Je pousse un cri de peur et recule. John, le plus grand des deux Américains, m'adresse un sourire rassurant tout en m'expliquant patiemment le fonctionnement des boutons et autres gadgets. Curieusement, je me retrouve appuyée sur son épaule, parfaitement à l'aise et en confiance. C'est l'une des rares occasions de ma jeune existence où je me sens calme, tranquille en présence des hommes. Malheureusement, je crains mon père, je déteste Ali et mes autres demi-frères. C'est étrange de se sentir intoxiquée par l'idée que les hommes, que j'ai appris depuis l'enfance à considérer comme des dieux, peuvent être si ordinaires, si peu menaçants. C'est un sentiment tout nouveau pour moi, et qui me donne à réfléchir.

En regardant par le hublot de l'avion, je ressens ce que doit ressentir l'aigle quand il s'élance au loin d'un large battement d'aile. Je connais pour la première fois une merveilleuse sensation de totale liberté.

Mes pensées s'envolent vers Sara, et j'ai soudain le choc d'une certitude : les animaux et les oiseaux sont plus libres que ma sœur. Je fais en secret le vœu de devenir maîtresse de mon existence, quelles que soient les actions à entreprendre et les souffrances à endurer.

Je rejoins ma mère pour l'atterrissage. Elle me prend tendrement dans ses bras et me serre contre elle, jusqu'à ce que l'appareil s'immobilise. Elle est voilée, mais je connais la moindre de ses expressions, et je perçois un long soupir de torture.

Je dis au revoir aux deux gentils Américains. J'espère bien qu'ils nous ramèneront à Riyad, car nous sommes devenus amis. Ces deux hommes ont accordé une telle importance à l'enfant que je suis, et répondu à tant de questions folles de ma part !

Les couloirs de la clinique résonnent de hurlements et de pleurs. Maman accélère le pas et serre ma main si fort que j'en ai mal.

Sara est encore en vie, mais à peine. Complètement désemparées, nous apprenons qu'elle a voulu mettre fin à ses jours en glissant sa tête dans un four à gaz.

Elle est extrêmement calme, pâle, comme morte. Son mari n'est pas là, mais il a envoyé sa mère.

D'une voix forte, la vieille femme se met à sermonner vertement Sara en lui reprochant de plonger dans les ennuis son mari et sa famille. Ce n'est qu'une vieille sorcière infecte. Si je pouvais lui griffer la figure pour la faire fuir, je le ferais, mais j'ai promis à maman... Alors je me contiens, étouffant presque de rage tout en caressant doucement les mains inertes de Sara.

Maman relève son voile et regarde la vieille femme droit dans les yeux. Elle a fait le tour de toutes les suppositions et de toutes les angoisses, mais la découverte que sa fille a voulu se suicider est pour elle aussi inattendue que bouleversante.

Elle pique une colère devant la mère du mari, et j'en sauterais de joie. Froidement, elle lui demande ce que son fils a fait pour pousser une jeune fille vers la mort.

La vieille en reste muette. Maman lui ordonne aussitôt de quitter le chevet de Sara, car une femme impie n'y a pas sa place. La vieille disparaît en oubliant de remettre son voile. Nous l'entendons hurler de rage tandis qu'elle appelle Dieu à son secours.

En se retournant vers moi, maman surprend mon sourire d'admiration. Sa colère m'a soulagée et, un bref instant de lumineux espoir, je crois que Dieu ne nous abandonnera pas et que Sara sera sauvée.

Mais je sais que lorsque notre père aura connaissance de l'algarade, ma mère vivra un enfer. Je le connais, il sera fou furieux, sans aucune compassion pour le geste désespéré de sa fille.

Et il sera encore plus furieux que maman ait pris la défense de Sara. En Arabie Saoudite, on respecte infiniment les anciens. Peu importe ce qu'ils font, ou ce qu'ils disent, et comment ils se comportent, personne ne contredit quelqu'un d'âgé. En affrontant la vieille femme, maman avait l'air d'une véritable tigresse protégeant son petit. Mon cœur se serre à l'idée qu'elle va payer le prix de son courage.

Au bout de trois jours, sans avoir téléphoné une seule fois, le mari de Sara arrive à la clinique pour réclamer son bien. Mais maman a alors découvert la véritable raison de la lente agonie de Sara. Elle affronte maintenant son gendre avec mépris. Le mari de sa fille est un sadique. Il a contraint Sara à supporter ses brutalités sexuelles au point qu'elle n'a trouvé d'échappatoire que dans la mort.

Notre père lui-même est révulsé par les souffrances qu'elle a dû subir. Néanmoins, il convient avec son gendre qu'une femme appartient à son mari... Celui-ci promet que ses rapports intimes avec Sara seront désormais plus conformes à la normale.

Lorsque notre père lui annonce sa décision, la main de ma mère tremble. Ses lèvres étouffent un hurlement. Sara

64

se met à pleurer, tente de sortir de son lit, en disant qu'elle préfère mourir. Elle menace de se trancher les veines si on la force à retourner chez son mari.

Alors maman se place devant sa fille comme une montagne protectrice. Pour la première fois de sa vie, elle défie son mari. Elle lui déclare que Sara ne retournera pas habiter chez ce monstre, sinon, elle, sa mère, ira droit voir le roi et le conseil des religieux, qui ne permettront pas qu'une telle chose continue.

Père la menace de divorcer. Elle demeure inébranlable, lui rétorquant qu'il peut faire ce qu'il veut, mais que sa fille ne retournera pas subir un tel diable.

Père est intraitable, lui aussi. Il estime probablement que, selon toute vraisemblance, les religieux forceront Sara à retourner chez son mari. S'il y a un quelconque précédent, ils avertiront le mari de se comporter avec sa femme selon les prescriptions du Coran, après quoi ils tourneront le dos à cette situation si désagréable.

Père résiste, le regard fixe, soupesant la détermination de maman. Puis, se méfiant de son air résolu et n'ayant nulle envie de supporter une intervention extérieure dans ses affaires de famille, pour la première fois depuis son mariage, il lui cède.

Comme nous faisons partie de la famille royale et qu'il ne souhaite pas rompre ses relations avec mon père, le mari se résigne de mauvaise grâce à divorcer de Sara.

L'islam autorise l'homme à divorcer sans la moindre raison, ni le moindre motif. En revanche il est très difficile pour une femme de divorcer de son mari. Si Sara avait été contrainte de demander une séparation d'avec son mari, elle aurait rencontré d'énormes difficultés, car les autorités religieuses auraient pu décider qu'« on ne peut pas éprouver de l'aversion pour une chose qu'Allah a voulue pour votre propre bien ». Ainsi, ils auraient pu obliger Sara à retourner vers son mari.

L'époux, s'étant laissé fléchir, a fini par prononcer les mots : « Je divorce de toi », trois fois, et en présence de deux témoins masculins. Le divorce est aussitôt accordé, en un rien de temps.

Sara est libre ! Elle revient chez nous.

Dans ma vie, chaque bouleversement est une transition. Ma jeune existence vient d'être transformée par le mariage, la tentative de suicide et le divorce de Sara. De nouvelles idées germent dans ma tête. Je ne peux plus penser comme une enfant.

Pendant des heures, je réfléchis et soupèse les traditions primitives qui entourent le mariage dans mon pays. De nombreux facteurs déterminent l'aptitude au mariage d'une fille saoudienne : le nom et la fortune de sa famille, l'absence de difformité, la beauté. Les rendez-vous sont interdits et un homme doit se fier au regard d'aigle de sa mère et de ses sœurs qui sont en permanence en quête de bonnes alliances. Même après la promesse de mariage, il est rare qu'une fille rencontre son futur époux avant les noces. Parfois, certaines familles permettent un échange de photographies.

Une fille de bonne famille sans difformité reçoit en principe de nombreuses propositions. Si elle est d'une grande beauté, beaucoup d'hommes envoient leur mère ou leur père les demander en mariage, car la beauté est un excellent négoce pour les femmes d'Arabie Saoudite. Évidemment, aucun scandale ne doit venir gâter la beauté d'une fille et ternir son attrait. Une telle fille serait obligée d'épouser un vieil homme, dans un lointain village, et de devenir sa troisième ou sa quatrième femme.

Nombre de Saoudiens laissent à leurs épouses la décision finale de marier leurs filles, sachant qu'elles trouveront la meilleure alliance possible dans l'intérêt de la famille. Si bien que, très souvent, la mère impose à sa fille un mariage non voulu et va contre ses protestations. Après tout, elle a elle-même épousé un homme dont elle avait peur et, pourtant, sa vie se déroule débarrassée de l'horreur ou de la souffrance qu'elle a craintes. La mère met en garde sa fille contre l'amour et l'affection, ces rêves qui ne durent pas, et lui explique qu'il vaut mieux épouser le fils d'une famille que l'on connaît.

Mais certains hommes, tels que mon père, fondent leur décision de marier leurs filles sur un possible bénéfice personnel ou financier. Et il n'existe aucune haute autorité pour s'opposer à leur verdict. Avec toute sa beauté, son intelligence et ses rêves d'enfance, Sara n'a finalement été qu'un pion dans les plans de richesse de mon père.

Cette vision intime du destin de ma sœur adorée me conduit à une nouvelle résolution : nous, les femmes, devrions avoir le droit à la parole dans les décisions qui peuvent transformer notre vie à jamais. Depuis ce jour, je vis, je respire, je complote pour les droits des femmes dans mon pays, afin que nous puissions exister dans la dignité et l'épanouissement personnel qui sont, de naissance, les droits des hommes.

Ali

Peu de mois après le retour de Sara, Nura, ma sœur aînée, réussit à convaincre notre père que Sara et moi nous avons grand besoin de voir le monde extérieur, de voyager hors d'Arabie Saoudite. Aucune d'entre nous n'est parvenue à sortir Sara de sa dépression chronique, et Nura pense qu'un voyage est une bonne thérapeutique. Quant à moi, je suis allée en Espagne deux fois, mais j'étais si petite que mes souvenirs ne comptent pas.

Nura a épousé l'un des petits-fils de notre premier roi. Père est satisfait de son mariage, de son calme et de sa conception tranquille de la vie. Nura fait ce qu'on lui dit et ne pose pas de questions.

Au fil des années, notre père s'est mis à compter sur elle car peu de ses filles présentent à ses yeux des qualités aussi agréables. Depuis le divorce de Sara, notre père fait de Nura une référence constante pour ses autres filles. Nura a épousé quelqu'un qu'elle ne connaissait pas et, pourtant, son mariage est satisfaisant. Évidemment, la raison en est qu'Ahmed, son mari, est un homme courtois et attentif.

Dans l'esprit de mon père, il ne fait aucun doute que Sara a provoqué le comportement criminel de son mari. Au Moyen-Orient, un homme n'est jamais coupable. Même s'il assassine sa femme, il trouvera toujours à son acte des raisons logiques qui seront parfaitement acceptées par ses semblables. Dans mon pays, j'ai vu des articles de journaux rendre hommage à un homme ayant exécuté sa femme et sa fille pour leur « comportement indécent ». Le moindre soupçon de mauvaise conduite sexuelle, comme un baiser par exemple, et c'est peut-être la mort d'une jeune fille. Pour comble, les religieux ont félicité publiquement ce père pour son acte remarquable, en accord avec les commandements du Prophète !

Nura et Ahmed sont accaparés par la construction d'un palais, et Nura désire faire un voyage en Europe afin d'acheter des meubles italiens. Sur la route, nous devons nous arrêter en Égypte, pour que ses jeunes enfants puissent voir les pyramides.

Nanti de vingt-deux filles, nées de quatre épouses, père a l'habitude de marmonner que « les femmes sont la malédiction de l'homme ». Et le fait que ses deux plus jeunes filles se rebellent contre la loi absolue des hommes n'améliore guère son attitude. Nos conversations, nos actes sont aussi révolutionnaires que condamnables. Nous savons pertinemment que nous ne pourrons jamais atteindre les sommets de nos ambitions, et nos discussions sont une victoire à elles seules, car nulle femme saoudienne n'a jamais abordé les sujets dont nous débattons entre nous avec une telle facilité.

Nura aurait bien voulu que maman vienne avec nous, mais elle est étrangement recluse depuis le retour de Sara. Comme si sa grande rébellion contre la loi de notre père lui avait retiré toute force de vie. Elle donne son accord pour ce voyage, car elle souhaite que Sara visite l'Italie ; cependant elle trouve que je suis trop jeune et qu'il vaudrait mieux que je reste à maison. Mais, comme toujours, mon tempérament coléreux produit le résultat escompté. Sara n'éprouve que peu d'intérêt pour ce voyage, même à la perspective de voir les merveilles artistiques de l'Italie, mais moi, je suis folle de joie.

Mon bonheur s'écroule lorsque Ali annonce, d'un ton suffisant, qu'il va se joindre à nous : père estime que j'ai besoin d'un chaperon. En une minute, je deviens folle de rage à l'idée que sa présence perfide à mes côtés va ruiner mes vacances, et je décide de l'humilier de la pire manière. Je m'empare de sa nouvelle *ghutra* — sa coiffe — et du cordon noir qui l'accompagne, puis je me précipite dans ma salle de bains. Je n'ai aucune idée de ce que je vais en faire, mais un Saoudien est extrêmement offensé lorsque quelqu'un ose toucher à sa coiffure, et je ressens l'urgence de blesser Ali.

Ali se rue à ma poursuite en hurlant qu'il va prévenir notre père, et je lui claque violemment la porte au nez. Comme il ne porte que des sandales, son gros orteil est brisé sous le choc ; sa main est commotionnée. Il pousse de tels hurlements de douleur que les serviteurs imaginent que je viens de le tuer. Pour autant, personne ne se précipite à son secours.

J'ignore ce qui me prend — peut-être le spectacle de cette grande brute gémissante et quémandant de l'aide —, je jette la coiffe dans les toilettes. Le cordon refuse de couler, même quand je tire frénétiquement la chasse d'eau. Il reste coincé dans la cuvette ! Lorsque Ali se rend compte de ce que j'ai fait, il bondit sur moi. Nous nous battons à même le sol, et je prends le dessus en tordant son doigt de pied cassé.

Aux hurlements d'agonie d'Ali, ma mère accourt, intervient et le sauve de toutes mes années de rancune refoulée.

Je suis maintenant dans le plus grand pétrin, je le sais. Ma situation ne pourra pas être pire ; aussi lorsque maman et Omar emmènent Ali à la clinique pour y faire soigner son pouce fracturé, je fonce dans sa chambre. Je m'empare résolument de ses « trésors » secrets, interdits à la fois par la religion et par notre pays. Ces trésors sont les choses habituelles que tous les adolescents du monde collectionnent, mais pas chez nous, où leur détention constitue une grave injure contre la loi religieuse.

Il y a longtemps que j'ai repéré les collections d'Ali, les *Play-Boy*, les *Penthouse*, et autres magazines du même genre. Récemment, j'ai découvert des diapositives couleur. Curieuse, je les ai emportées dans ma chambre. Perplexe, je les ai glissées dans le projecteur... Des hommes et des femmes nus y font d'étranges choses. Il y a même un lot de photos de femmes avec des animaux. Ali les a de toute évidence prêtées à d'autres garçons, car il a écrit son nom clairement sur chacun des objets défendus.

Je suis bien trop innocente pour comprendre exactement tout ce que cela veut dire, mais je sais parfaitement que ces trésors sont mauvais, car Ali les cache toujours dans la même vieille boîte déglinguée intitulée « Dossiers scolaires ». Je suis très au courant de ce qu'il possède, pour avoir fouillé dans ses affaires depuis des années.

Je prends soigneusement les magazines, ainsi que les diapositives. Je découvre aussi sept bouteilles miniatures d'alcool qu'Ali a rapportées d'un week-end à Bahrein. J'emballe le tout dans un sac en papier, avec une joie mauvaise.

En Arabie Saoudite, nous avons des mosquées dans tous les quartiers car le gouvernement a établi comme priorité que tout musulman doit trouver une mosquée à sa disposition à distance de promenade. Les prières devant être dites cinq fois par jour, il est plus pratique de n'avoir que peu de chemin à parcourir jusqu'à la mosquée la plus proche. Bien sûr, les croyants peuvent prier n'importe où, du moment qu'ils font face à La Mecque, mais il est préférable d'avoir accès à une mosquée.

Nous vivons dans un quartier extrêmement riche et nous disposons d'une énorme mosquée, en marbre blanc opalescent. Comme il est deux heures de l'après-midi environ, je sais que les prières sont terminées pour l'instant... Il est préférable de réaliser mon plan sans être vue. C'est le moment : même les *mutawas* — les religieux — font la sieste sous notre chaud climat d'Arabie.

J'ouvre la porte avec crainte et jette un œil prudent à l'intérieur avant d'entrer. Je ne porte pas encore le voile, et ma présence ne devrait susciter que peu de curiosité. J'ai cependant une histoire toute prête au cas où je me ferais prendre : si on me questionne, je prétendrais que je suis à la recherche de mon petit chat qui s'est égaré.

À ma grande surprise, la mosquée est fraîche et accueillante. Je ne suis jamais entrée dans l'immense édifice, mais j'y ai accompagné mon père et mon frère à plusieurs reprises. À six ans, on a encouragé Ali à accomplir ses cinq prières quotidiennes. J'ai encore le souffle coupé en me rappelant le choc que j'ai reçu le jour où mon père a tendrement pris la main de mon frère pour le faire entrer dans la belle mosquée, en me laissant seule, petite femelle de bas étage, au bord de la route, à les attendre, triste, en colère, malheureuse.

Dans mon pays, les femmes ne sont pas autorisées à pénétrer dans les mosquées. Pourtant, le Prophète ne leur a pas interdit de prier en public, il a seulement dit qu'il était mieux pour elles de se recueillir dans l'intimité de leurs maisons. Résultat : aucune femme en Arabie Saoudite n'est admise à l'intérieur d'un édifice religieux.

Personne alentour. Je parcours très vite le sol de marbre blanc. Le cliquetis de mes sandales y résonne étrangement fort. Je dépose le sac de papier contenant les articles interdits de mon frère dans la cage d'escalier, le long du balcon qui abrite les énormes haut-parleurs propageant les paroles du Prophète dans la ville, cinq fois par jour. En pensant à l'intensité des appels du muezzin à la prière, je commence à me sentir coupable de mon expédition. Puis je me souviens du ricanement supérieur de mon frère, tout à l'heure, alors qu'il m'annonçait que mon père allait me flageller, et que lui réclamerait le plaisir de le faire.

Je rentre à la maison, dissimulant mal une grimace de satisfaction. Que mon frère Ali récolte ce qu'il a semé, pour une fois!

Ce soir, bien avant que père rentre du bureau, trois religieux se présentent à notre porte. Avec trois des servantes philippines, je guette par une fenêtre du premier étage. Nous les voyons invectiver Omar, gesticuler, les bras au ciel, puis tendre vers lui quelques magazines, qu'ils tiennent avec un dégoût manifeste. J'ai envie de rire, mais je dois garder mon sérieux.

Tous les étrangers et la plupart des Saoudiens ont peur des religieux, car ils disposent d'un grand pouvoir et guettent le moindre signe de défaillance. Même les membres de la famille royale s'efforcent de ne pas attirer leur attention.

Il y a deux semaines, l'une de nos femmes de chambre philippines a provoqué la colère d'un groupe de religieux en portant au souk une jupe à hauteur du genou. Ils l'ont rouée de coups de bâton et ont badigeonné de peinture rouge ses mollets nus.

Bien que le gouvernement d'Arabie Saoudite interdise l'entrée des étrangers dans notre pays, beaucoup de femmes viennent travailler dans les grandes villes comme infirmières, secrétaires ou domestiques. La plupart de ces femmes sont victimes de l'opprobre de ceux qui parlent au nom de Dieu, et du mépris général envers notre sexe. Si une femme a l'audace de transgresser nos traditions en exposant ses bras ou ses jambes nus, elle court le risque d'être battue et enduite de peinture, exactement comme notre femme de chambre philippine.

La malheureuse a essayé de nettoyer ses jambes avec un décapant, mais elles sont tout de même restées rouges et rugueuses. Aujourd'hui, elle est persuadée que la police des religieux l'a suivie jusqu'à la maison, qu'ils viennent pour elle et vont la mettre en prison. Elle court se cacher sous mon lit. J'aimerais bien la rassurer et lui dire la véritable raison de leur visite, mais mon secret doit être bien gardé, même auprès des servantes philippines.

En revenant à la villa, Omar, blafard, appelle Ali à grands cris. Mon frère peine pour traverser le hall, marchant avec précaution, le pied droit en l'air, en équilibre sur un talon.

Je rejoins maman et Ali au salon, pendant qu'Omar téléphone au bureau de mon père. Les religieux sont partis lui laissant quelques échantillons des objets de contrebande : un magazine, quelques diapositives et une bouteille d'alcool miniature. Ils ont conservé le reste pour preuve de la culpabilité d'Ali.

J'observe mon frère et vois le sang se retirer de son visage lorsqu'il aperçoit son « trésor secret » en désordre sur les genoux d'Omar.

Omar les dissimule à ma vue et me demande de quitter la pièce, mais je m'accroche aux jupes de ma mère, qui me caresse la tête avec indulgence. Elle déteste la manière dont Omar régente ses enfants, et lui jette un regard de défi. Il se résigne à m'ignorer. Il dit à Ali de s'asseoir, le prévenant que notre père est en route pour la maison et que les religieux sont allés chercher la police. D'une voix tonitruante, il annonce l'inévitable arrestation d'Ali.

Le silence se fait dans la pièce, comme le calme qui précède la tempête. Pendant quelques minutes je me sens terrorisée par la situation, puis Ali retrouve son sang-froid et se met à injurier Omar en affirmant :

— On ne peut pas m'arrêter ! Je suis un prince ! Ces religieux sont des fanatiques ! De maudits moustiques qui s'attaquent à mes chevilles !

Il me vient soudain à l'esprit qu'un peu de prison ne ferait pas de mal à Ali.

Le crissement des freins de la voiture de notre père

annonce son arrivée. Il surgit au salon, contrôlant mal sa colère, et se saisit des objets interdits, l'un après l'autre. En voyant le magazine, il jette à son fils un regard meurtrier. Il met de côté le whisky avec un léger mépris — tous les princes ont de l'alcool chez eux — mais, lorsqu'il place les diapositives sous la lumière d'une lampe, il hurle à ma mère de quitter immédiatement la pièce avec moi.

Du couloir, nous entendons le bruit des gifles.

Tout bien considéré, c'est une sale journée pour Ali.

Les religieux ont dû estimer qu'il valait mieux ne pas appeler la police pour arrêter l'un des fils de la famille royale, car ils reviennent quelques heures plus tard, seuls mais animés d'une pieuse fureur. Notre père a beaucoup de mal à faire pardonner la présence de photographies de femmes forniquant avec des animaux.

Nous sommes en 1968, et le roi Faysal n'est pas aussi tolérant pour les méfaits des jeunes princes que ne l'était son prédécesseur, le roi Sa'ūd. Les religieux sentent qu'ils dominent la situation car, comme notre père, ils savent parfaitement que son cousin le roi serait extrêmement outragé si, par malheur, le contenu des diapositives était connu du public. Chacun craint les religieux en dépit de la modernisation galopante de notre pays. Le roi Faysal rappelle régulièrement à ses frères et nombreux cousins de surveiller leurs enfants afin d'éviter que la fureur des religieux ne retombe sur sa royale tête. Il s'efforce de rassurer les chefs religieux sur la nécessaire modernisation du pays, qui n'a rien de commun avec la décadence à l'occidentale — le meilleur de l'Occident, et non le pire. Les religieux voient des preuves de cette décadence dans le comportement des princes. Il est évident que la collection de diapositives d'Ali ne va pas calmer leurs esprits.

Tout au long de la nuit, nous les entendons discuter de

la punition la mieux appropriée au fils d'un prince. Ali a de la chance d'être un membre de la royale famille des Al Sa'ūd : les religieux savent que, sans l'assentiment du roi, un prince royal ne peut pas être déféré devant une cour de justice. La chose s'est d'ailleurs rarement produite. Mais si Ali était un fils de famille ordinaire ou un ressortissant de la communauté étrangère, il serait condamné à une longue peine de prison.

Nous avons déjà connu ce genre de vilaine histoire dans notre famille, avec le frère de l'un de nos chauffeurs philippins. Il y a quatre ans, ce frère, qui travaillait dans une entreprise de construction italienne à Riyad, a été arrêté en possession d'un film pornographique. Le pauvre homme purge une peine de sept ans de prison. En plus de croupir en cellule, il a été condamné à recevoir dix coups de fouet chaque vendredi. Notre chauffeur, qui lui rend visite chaque samedi, a pleuré en racontant à Ali que son malheureux frère est noir de la tête au pieds, en raison des coups de fouet. Il craint qu'il ne survive pas en prison une année de plus.

Malheureusement pour Ali, sa culpabilité ne fait aucun doute — elle est signée de son nom sur chaque objet défendu. Finalement, une sorte de compromis est établi. Notre père paiera une forte somme à la mosquée, et Ali devra se présenter pour la prière cinq fois par jour, afin d'obtenir le pardon des religieux et celui de Dieu.

Les religieux savent bien que peu de princes royaux s'astreignent à la prière et qu'une telle punition devrait particulièrement ennuyer Ali. On exige, en outre, qu'il se présente en personne au chef religieux de notre mosquée pour chaque prière, et ce durant les douze prochains mois. Il n'aura d'excuse que s'il est absent de la ville. D'habitude, Ali ne se lève jamais avant neuf heures du matin et il se renfrogne à la seule idée de la prière de l'aube.

De plus, il doit écrire mille fois sur un registre légal la

phrase suivante : « Dieu est grand, et je lui ai déplu en suivant les voies de la corruption et de l'immoralité de l'Occident athée. »

Exigence ultime, Ali doit révéler le nom des personnes qui lui ont procuré les diapositives et les magazines.

En fait, Ali a rapporté les magazines en fraude de plusieurs voyages à l'étranger et, en sa qualité de prince, il a franchi la douane sans autre inconvénient qu'un regard de courtoisie. En revanche, c'est un étranger, avec qui il s'est lié d'amitié dans une soirée, qui lui a vendu les diapositives. Ali s'empresse de le charger, tout content de pouvoir livrer aux religieux un nom étranger et une adresse de travail dans le pays. Nous saurons plus tard que l'homme a été arrêté, flagellé et expulsé.

Je me sens monstrueuse. Ma stupide incartade met toute ma famille en disgrâce et lui fait subir une cinglante humiliation. Je pensais que la leçon ne ferait pas de mal à Ali mais, pour mes parents, c'est une épreuve, et une autre personne innocente va payer. Et, bien que je sois honteuse de l'avouer, j'ai une peur terrible que l'on ne découvre ma culpabilité. Il me reste à prier Dieu pour que l'on ne m'attrape pas cette fois-ci, en promettant que, désormais, je serai une enfant sans reproche.

Omar reconduit les religieux. Maman et moi nous attendons père et Ali pour retourner au salon. Père prend une profonde inspiration, attrape Ali par le bras et le pousse devant lui dans l'escalier. Ali croise mon chemin, nos regards s'accrochent... juste un instant. Il a comme un éclair de lucidité, et je comprends qu'il a compris que je suis la coupable. Hélas ! Il a l'air plus blessé qu'en colère.

Je me mets à pleurer, effondrée par l'acte terrible que je viens de commettre. Père me regarde avec pitié, puis il pousse de nouveau Ali dans l'escalier, en hurlant qu'il a bouleversé toute la famille, même les enfants innocents. Pour la première fois de ma vie, mon père vient me prendre dans ses bras et me dit de ne pas m'inquiéter.

Me voilà encore plus malheureuse. Ce geste que j'attends depuis ma naissance n'a plus de signification maintenant, et le bonheur que j'ai si souvent imaginé est anéanti par cette fugace consolation si mal méritée.

Mon méfait a tout de même atteint son but. Plus personne ne parle du pouce cassé de mon frère, ni de sa coiffe noyée dans les toilettes.

Le voyage

Malgré ces récents tumultes familiaux, le voyage en Italie est toujours prévu, mais je n'ai guère le cœur à m'en réjouir. Je prépare ma valise et mes listes, tout en gardant un œil sur Ali, qui clopine péniblement devant la porte de ma chambre. Avant, il ne pensait guère à moi ; je n'étais qu'une fille méprisable, avec qui se bagarrer éventuellement, ou à dédaigner, un être de peu d'importance. À présent il me considère différemment, car il a fait l'extraordinaire découverte que moi, petite femelle, le plus jeune membre de la famille, je peux être une solide et dangereuse adversaire.

Le jour de notre départ, il faut six limousines pour nous emmener à l'aéroport. Nous sommes onze à voyager pendant quatre semaines : Nura et Ahmed avec trois de leurs cinq enfants ; deux de leurs servantes philippines ; Sara et moi-même ; Ali et son ami Hadi.

Hadi, de deux ans plus âgé que mon frère, est étudiant à l'institut religieux, une école privée de garçons à Riyad pour les jeunes gens désireux de devenir *mutawas*. Hadi fait forte impression sur les adultes en citant le Coran à tout propos et en se comportant en leur présence comme un garçon très pieux. Mon père est convaincu qu'il aura une excellente influence sur ses enfants. Hadi proclame à qui veut l'entendre son point de vue sur les femmes, qui est qu'elles devraient rester à la maison. Il raconte à Ali que les femmes sont l'expression du diable sur la terre. Je peux en être sûre, ce voyage se passera bien, avec Ali et Hadi dans les environs !

Maman ne nous accompagne pas à l'aéroport. Ces derniers jours, elle se sent triste et sans forces. Je suppose que les stupidités d'Ali lui ont donné du souci.

Elle nous dit au revoir dans le jardin, fait un signe de la main, depuis la porte d'entrée. Elle est voilée, mais je devine les larmes sur son visage. Je sens bien que quelque chose ne va pas chez maman, mais je n'ai plus le temps de me perdre en conjectures : un voyage extraordinaire m'attend.

Ahmed vient d'acheter un nouvel avion, c'est donc un vol strictement privé. La famille royale emploie énormément de pilotes privés américains ou anglais. J'espérais que les deux Américains qui nous ont emmenées à Djeddah avec maman seraient dans la cabine de pilotage. Désappointement, ils ne sont pas là. Deux pilotes anglais ont pris place dans le cockpit, mais ils ont l'air assez sympathiques.

Ahmed s'entretient avec eux, pendant que Nura et les servantes s'installent avec les trois petits.

Son voile relevé, Sara est déjà emmitouflée dans une couverture, plongée dans ses précieux livres. Hadi regarde son visage dévoilé d'un air dégoûté. Il chuchote méchamment à l'oreille d'Ali, qui ordonne aussitôt à Sara de remettre son voile jusqu'à ce que nous ayons quitté l'Arabie Saoudite. Elle lui rétorque qu'elle ne peut pas lire à travers ce tissu trop épais et que, s'il voulait être gentil, il fermerait sa sale bouche.

Avant même d'avoir quitté le sol, nous sommes déjà en train de nous étriper en famille. Je tente sournoisement de marcher comme par inadvertance sur le doigt de pied endolori de mon frère. Je le rate, il m'expédie un coup de poing en pleine tête, j'esquive, et il me rate à son tour. Ahmed, en sa qualité de représentant le plus âgé de l'autorité masculine, hurle à tout le monde de s'asseoir et de rester tranquille. Nura et lui se regardent, et il est clair qu'ils regrettent déjà leur généreuse invitation.

Les trois lieux saints de l'islam sont La Mecque, Médine et Jérusalem. La Mecque est la cité qui rassemble les cœurs de millions et de millions de musulmans à travers le monde, car c'est là que Dieu a révélé sa volonté au prophète Mohammed.

Les fondements de notre vie religieuse sont constitués par cinq obligations, que l'on appelle les piliers de l'islam. L'une de ces obligations veut que chaque musulman qui en a les moyens financiers devienne Hadj. Un bon musulman ne se sent pas un homme accompli tant qu'il n'a pas fait au moins un pèlerinage à La Mecque.

Le second lieu saint, Médine, est considéré comme la ville du prophète. C'est là que se trouve la tombe de Mohammed.

Reste Jérusalem, notre troisième ville sainte. C'est à Jérusalem que Dieu a enlevé Mohammed vers le ciel, sur le mont du Rocher. Les musulmans pleurent des larmes amères au seul nom de Jérusalem, car la ville est maintenant occupée et n'est plus librement ouverte à notre peuple.

Si La Mecque, Médine et Jérusalem sont les sources spirituelles des musulmans, Le Caire est le glorieux couronnement de leur amour-propre. Le Caire représente cinquante siècles d'une histoire colossale et offre aux Arabes la merveille de l'une des plus grandes civilisations de la terre. L'Égypte est une source d'immense fierté pour tous les Arabes. La puissance, la richesse et le génie des anciens Égyptiens dépassent de loin le prestige que vaut aux Arabes la fortune pétrolière.

C'est au Caire, cette ville éclatante de vie depuis l'aube des temps, que je deviens femme.

La culture arabe attache énormément d'importance à ce changement de l'enfant en femme, et toutes les petites filles attendent avec un mélange de crainte et de profonde satisfaction l'apparition de leurs premières règles.

Quand mes amies occidentales actuelles me racontent qu'elles ne savaient pas ce qui leur arrivait le jour où elles ont vu leur sang pour la première fois, et qu'elles avaient peur de mourir, je suis sidérée. Dans le monde musulman, l'arrivée des règles est un sujet de conversation habituel. Ce jour-là, la fillette se transforme en adulte. L'enfance est irrévocablement terminée. Il n'est pas de retour possible vers le cocon douillet de l'innocence.

En Arabie Saoudite, l'apparition des premières règles signifie qu'il est temps de choisir le premier voile et l'*abaaya,* avec le plus grand soin. Même les marchands, des musulmans pakistanais ou indiens, s'intéressent avec sollicitude et respect à la petite fille devenue femme. Le boutiquier sourit avec indulgence et, très sérieusement, choisit l'*abaaya* et le voile qui feront paraître l'enfant à son avantage.

L'unique couleur du voile est le noir, mais il existe un grand choix de tissus et d'épaisseurs. Le voile peut être taillé dans un matériau léger, qui offre aux yeux du monde l'ombre d'un visage défendu. Une étoffe d'épaisseur moyenne est plus pratique, car elle permet de voir, sans risquer les remarques acerbes et les coups d'œil assassins des gardiens de la foi. Si une femme choisit de porter le tissu épais traditionnel, pas un homme ne pourra imaginer ses traits derrière ce masque qui refuse de flotter, même par forte brise. Bien entendu, ce choix ne permet pas d'examiner les bijoux au souk de l'or, ni d'apercevoir les voitures rapides après le crépuscule...

En plus de ce lourd voile traditionnel, certaines femmes conservatrices choisissent de porter d'épais gants noirs et des bas noirs, de telle sorte que le moindre soupçon de chair disparaît aux yeux du monde.

Les femmes qui ont envie d'exprimer leur personnalité et leur sens de la mode peuvent contourner cet océan de conformisme vestimentaire absolu en choisissant des créations modernes. Beaucoup d'entre elles portent des foulards ornés de bijoux, et le tintement des breloques fait tourner la tête à beaucoup d'hommes. Des broderies hors de prix, tape-à-l'œil, ornent très souvent les côtés ou le dos de l'*abaaya*.

Les jeunes femmes, en particulier, s'efforcent de s'habiller différemment, selon leur propre goût. Le marchand doit exposer les dernières créations en matière de voiles et d'*abaaya*, et montrer aux jeunes filles comment se draper avec élégance pour être à la dernière mode. L'art d'attacher l'*abaaya* de manière à laisser voir sans risque la portion exacte du pied autorisée fait l'objet de discussions infinies. Chaque jeune fille tâtonne pour trouver sa propre façon de porter l'*abaaya*.

Une enfant pénètre dans la boutique, une femme en ressort, voilée, et donc susceptible d'être mariée. Sa vie change en l'espace de cette seconde. Les hommes arabes regardent à peine une enfant qui pénètre dans un magasin mais, dès qu'elle porte le voile et l'*abaaya*, ils la suivent discrètement des yeux. Le jeu consiste à tenter d'apercevoir la cheville défendue, soudain rendue érotique. Revêtues du voile, nous devenons, pour les hommes arabes, irrésistiblement séductrices et désirables.

Mais je suis au Caire, pas chez nous, en Arabie Saoudite, et cette grande première me contrarie. Sara et Nura m'expliquent ce que je dois faire. Puis elles m'engagent à ne rien dire à Ali, à moins que je n'y tienne, car elles savent parfaitement que sa première réaction sera de m'obliger immédiatement à porter le voile, même ici, au Caire.

Sara me regarde avec beaucoup de tristesse et me serre longuement sur sa poitrine. Elle sait trop qu'à partir de ce jour je suis une menace et un danger pour tous les hommes, jusqu'à ce que je sois mariée et cloîtrée derrière des murs.

Au Caire, Ahmed a loué un luxueux appartement qui occupe trois étages, en plein centre de la ville. Pour leur intimité, Ahmed et Nura se sont réservé l'étage supérieur. Les deux servantes philippines, les trois enfants de Nura, Sara et moi nous occupons le deuxième. Ali, Hadi et le gardien égyptien sont au premier. Sara et moi dansons de joie en réalisant qu'ils sont séparés de nous par tout un étage.

Pour notre première soirée, Ahmed, Nura, Ali et Hadi ont prévu d'aller dans une boîte de nuit voir la danse du ventre. Ahmed pense que Sara et moi devrions rester à l'appartement avec les enfants et les domestiques. Sara ne proteste pas, mais je plaide ma cause avec tant d'éloquence qu'Ahmed finit par céder.

J'ai quatorze ans, je suis en vie au pays des pharaons, je déclare joyeusement la ville du Caire sacrée, ma ville favorite jusqu'à la fin des temps ! Cet attachement pour le Caire ne s'est jamais démenti. Cette ville bouillonnante a fait naître en moi une passion que je n'avais jamais connue auparavant. Il m'est difficile d'expliquer pourquoi, même aujourd'hui, j'aime, j'adore, j'ai la passion du Caire.

Des hommes et des femmes de tous les genres et de toutes les couleurs se promènent dans les rues à la recherche d'une occasion, d'un événement, d'une aventure... Ils vivent !

En voyant Le Caire tellement à l'opposé des villes arabes, à mes yeux d'enfant si tristes et si mortes, je prends conscience de ce que mon existence est sèche, sans stimula-

tion, sans ressort. Je vois bien la pauvreté écrasante, insupportable, mais je ne la trouve pas décourageante car j'y
sens une puissante force de vie. La misère peut transformer quelqu'un en flambeau de la révolution et du
changement, sans lesquels le genre humain stagnerait dans
l'immobilisme.

Je repense à l'Arabie Saoudite, et je crois qu'un peu de
pauvreté, de besoins, nous obligerait à repenser notre vie
spirituelle.

Certes, il y a, dans mon pays des classes sociales, de la
riche famille royale aux travailleurs à bas salaires, mais
personne, y compris les travailleurs immigrés, ne manque
de l'essentiel. Notre gouvernement assure le bien-être de
tous les Saoudiens. Chaque citoyen est sûr d'avoir un toit,
la santé, l'éducation, un travail où il pourra gagner sa vie,
des crédits sans intérêts, et même de l'argent pour manger,
si la nécessité s'en fait sentir. Nos citoyennes sont entrete-
nues par les hommes de leur famille, père, frère, ou mari.

Tous nos besoins essentiels étant satisfaits, il nous
manque le désir, qui engendre l'étincelle de vie. C'est
désespérant. C'est pour cela que je ne crois pas que l'histoire tourne jamais une page dans notre pays. Nous, les
Saoudiens, nous sommes trop riches, trop confits dans
notre apathie, pour pouvoir changer.

Au cours de notre promenade en voiture à travers la
ville animée du Caire, je fais part de mes réflexions à ma
famille, mais seule Sara écoute et comprend le fond de ma
pensée.

Le soleil se couche, le ciel se couvre d'or, derrière
l'horizon sculpté par les silhouettes des pyramides. Le Nil
généreux, ce fleuve tranquille et lent, apporte la vie à la
ville et au désert. Je respire profondément, je sens la vie
pétiller dans mes veines.

Ali et Hadi, les deux compères, sont furieux contre Sara

et moi. Deux femmes sans époux ont la permission d'aller dans une boîte de nuit! Horreur! Hadi fait à Ali un interminable et grave discours sur la dégradation des valeurs familiales. Il déclare avec une énorme satisfaction dans la voix que ses sœurs ont toutes été mariées à quatorze ans, et qu'elles sont soigneusement gardées par les hommes de sa famille. Il annonce qu'en sa qualité de religieux il sera dans l'obligation de protester auprès de notre père, à notre retour de voyage.

Sara et moi, rendues courageuses par la distance qui nous sépare de Riyad, faisons front commun en lui rappelant qu'il n'est pas encore religieux! Et, pour faire bonne mesure, c'est en argot appris dans les films américains que nous lui conseillons de « laisser tomber ».

Hadi dévore les danseuses des yeux. Il se permet des remarques osées sur certaine partie de leurs corps et, en même temps, il dit que ces femmes ne sont que des putains et que si ça ne tenait qu'à lui, elles seraient lapidées! Hadi est un imbécile prétentieux. Même Ali commence à en avoir assez de son attitude hypocrite et de sa fausse sainteté. Il pianote d'impatience sur la table et regarde ailleurs.

Après ses commentaires et son attitude de ce soir-là, le comportement de Hadi, le lendemain, me bouleverse.

Ahmed a engagé un chauffeur pour nous emmener, Nura, Sara et moi, faire des courses pendant qu'il est en rendez-vous avec un homme d'affaires. Le gardien de l'immeuble, qui sert aussi de chauffeur, conduit les deux servantes philippines et les enfants à la piscine du Mena House Hotel.

Lorsque nous quittons l'appartement, Ali et Hadi, fatigués par la soirée d'hier, sont encore en train de paresser.

La chaleur étouffante de la ville épuise bientôt Sara. Je

propose de rentrer avec elle, pour lui tenir compagnie, pendant que Nura termine ses achats. Nura est d'accord et demande au chauffeur de nous raccompagner. Il reviendra la chercher ensuite.

En entrant dans l'appartement, nous entendons des cris affreux. Nous les suivons jusqu'à la chambre occupée par Ali et Hadi. La porte n'est pas fermée...

Brusquement, nous réalisons ce qui se passe devant nos yeux.

Hadi est en train de violer une petite fille qui n'a guère plus de huit ans. Ali lui prête main forte. Il y a du sang partout. Notre frère et son copain rient comme des fous.

À la vue de cette scène ignoble, Sara devient hystérique. Elle se met à hurler et s'enfuit. Le visage de mon frère n'est plus qu'un masque de colère froide. Il me pousse dehors, en me jetant par terre. Je cours derrière Sara. Nous nous bouclons dans notre chambre.

Mais il est impossible d'endurer plus longtemps les hurlements de terreur qui viennent de l'étage en dessous.

Je me glisse dans l'escalier. J'essaie désespérément de trouver une idée pour intervenir, lorsqu'on sonne à la porte d'entrée.

Ali ouvre à une femme égyptienne d'une quarantaine d'années. Il lui donne quinze livres et lui demande si elle a d'autres filles. Elle dit oui et promet de revenir le lendemain. Hadi renvoie la petite fille.

La mère ne manifeste aucune émotion. Elle prend par la main son enfant sanglotante et meurtrie, et referme la porte derrière elles.

Ahmed n'a pas l'air tellement surpris lorsque Nura, furieuse, lui raconte l'histoire. Il pince les lèvres et promet qu'il va se renseigner sur les détails de l'affaire. Plus tard, il explique à Nura que la mère a vendu elle-même son enfant, et qu'il n'y peut rien.

Ali et Hadi ont été surpris en flagrant délit de viol et,

pourtant, rien ne se passe. J'ai beau déverser mes sarcasmes à la tête de Hadi et lui demander comment il peut se prétendre un religieux après une chose pareille, il me rit au nez. Je me retourne contre Ali, en lui disant que je suis décidée à raconter à notre père qu'il s'attaque à des petites filles, mais il rit encore plus fort que Hadi. Penché sur moi, il ricane :

— Vas-y, dis-lui, je m'en moque !

Il prétend que notre père lui a donné le nom d'un homme à contacter pour ce genre de services. Il sourit en disant que les petites filles sont plus amusantes et que, de toute façon, notre père fait la même chose quand il vient au Caire.

C'est comme si je venais d'être électrocutée. Mon cerveau brûle et je reste là, bouche ouverte, à regarder mon frère. Pour la première fois de ma vie, je me mets à penser que tous les hommes, TOUS, sans exception, sont foncièrement mauvais.

Je voudrais pouvoir détruire à jamais le souvenir de cet après-midi d'horreur. Je voudrais retomber dans l'innocence et le brouillard bienheureux de l'enfance.

Je m'en vais sans bruit. J'ai trop peur de ce que je pourrais découvrir d'autre, et de pire, dans ce monde cruel des hommes.

Je continue à chérir Le Caire comme une ville de lumière, mais la déchéance où plonge la misère m'oblige à corriger mes premières impressions. Au cours de la semaine, la mère égyptienne revient avec une autre petite fille. Je veux l'interroger, comprendre comment une mère peut vendre ainsi son enfant. Elle voit mon air déterminé et se sauve.

Nous parlons longuement Sara, Nura et moi de ce qui est arrivé. Nura répète en soupirant ce que lui a dit

90

Ahmed, que cela se passe ainsi dans la moitié du monde. Je crie mon indignation, que je préférerais crever de faim plutôt que de vendre mon enfant. Nura approuve, mais me rappelle qu'il est facile de tenir ce genre de propos, quand on n'a pas l'estomac crispé sous les coups de la faim.

Nous avons quitté Le Caire et ses malheurs. Sara voit enfin se réaliser ses rêves d'Italie. Son radieux bonheur vaut-il le prix qu'elle a payé pour avoir la liberté d'être ici ? Elle murmure d'un air rêveur que la réalité dépasse son imagination.

Nous visitons Venise, Florence, Rome. La gaieté et la joie de vivre des Italiens résonnent encore à mes oreilles. Leur amour de la vie est le plus grand don sur terre, bien plus que leur contribution à l'art et l'architecture. Pour moi, qui suis née dans un pays de ténèbres, la vue d'une nation qui ne se prend pas trop au sérieux est une consolation.

À Milan, Nura dépense en un rien de temps plus d'argent que la plupart des gens n'en gagneraient dans toute leur vie. On dirait qu'ils sont devenus, Ahmed et elle, des affolés des achats, comme s'ils s'acharnaient à remplir je ne sais quel vide dans leur existence.

Hadi et Ali passent leur temps à s'offrir des filles — les rues italiennes en sont pleines, jour et nuit —, de ravissantes jeunes femmes, disponibles pour qui peut payer.

Ali est comme je l'ai toujours vu : un jeune homme égoïste, uniquement préoccupé par son plaisir. Mais Hadi n'est pas loin d'être le diable. Il paie d'abord les femmes, pour condamner ensuite leur participation ! Il les désire puis les hait, comme il hait le système qui leur permet de faire ce qu'elles veulent. Son hypocrisie dépasse la mesure, elle est pour moi l'essence même de la nature diabolique des hommes.

À l'atterrissage à Riyad, je m'apprête à vivre des jours

moins doux. J'ai quatorze ans, je vais maintenant être considérée comme une femme et je sais qu'un sort cruel m'attend. Si périlleuse que fût mon enfance, j'ai soudain l'ardent désir de m'y cramponner et de ne pas la laisser filer. Ma vie de femme sera sans aucun doute une perpétuelle bataille contre l'ordre social de mon pays, qui sacrifie les êtres de mon sexe.

L'horreur du retour gomme brutalement ma peur de l'avenir : en arrivant à la maison, j'apprends que maman va mourir.

La fin du voyage

Notre unique certitude dans la vie, c'est la mort. Croyante inébranlable dans l'enseignement du prophète, ma mère n'a aucune peur de la mort, à la fin du voyage de sa vie.

Elle a vécu en bonne musulmane, sachant qu'une juste récompense l'attendait. Son seul souci, mêlé de peur, est de laisser derrière elle des filles sans mari. Elle était notre soutien, notre seul refuge, et elle sait qu'à sa mort, nous serons à la merci du vent mauvais.

Maman avoue qu'elle sentait déjà sa vie s'en aller avant notre départ en voyage. Elle ne peut pas nous l'expliquer autrement que par trois visions extraordinaires qu'elle a eues en rêve.

Ses parents sont morts de la fièvre, alors qu'elle avait huit ans. Elle était la seule fille, et c'est elle qui les a soignés pendant leur courte maladie. Ils semblaient se remettre tous les deux, lorsque, au beau milieu d'une épouvantable tempête de sable, son père s'est redressé sur les coudes, souriant aux cieux, et a murmuré quatre mots : « Je vois le jardin ». Puis, il est mort. Sa femme l'a suivi peu de temps après, sans laisser à ma mère la moindre idée de ce qui l'attendait. Abandonnée aux soins de ses frères aînés, ma mère a été mariée très jeune à notre père.

Le père de maman était un homme compatissant et gentil. Il adorait sa fille, comme il aimait ses fils. Quand les autres hommes de la tribu faisaient grise mine à la naissance de leurs filles, grand-père riait en leur disant de remercier Dieu pour leur avoir offert une note de tendresse dans leur maison. Maman a toujours affirmé qu'elle n'aurait jamais été mariée si jeune si son père avait vécu. Il lui aurait laissé quelques années de liberté, pour profiter de sa jeunesse.

Sara et moi, nous sommes à son chevet. Le souffle court, maman nous raconte ses visions angoissantes. La première a eu lieu quatre jours avant que nous apprenions la tentative de suicide de Sara.

— J'étais sous une tente de bédouin. C'était la même que dans mon enfance. J'étais surprise de voir mon père et ma mère, jeunes et en bonne santé, près du grilloir à café. J'entendais au loin mes frères ramener un mouton des pâtures. Je me suis précipitée vers mes parents, mais ils ne pouvaient pas me voir ni m'entendre, alors que je hurlais leurs noms en pleurant. Deux de mes frères, ceux qui sont morts maintenant, sont venus sous la tente s'installer avec mes parents. Mes frères buvaient le lait chaud d'une chamelle, dans de petites coupes, pendant que mon père pilait les grains pour le café. Le rêve s'est terminé au moment où mon père citait un poème qu'il avait écrit sur le paradis qui attend tous les bons musulmans. Le verset est simple, je l'ai encore à l'esprit. Il commence ainsi :

Là coulent les jolies rivières,
Les arbres font une ombre à l'or du soleil,
Les fruits se ramassent à leurs pieds,
Du miel et du lait à l'infini,
Là, les bienheureux attendent,
Ceux que la terre a pris au piège.

C'était la fin du rêve. Maman dit qu'en y réfléchissant un

peu, ce ne pouvait être qu'un message de joie envoyé par Dieu pour lui dire que ses parents et toute sa famille étaient au paradis.

Environ une semaine après le retour de Sara à la maison, maman a eu sa deuxième vision.

Tous les membres défunts de sa famille étaient installés à l'ombre d'un palmier. Ils mangeaient de merveilleuses nourritures dans des plats d'argent. Mais, cette fois, ils l'ont vue, et son père a sauté sur ses pieds pour venir l'accueillir. Il l'a prise par la main pour qu'elle s'asseoie et mange avec eux.

Dans son rêve, maman avait peur et elle essayait de fuir, mais son père la tenait fermement par la main. Maman s'est souvenue alors qu'elle avait des enfants, et a supplié son père de la laisser partir, car elle n'avait pas le temps de s'asseoir et de manger.

Alors sa mère s'est levée, lui a touché l'épaule en lui disant : « Fadeela, Dieu prendra soin de tes filles. Le moment est venu de les lui confier. »

Maman s'est réveillée à ce moment-là. Elle nous explique qu'elle a compris, à cet instant, que son temps sur la terre était achevé et qu'elle devrait bientôt rejoindre ceux qui l'avaient précédée.

Deux semaines après notre départ en voyage, maman s'est mise à souffrir du dos et du cou. Elle avait des vertiges et mal à l'estomac. Cette souffrance était un message : il ne lui restait plus longtemps à vivre.

Elle est allée chez le médecin, lui a raconté ses rêves et son nouveau mal. Il a écarté les rêves d'un geste impatient de la main, mais s'est intéressé sérieusement à la description de ses douleurs. Des examens ont révélé que maman souffrait d'une tumeur inopérable de la colonne vertébrale.

La vision la plus récente date de la nuit où le médecin a confirmé sa maladie mortelle.

Dans le rêve, maman était avec sa défunte famille. Ils mangeaient, buvaient sans retenue, avec une grande gaieté. Elle était en compagnie de ses parents, grands-parents, frères, cousins, morts il y a longtemps. Maman souriant à la vue de tout-petits rampant sur le sol et chassant les papillons dans un pré. Sa mère lui a souri à son tour en disant : « Fadeela, pourquoi ne fais-tu pas attention à tes bébés ? Ne reconnais-tu pas ceux de ton propre sang ? »

Alors, seulement, maman a réalisé que ces enfants étaient vraiment les siens, ceux qui étaient morts dans l'enfance. Ils se sont réfugiés contre elle, les cinq enfants du paradis, et elle s'est mise à les bercer et à les serrer sur son cœur.

Maman s'en allait avec ceux qu'elle avait perdus, et perdait ceux qu'elle avait connus. Elle nous quittait.

Bien heureusement, maman ne souffre pas longtemps avant de mourir. J'aime à croire que Dieu sait qu'elle a supporté les dures épreuves de la vie comme une femme de bonté, et qu'il n'a nul besoin de lui faire endurer plus longtemps la souffrance de la mort.

Mes sœurs et moi entourons son lit de mort. Elle repose, enveloppée de l'amour de sa propre chair et de son propre sang. Ses yeux s'attardent sur chacune de nous. Personne ne dit mot, mais nous la sentons s'éloigner. Quand son regard se pose sur mon visage, je vois les tourments s'y rassembler en tempête, car elle sait que je suis insoumise, que je ne courbe pas la tête sous le vent et que la vie me sera plus dure qu'aux autres.

Le corps de maman est lavé et préparé pour son retour à la terre par les vieilles tantes de la famille. Je les regarde envelopper d'un linceul blanc le corps menu épuisé par les grossesses et la maladie.

Son visage est paisible, libéré des soucis de l'existence. Je trouve qu'elle a l'air plus jeune dans la mort que dans la vie. Il m'est difficile de croire qu'elle a donné naissance à seize enfants.

La famille proche ainsi que toutes les épouses de mon père et leurs enfants se rassemblent à la maison. Quelqu'un lit un verset du Coran pour nous réconforter. Le corps de maman, enveloppé du linceul, est placé sur le siège arrière d'une limousine noire et emporté par Omar.

La coutume interdit aux femmes de se rendre au cimetière, mais avec mes sœurs, nous faisons front uni contre notre père. Il cède sur notre promesse de ne pas hurler et de ne pas nous arracher les cheveux de douleur.

C'est ainsi que toute la famille suit la voiture mortuaire dans le désert, en une lente et triste caravane.

Dans l'Islam, montrer son chagrin à la mort d'un être aimé trahit un mécontentement devant le souhait de Dieu. En outre, notre famille est originaire de la région de Najd, et notre peuple n'a pas l'habitude de pleurer en public à la mort de quelqu'un.

Une tombe fraîche a été creusée dans le désert sans fin par les esclaves soudanais. Le corps de notre mère y est tendrement descendu. Ali, son unique fils sur cette terre, relève le voile blanc qui couvre son visage. Mes sœurs se serrent les unes contre les autres, loin de la dernière demeure de maman. Moi, je n'arrive pas à détacher mes yeux du tombeau. Je suis la dernière-née de ce corps ; je voudrais rester avec elle dans son manteau de terre, jusqu'au dernier instant. Je chancelle au moment où les esclaves repoussent le sable rouge sur son visage et son corps.

Le sable recouvre encore et encore le corps de celle que j'ai tant adorée, et je me souviens d'un magnifique poème du grand philosophe libanais Khalil Gibran :

`« Un enterrement parmi les hommes est peut-être une noce parmi les anges... »

J'imagine ma mère aux côtés de son père, de sa mère, avec ses tout petits bébés serrés contre son cœur. Et je suis sûre que je sentirai encore les tendres caresses de ma mère. Alors je ne pleure plus. Je rejoins le groupe de mes sœurs, outrées par mon étrange sourire de bonheur et de sérénité.

Je répète les vers puissants qui ont effacé ma peine, et elles comprennent alors parfaitement les mots du sage Khalil Gibran.

Nous abandonnons notre mère derrière nous, dans l'immensité du désert. Aucune pierre, aucune inscription ne marquera sa présence ici, aucun service religieux ne viendra évoquer cette femme simple, flamboyante d'amour tout au long de sa vie terrestre. Sa récompense est d'être de retour parmi ceux qui l'aimaient, et de nous attendre.

Pour une fois, Ali semble complètement perdu. Je sais que sa peine est aussi dure que la nôtre. Notre père ne dit pas grand-chose et évite notre maison dès le jour de la mort de maman. Il nous fait parvenir des messages par sa seconde femme, qui a remplacé notre mère à la tête des épouses.

Au bout d'un mois, nous apprenons par Ali qu'il s'apprête à se remarier car, dans mon pays, un Bédouin se doit d'avoir quatre femmes, qu'il soit très riche ou très pauvre. Le Coran dit que l'on doit traiter chacune des épouses de la même manière. Le puissant, en Arabie Saoudite, n'a aucun mal à satisfaire équitablement ses quatre femmes ; le plus pauvre, lui, n'a qu'à ériger quatre tentes identiques et pourvoir à une nourriture simple ; c'est pour cela que l'on voit chez nous énormément de riches et de pauvres musulmans nantis de quatre épouses. Mais le Saoudien de la classe moyenne doit se contenter d'une seule femme car, dans notre société, il est impossible d'entretenir quatre foyers différents dans quatre appartements différents, tout en maintenant son niveau de vie...

Notre père s'est mis en tête d'épouser l'une de nos royales cousines, Randa, une fille avec laquelle j'ai joué étant enfant. La nouvelle fiancée de papa a quinze ans. Un an seulement de plus que moi.

Quatre mois après l'enterrement de maman, j'assiste aux noces de mon père. Maussade, les nerfs à fleur de peau, pleine de rancune, je refuse de me joindre aux festivités. Alors qu'elle lui a donné seize enfants, lui a consacré des années d'esclavage obéissant, mon père se débarrasse sans aucun effort du souvenir de ma mère.

Il n'y a pas que mon père qui me rende furieuse, je hais au-delà du possible mon ancienne compagne de jeu, Randa, qui va maintenant devenir la quatrième épouse et remplir le vide créé par la mort de ma mère.

Les noces sont superbes. La mariée est jeune et belle.

Ma colère contre Randa s'effondre d'elle-même lorsque mon père la conduit de l'immense salle de bal jusqu'à son lit de noces.

J'écarquille les yeux devant son visage angoissé. Ses lèvres tremblent de peur ! La panique et le désespoir de Randa éteignent instantanément ma rancune, comme un extincteur sur un incendie furieux. La haine noire qui m'envahissait se mue en une affectueuse compassion. J'ai honte à présent de mon hostilité ; je vois bien que Randa est, comme nous toutes, une victime sans défense, livrée au pouvoir et à la domination de la puissante virilité saoudienne.

Notre père effectue un voyage de noces dispendieux, de Paris à Monte-Carlo, avec sa virginale épouse.

J'attends le retour de Randa dans un état d'esprit

favorable ; j'ai émis le vœu de faire prendre conscience à la jeune épouse de mon père d'un nouvel idéal, la liberté des femmes dans notre pays.

Et je sais parfaitement qu'en transmettant à Randa ce défi, ce rêve de pouvoir, en suscitant son éveil intellectuel et politique, j'atteindrai mon père au plus profond de lui-même. Jamais je ne pourrai lui pardonner d'avoir aussi facilement oublié la femme merveilleuse qu'était ma mère.

Les petites amies

À leur retour, père et Randa s'installent dans notre villa. Bien que notre mère ne soit plus en vie, ses jeunes enfants doivent habiter la maison paternelle, et la nouvelle épouse est supposée assumer les devoirs d'une mère. Comme je suis la plus petite, mais d'un an plus jeune seulement que Randa, cette coutume a quelque chose de grotesque. Il n'y a pourtant aucun moyen de faire autrement, aucune marge de manœuvre pour modifier la situation personnelle de chacun en Arabie Saoudite. Et Randa, cette enfant déguisée en femme, s'installe chez nous en qualité de maîtresse de l'immense demeure.

Randa est rentrée de son voyage de noces silencieuse. On la dirait brisée. Elle parle rarement, ne sourit jamais, se déplace lentement à travers la maison, comme si elle avait peur de provoquer un malheur, de faire du mal à quelqu'un. Notre père semble satisfait de sa nouvelle possession, il passe d'ailleurs de nombreuses heures enfermé avec sa jeune épouse, dans ses appartements privés.

Au bout de trois semaines de cette assiduité permanente, Ali raconte une blague à propos des prouesses sexuelles de notre père. Je demande à mon frère ce qu'il pense des sentiments de Randa, mariée à un homme si vieux, elle qui n'a jamais connu l'amour. Ali fait une telle mimique d'incompréhension qu'il est évident que l'idée ne lui a jamais effleuré l'esprit, et qu'une telle considération ne trouvera jamais un terrain de réflexion dans son univers mental. Il me rappelle trop bien qu'aucune lumière ne pénétrera jamais dans le noir océan d'égoïsme qui constitue l'état d'esprit de l'homme saoudien.

Randa et moi, nous n'avons pas la même philosophie. Elle croit que : « Tes yeux liront ce qui est inscrit sur ton front. » Moi je pense : « L'image de ta pensée sera le reflet de ta vie. » Ce qui n'arrange rien, c'est qu'elle est extrêmement timide et renfermée, alors que je prends l'existence avec une certaine énergie.

Je surveille Randa, dont les yeux suivent les aiguilles de la pendule. Elle commence à s'agiter quelques heures avant l'arrivée habituelle de mon père pour le déjeuner ou le dîner. Les ordres qu'il lui a donnés sont de manger avant qu'il arrive, et d'aller ensuite se laver et se préparer pour lui.

À midi, chaque jour, elle demande au cuisinier de la servir. Elle déjeune légèrement, puis se retire dans ses appartements. Mon père arrive généralement à la villa vers une heure, déjeune et va rejoindre sa nouvelle épouse. Il quitte la maison aux environs de cinq heures de l'après-midi pour retourner au bureau. En Arabie Saoudite, la journée de travail est divisée en deux temps. De neuf heures du matin à treize heures et, après une interruption de quatre heures l'après-midi, de cinq heures à huit heures du soir.

Randa a l'air fatiguée, les traits tirés, et il me vient à l'idée de rappeler à mon père l'enseignement du Coran : Dieu demande à chaque musulman de partager ses jours et ses soirées entre ses quatre épouses. Or, depuis le jour où il a épousé Randa, mon père néglige ses trois autres femmes.

Toute réflexion faite, j'ai moins bonne opinion de mon audace.

Chaque soirée est la répétition du déjeuner. Randa demande son dîner vers huit heures du soir, mange, se retire dans ses appartements afin de prendre un bain et de se préparer pour l'arrivée de son mari. En général, je ne la revois pas avant que mon père ne s'en aille travailler, le lendemain matin. Elle a ordre de rester dans la chambre à coucher jusqu'à ce qu'il parte.

Je suis si constamment occupée à surveiller le déroulement morne et triste de la vie de Randa que cela aiguillonne ma méchanceté.

J'ai deux amies, dont l'effronterie m'effraie souvent. Leur façon de vivre devrait encourager Randa à s'affirmer davantage. Qui sait le genre d'influence que je peux susciter en constituant un « club de filles », avec Randa, mes deux indomptables amies et moi-même comme membres uniques ?

Nous appelons notre club « Lèvres vivantes », car nous avons pour but de nous forcer au courage pour combattre le silence et l'asservissement des femmes dans notre société. Nous faisons le vœu solennel d'atteindre les objectifs suivants :

1) À chaque occasion, laisser le droit des femmes parler par nos lèvres et guider notre langue.

2) Pour chacune de nous, s'efforcer de ramener un nouveau membre tous les mois.

3) Faire cesser les mariages entre jeunes filles et vieillards.

Nous, les jeunes femmes d'Arabie, reconnaissons que les hommes de notre pays ne proposeront jamais de changement social pour notre sexe, et que nous devons les y forcer. Aussi longtemps que les femmes saoudiennes accepteront de subir leur autorité, les hommes feront la loi. Nous estimons qu'il est de la responsabilité de chaque femme individuellement de cultiver le désir de contrôler sa vie et celle des autres femmes, dans son petit environnement personnel. Nos femmes sont si affaiblies par des siècles de mauvais traitements que notre mouvement doit avant tout éveiller leur personnalité.

Mes deux amies, Nadia et Wafa, ne font pas partie de la famille royale. Elles appartiennent à des familles influentes de Riyad.

Le père de Nadia est à la tête d'une importante compagnie. Étant donné sa propension à fournir d'énormes *bakchichs* à de nombreux princes, sa société obtient du gouvernement beaucoup de contrats dans le bâtiment. Il emploie des milliers de travailleurs immigrés, venant du Sri Lanka, des Philippines et du Yémen. Le père de Nadia est au moins aussi riche que les princes. Il entretient sans problèmes trois femmes et quatorze enfants.

Nadia a dix-sept ans ; elle se situe au milieu de sept filles. Elle a assisté avec désespoir aux mariages de ses trois aînées, arrangés selon les convenances familiales. Curieusement, les trois mariages ont plu à ses sœurs, elles sont heureuses avec de bons maris. Mais Nadia prétend qu'une telle chance ne peut pas continuer. Elle se voit avec pessimisme finir par épouser un homme vieux, laid et cruel.

Nadia est en fait plus chanceuse que la plupart des Saoudiennes. Son père lui permet de continuer ses études et lui a dit qu'elle ne serait pas obligée de se marier avant l'âge de vingt et un ans. Cette échéance imposée n'a fait que pousser Nadia à l'action. Elle prétend que, puisqu'il ne lui reste que quatre années de liberté, elle a l'intention de goûter à tout dans la vie, pour accumuler les souvenirs en prévision de cet affreux mariage avec un vieillard.

Le père de Wafa est un chef religieux, et son extrémisme a conduit sa fille à ses propres extrêmes. Il n'a qu'une épouse, la mère de Wafa, mais c'est un homme cruel et vicieux. Nadia jure qu'elle ne veut pas d'une religion qui fait d'un homme comme son père un chef.

Elle croit en Dieu, croit que Mohammed est son prophète, mais estime que ses prophéties ont été détournées par ses successeurs, car nul Dieu n'aurait pu souhaiter tant de mal aux femmes, c'est-à-dire à la moitié du monde. Wafa n'a pas besoin d'aller voir hors de sa propre maison. Sa mère n'a pas la permission de sortir. Elle est véritablement prisonnière, enchaînée par un homme de Dieu.

Ils sont six enfants. Cinq fils sont déjà adultes et Wafa est la dernière surprise de ses parents. Son père est si désappointé d'avoir une fille qu'il l'ignore quasiment depuis sa naissance, sauf pour lui donner des ordres. Il lui commande de rester à la maison et d'apprendre à coudre et à cuisiner. Depuis l'âge de sept ans, il l'oblige à porter une *abaaya* et à couvrir ses cheveux. Depuis qu'elle a neuf ans, chaque matin, inlassablement, son père lui demande si elle a vu le « premier sang ». Il a peur que sa fille ne s'aventure à l'extérieur le visage découvert après que Dieu l'aura rangée parmi les femmes.

Wafa n'a la permission de n'avoir que peu d'amies. Et ses rares amies ont tôt fait de l'abandonner, car son père a le culot de leur demander si elles ont eu « leur premier sang » !

La mère de Wafa, épuisée par l'autorité rigide de son mari, a pris la décision, tardive, de résister silencieusement à ses ordres. Elle se fait complice de sa fille en l'aidant à sortir, et raconte à son mari que Wafa est en train de dormir, ou d'étudier le Coran, chaque fois qu'il demande où elle est.

Je m'imagine indomptable et révoltée, mais Wafa et Nadia déclarent ma prise de position en faveur des femmes piteuse et sans force. Elles prétendent que tout ce que je fais n'est qu'une manière de me stimuler intellectuellement — que ma réponse au problème est d'en parler jusqu'à la mort — et qu'en réalité mes efforts pour aider les femmes sont inutiles. Après tout, ma vie n'a pas changé. Et je dois bien admettre qu'elles ont raison.

Je n'oublierai jamais un incident qui s'est passé dans le parking souterrain près du souk, non loin d'un endroit que les étrangers appellent le « square coupe-coupe », depuis que nos criminels y perdent tête ou main, le vendredi, notre jour saint.

Je voulais cacher l'arrivée de mes règles à notre père, je n'étais pas du tout pressée d'étouffer derrière le voile noir des femmes. Malheureusement, Nura et Ahmed ont décidé que je ne pouvais pas dissimuler l'inévitable plus longtemps. Nura m'a même déclaré que, si je ne le lui disais pas immédiatement, elle le ferait. J'ai donc invité le club des amies, y compris Randa, et nous nous sommes donné pour mission d'acheter mon nouvel uniforme de vie — foulard noir, voile noir, *abaaya* noire !

Omar nous conduit en voiture jusqu'à l'entrée du souk. Nous descendons toutes les quatre et lui demandons de venir nous chercher deux heures plus tard, au même endroit. D'habitude, Omar nous escorte toujours à l'intérieur du souk pour nous surveiller mais, aujourd'hui, il a une course importante à faire et en profite pendant que nous allons faire les boutiques. D'ailleurs, je suis accompagnée par la nouvelle femme de mon père, et Omar doit se sentir rassuré par la présence docile de Randa — il n'a pas vu qu'elle s'éveillait lentement de son long sommeil de soumission.

Nous faisons le tour des échoppes, examinant du bout des doigts les différents foulards, les voiles, les *abaayas*. J'aimerais quelque chose de spécial, quelque chose qui me permette de garder une originalité dans l'océan des femmes identiquement vêtues de noir. C'est rageant de ne pas trouver une *abaaya* fabriquée en Italie, en belle soie ornée de motifs artistiques, pour que les gens se retournent sur moi et se disent que cette femme qui passe, cachée derrière ce voile, est élégante, originale, qu'elle a du style et de la classe.

Toutes les femmes sont voilées sauf moi et, tandis que nous poursuivons notre recherche en plein cœur du souk, je m'aperçois que Wafa et Nadia, qui nous précèdent, sont en train de chuchoter et de se raconter des bêtises.

J'arrête de fouiner aux étalages pour leur demander ce qui les amuse tant. À travers son voile, Nadia me dit qu'elles parlent d'un homme rencontré au souk la dernière fois qu'elles sont venues.

Un homme ? Je jette un coup d'œil à Randa : nous ne comprenons pas bien.

Au bout d'une heure, nous nous contentons de ce que nous trouvons, un voile, un foulard, une *abaaya* convenable : de toute façon le choix est limité.

Ma vie a changé à toute vitesse. Quand je suis entrée dans ce souk, j'étais bouillonnante de vie, mon visage exprimait mes émotions, elles étaient visibles au monde extérieur. Lorsque je le quitte, je suis une créature en noir, couverte de la tête aux pieds, un fantôme sans visage.

Je dois reconnaître que les premières minutes sont excitantes. Le voile est nouveau pour moi, et je peux examiner avec intérêt, et sans danger, les adolescents saoudiens qui me regardent, puisque je suis devenue un visage mystérieux. Je sais qu'ils guettent le souffle qui lèvera un coin de ce voile, pour apercevoir au vol un coin de cette peau défendue.

Un moment, je me sens un objet de beauté précieuse, une chose si admirable qu'on doit la cacher aux yeux des hommes et à leurs désirs incontrôlables.

Mais l'excitation de cette nouveauté sombre d'elle-même. À peine sommes-nous hors du souk et de l'ombre douce, que je dois brusquement affronter la chaleur intense du soleil. Sous ce tissu noir infernal, je cherche mon souffle péniblement et transpire furieusement. L'air filtrant à travers la gaze fine a un goût de moisi. J'ai pourtant acheté le voile le plus transparent possible, mais j'ai l'impression de regarder la vie à travers un écran opaque. Comment font les autres femmes pour voir à travers des tissus plus épais ?

Le ciel n'est plus bleu, l'éclat du soleil a terni. Il me vient un coup au cœur en réalisant, tout à coup, que je ne verrai plus jamais la vie comme elle est, dans toutes ses couleurs, en dehors de ma propre maison. Le monde est devenu terne.

Le monde est devenu dangereux aussi ! Je tâtonne en trébuchant sans arrêt dans les ornières des trottoirs, avec l'angoisse de me briser une cheville ou une jambe.

Mes amies éclatent de rire devant ma maladresse et mes efforts inutiles pour maintenir mon voile. Je me cogne dans un groupe d'enfants marchant derrière une Bédouine, et la regarde passer avec envie. Les Bédouines ne portent le voile que jusqu'au nez, elles ont les yeux libres de regarder autour d'elles. Oh ! comme j'aimerais être bédouine. Je me voilerais avec plaisir si on me laissait voir, si mes yeux pouvaient profiter de toutes les nuances de la vie autour de moi.

Nous sommes en avance au lieu de rendez-vous avec Omar. Randa regarde sa montre. Nous avons une bonne heure devant nous. Elle propose de retourner dans le souk pour échapper à la chaleur écrasante. Nadia et Wafa nous demandent si on ne voudrait pas « rigoler » un peu. Je réponds oui, bien sûr, sans la moindre hésitation. Randa hésite sans trop comprendre, se balançant d'un pied sur l'autre, inquiète à cause d'Omar. Je suis sûre que le mot « rigoler » l'a choquée. Mon formidable pouvoir de persuasion arrive à la convaincre de suivre nos deux amies. Je n'ai jamais transgressé les règles imposées aux femmes et la curiosité me dévore. La pauvre Randa, elle, cède tout simplement à un désir plus fort que le sien.

108

Les deux filles échangent des sourires et nous invitent à les suivre. Elles nous entraînent vers le parking souterrain d'un nouvel immeuble de bureaux, non loin du souk. Les hommes qui travaillent dans les bureaux et les boutiques voisines y garent leurs voitures.

Nous nous frayons un passage toutes les quatre en plein milieu d'un carrefour. Randa piaille et me tape sur la main, car je soulève mon voile pour apercevoir la circulation. Trop tard, je réalise que je viens d'exposer mon visage aux regards de tous les hommes de la rue! Ils semblent stupéfaits de leur chance, ils n'ont jamais vu le visage d'une femme dans un endroit public! Je réalise qu'il aurait mieux valu que je me laisse renverser par les voitures plutôt que de commettre cet acte de révélation!

En atteignant les ascenseurs de l'immeuble, je sursaute en voyant Nadia et Wafa aborder un homme, un étranger, un Syrien d'une beauté saisissante. Elles lui demandent s'il veut « rigoler » un peu! Un instant, il a l'air de vouloir fuir en vitesse. Puis il regarde à droite, à gauche, et se décide à appuyer sur le bouton de l'ascenseur. Il a dû réfléchir, car il est extrêmement rare d'avoir l'occasion de rencontrer des femmes convenables, et belles peut-être, en Arabie Saoudite. Il veut savoir de quelle « rigolade » il s'agit. Wafa lui demande s'il a une voiture et un appartement privé. Il répond qu'il a effectivement un appartement et un locataire, un Libanais. Nadia demande alors si son ami aimerait de la compagnie, et le Syrien réplique en souriant : « Oui, bien sûr. »

Avec Randa, nous avons suffisamment repris nos esprits pour bouger. Le temps de rassembler les plis de l'*abaaya*, et nous filons en courant hors du parking, terrorisées, et craignant réellement pour nos vies. Dans ma fuite je perds mon foulard et, en me retournant pour le ramasser, me heurte de plein fouet à Randa qui me suivait. Elle tombe en arrière et s'étale dans le sable, les jambes à l'air!

Quand Nadia et Wafa nous rejoignent, nous sommes réfugiées contre la vitrine d'une boutique, le souffle court et le cœur battant. Elles dansent en se tenant par la main et en hurlant de rire. Elles m'ont vue ramasser Randa tout à l'heure pour la remettre sur ses jambes.

Je suis tellement en colère qu'elles en prennent pour leur grade! Comment peuvent-elles faire des choses aussi stupides? Aborder un homme étranger! Et quelle sorte d'amusement ont-elle inventé? Se rendent-elles compte que Randa risque la flagellation et que nous pourrions être jetées en prison? La « rigolade », c'est la « rigolade », d'accord, mais ce qu'elles ont fait là, c'est du suicide!

Wafa et Nadia se contentent de nous regarder en riant si fort qu'elles en hoquètent. Elles savent pertinemment qu'on les punira si elles se font attraper, mais elles s'en moquent! Leur avenir ne leur appartient pas, et il est si sombre qu'il mérite bien de prendre des risques. En plus, elles pourraient rencontrer quelqu'un de gentil, un étranger qui les épouserait. Tout vaut mieux qu'un époux saoudien.

Je crois bien que Randa va s'évanouir. Elle se met à arpenter la rue de long en large à la recherche d'Omar. Elle sait parfaitement, elle, que mon père ne pardonnerait pas, qu'il se montrerait implacable s'il la surprenait dans une telle situation. Elle est absolument terrorisée.

Omar, toujours aussi malin et méfiant, demande en arrivant ce que nous avons fait. Randa tremble et s'apprête à répondre, mais je l'interromps pour raconter à Omar une histoire de mon cru... Nous avons vu un voleur dans le souk, il a dérobé un collier d'or, le marchand l'a rattrapé et l'a battu... La police est venue et on l'a emmené en prison... J'ai la voix qui tremble en racontant tout cela à Omar, surtout parce que le voleur est un jeune garçon. Nous avons pitié de lui, car on va lui couper la main pour avoir commis un acte pareil.

À mon grand soulagement, Omar croit à mon histoire. Randa glisse sa main sous mon vêtement et serre la mienne en signe de gratitude.

J'ai compris plus tard ce que voulait dire « rigolade », pour Nadia et Wafa. Elles entrent en contact avec des étrangers, habituellement des Arabes des pays voisins, à l'occasion un Anglais bel homme, ou un Américain, devant les ascenseurs du parking. Elles choisissent des hommes séduisants, des hommes dont elles pourraient tomber amoureuses. Parfois l'homme est si effrayé qu'il saute dans l'ascenseur et file vers un autre étage. Mais parfois aussi, il est intéressé. Si les hommes qu'elles rencontrent sont suffisamment intrigués, Nadia et Wafa acceptent un rendez-vous devant ce même ascenseur. Elles leur demandent d'utiliser une fourgonnette, de préférence à une voiture, pour venir les chercher. Ensuite, le jour convenu, les deux filles racontent qu'elles vont faire des courses. Leur chauffeur les conduit au souk, où elles achètent rapidement des babioles avant de se rendre au rendez-vous. Il arrive que les hommes aient peur et ne se montrent pas ; parfois, ils les attendent déjà, nerveusement. S'ils ont réussi à trouver une fourgonnette, les deux filles s'y engouffrent, dès qu'elles sont certaines que personne ne les voit. Les hommes les conduisent alors jusqu'à leur appartement et, à l'arrivée, elles prennent les mêmes précautions pour se faufiler à l'intérieur sans être vues.

Si elles sont prises, la condamnation sera sévère, elle peut aller jusqu'à la mort, y compris pour leurs complices.

La nécessité de la fourgonnette est évidente. En Arabie Saoudite, les femmes et les hommes ne peuvent pas monter dans la même voiture s'ils ne sont pas proches parents. Qu'un religieux ait un doute, et il fait arrêter la voiture pour vérification. Bien entendu, les hommes seuls n'ont pas le droit d'inviter des femmes dans leurs appartements

111

ou leurs maisons. Au moindre soupçon de conduite inconvenante, les religieux pénètrent dans les lieux et font emmener tout le monde en prison.

J'ai peur pour mes amies. J'ai beau les mettre en garde, encore et encore, contre les conséquences de leurs actes, elles sont jeunes, téméraires, et en ont assez de leur vie.

C'est en riant qu'elles me racontent leurs autres inventions pour se distraire. Par exemple, elles composent des numéros de téléphone au hasard jusqu'à ce qu'un homme étranger leur réponde. Tous les hommes leur conviennent pour autant qu'ils ne soient ni saoudiens ni yéménites. Elles lui demandent s'il est seul et s'ennuie d'une femme. Généralement, la réponse est « oui », car il y a peu de femmes disponibles en Arabie Saoudite, et la plupart des étrangers qui travaillent dans mon pays ont un visa de célibataire.

La disponibilité de l'interlocuteur étant établie, les filles le prient de se décrire physiquement. Flatté, l'homme s'exécute comme il peut — c'est en général assez pittoresque —, puis leur demande d'en faire autant. Alors Wafa et Nadia se décrivent elles-mêmes de la tête aux pieds, dans le plus petit détail. C'est extrêmement amusant, selon elles. Plus tard, il leur arrive de rencontrer cet homme devant l'ascenseur du parking des amours...

Je les interroge pour apprendre jusqu'à quel degré d'intimité elles se laissent entraîner avec leurs amoureux de passage. Et la réponse me stupéfie. Elles permettent tout, acceptent tout, sauf d'être pénétrées. Il est hors de question qu'elles perdent leur virginité car les conséquences seraient redoutables lors de leur nuit de noces. Le mari les renverrait aussitôt chez elles, leur père les jetterait dehors, les religieux feraient une enquête, et elles pourraient y laisser la vie. Au mieux, elles n'auraient plus d'endroit où vivre.

Nadia précise que, lorsqu'elles rencontrent des hommes,

elles n'ôtent jamais leurs voiles. Elles enlèvent tous leurs vêtements, sauf le voile. Les hommes peuvent toujours s'énerver, supplier, voire essayer de le leur retirer, elles n'ont qu'une réponse : nous sommes en sécurité tant qu'aucun homme ne connaît nos visages. Si vos intentions sont plus sérieuses, alors il est possible de reconsidérer la chose... Bien entendu, aucun homme n'a d'intentions sérieuses... Tout ce qu'ils veulent, c'est « rigoler ».

Mes amies commencent à désespérer de trouver une issue à leur avenir, menaçant, sombre et noir comme une nuit sans fin.

Chaque fois que je discute avec Randa du comportement de nos amies, ça se termine par des pleurs. J'ai la haine des coutumes de mon pays, une vraie haine, profonde, enfoncée dans la gorge comme une boule immonde. Le manque absolu d'indépendance, de liberté, pousse des jeunes filles comme Wafa et Nadia à commettre des actes désespérés. De ces actes pour lesquels elles sont sûres de mourir si on les découvre.

Avant que l'année s'achève, Nadia et Wafa sont en effet arrêtées. Malheureusement pour elles, des membres du comité de moralité publique parcourent les rues de Riyad dans l'espoir de surprendre les gens en flagrant délit d'activités interdites par le Coran. On les a renseignés sur elles. Au moment où Nadia et Wafa s'apprêtaient à se faufiler dans une fourgonnette, une voiture bourrée de jeunes activistes saoudiens a surgi, et ils ont bloqué le véhicule. Ils surveillaient l'endroit depuis des semaines, après avoir été informés par un de leurs membres, travaillant dans l'immeuble, qui avait entendu un Palestinien raconter que deux femmes voilées lui avaient fait des propositions devant l'ascenseur.

On a épargné à Nadia et Wafa la peine de mort parce

que leurs virginités étaient intactes. Mais ni le comité de moralité publique, ni le conseil des religieux, et surtout pas leurs pères n'ont cru à l'histoire qu'elles avaient imaginée. Leur malheureuse invention consistait à dire qu'elles avaient seulement demandé aux hommes de les conduire chez elles, car leur chauffeur était en retard. Je suppose que c'était la meilleure histoire qu'elles avaient concoctée étant donné les circonstances.

Le conseil religieux a interrogé chacun des hommes travaillant dans le secteur. Au total, quatorze ont déclaré avoir été abordés par deux femmes voilées. Aucun d'eux n'a avoué avoir participé à quoi que ce soit avec les deux femmes en question.

Après trois mois d'un emprisonnement pénible sous l'accusation d'activité sexuelle prouvée, le comité a rendu Nadia et Wafa à leurs pères respectifs, pour la punition.

Curieusement, le père de Wafa, l'incorruptible religieux, a questionné sa fille sur les raisons de ses méfaits. Lorsqu'elle s'est mise à pleurer en lui racontant ses sentiments de désespoir et d'exclusion totale, il s'est déclaré désolé de son malheur. Mais, en dépit de ses manifestations de sympathie, il a informé Wafa de sa décision de l'arracher définitivement à de futures tentations. Il lui a ordonné d'étudier le Coran et d'accepter la vie simple et monastique destinée aux femmes, bien loin de la ville. Il a arrangé hâtivement un mariage avec un Bédouin religieux dans un petit village. Le futur mari de Wafa a cinquante-trois ans et Wafa en a dix-sept; elle sera sa troisième épouse.

Paradoxalement, c'est le père de Nadia qui a été pris d'une rage de tous les diables. Il a refusé de parler à sa fille, lui a ordonné de s'enfermer dans sa chambre jusqu'à ce qu'il ait pris une décision à son sujet. Quelle punition attend Nadia ?

Quelques jours après, mon père rentre plus tôt du bureau et nous fait venir, Randa et moi, au salon.

114

Nous restons là, saisies de terreur, lorsqu'il nous annonce que le père de Nadia a décidé de la noyer dans la piscine familiale. Demain matin, vendredi à dix heures, il la noiera lui-même. Père dit que toute la famille de Nadia assistera à son exécution.

J'ai le cœur qui flanche quand il nous demande si l'une de nous a déjà accompagné Nadia ou Wafa dans leurs honteuses entreprises. Je réagis et me lève la première pour nier, mais père me fait taire et m'ordonne de me rasseoir sur le divan. Randa fond en larmes et se met à lui raconter l'histoire du jour où nous avons acheté mon premier voile.

Père demeure immobile, les yeux écarquillés, jusqu'à ce qu'elle ait terminé. Puis il pose des questions sur notre « club de filles », celui que nous appelons « Lèvres quelque chose »... Nous ferions mieux de dire toute la vérité, déclare-t-il, car Nadia a tout confessé de nos activités.

Randa est muette, la langue gelée. Mon père sort de son attaché-case les papiers du club. Il a fouillé ma chambre, il a trouvé nos disques et la liste de nos membres. Pour la première fois de ma vie, j'ai la bouche sèche, les lèvres comme soudées par une chaîne.

Père pose tranquillement les papiers empilés sur sa mallette. Il regarde Randa au fond des yeux et annonce :

— J'ai divorcé de toi. Ton père enverra un chauffeur dans une heure pour te ramener dans ta famille. Je t'interdis de revoir mes enfants.

À ma grande horreur, il se tourne vers moi :

— Tu es mon enfant, ta mère était une femme de bien. Même si tu as participé à ces choses avec Nadia et Wafa, je veux te faire respecter les enseignements du Coran, et te voir un jour couchée dans une tombe. Prends garde à ne pas attirer mon attention, ne t'occupe que de tes études, le temps que j'arrange pour toi un mariage convenable.

Il se tait un moment, se rapproche de moi, me regarde durement dans les yeux :

— Sultana, résigne-toi à ton avenir, et obéis. Tu n'a pas d'autre choix.

Père se penche pour remettre les papiers dans sa mallette et quitte la pièce sans un autre regard pour moi ou pour Randa.

Humiliée, glacée de peur, j'accompagne Randa dans sa chambre et la regarde rassembler ses affaires, ses bijoux, ses livres en désordre au milieu du grand lit. Son visage est vide de toute expression. Je n'arrive même pas à formuler les mots qui se bousculent dans ma tête. Déjà, la cloche de la porte d'entrée résonne et je me retrouve en train d'aider les servantes à transporter ses affaires dans la voiture.

Sans un mot d'adieu, Randa quitte la maison. Pas mon cœur.

Le lendemain matin, à dix heures, je regarde l'invisible, l'insoutenable, là-bas, au-delà du balcon de ma chambre.

Je songe à Nadia. Je l'imagine entravée par de lourdes chaînes, une cagoule noire sur la tête. Je vois des mains la soulever de terre et la basculer dans les eaux vertes et bleues de la piscine familiale.

En fermant les yeux, je sens son corps se raidir, sa bouche chercher de l'air, ses poumons éclater de douleur sous la pression de l'eau.

Je revois ses yeux brun lumineux, sa manière si particulière de relever le menton en faisant résonner son rire dans toute la pièce. Je me souviens de la douceur fragile de sa peau, de son teint si clair. La terre implacable n'aura pas de mal à ronger toute cette beauté.

J'ai froid. Je regarde ma montre. Il est dix heures dix.

Mon cœur se serre à l'idée que Nadia ne rira plus jamais.

C'est le moment le plus dramatique de l'histoire de ma

jeunesse. Les manigances de mes amies pour « rigoler », comme elles disaient, aussi vilaines et tristes qu'elles aient été, n'auraient pas dû causer la mort de Nadia et le mariage obligatoire de Wafa.

Des actes si cruels sont les pires des commentaires sur la prétendue sagesse de ces hommes qui ruinent et détruisent nos vies et nos rêves de femmes, sans aucun remords, avec une totale indifférence.

L'étrangère

Après le brusque départ de Randa, le mariage prématuré de Wafa et la mort de Nadia, je sombre dans un trou noir. L'impression que mon corps n'arrivera plus à récupérer un souffle de vie. Je m'imagine en hibernation, la respiration au ralenti — pouvoir contrôler les battements de mon cœur, comme certaines créatures sauvages qui s'isolent du monde pendant des mois. Étendue sur mon lit, je me bouche les narines avec les doigts et me mords les lèvres pour fermer ma bouche. Mes poumons résistent, me forcent à expulser l'air et à reconnaître amèrement que je n'ai aucun pouvoir sur mes fonctions vitales.

Les servantes de la maison partagent ma peine. Elles savent que je suis la plus sensible de la famille et que je me suis toujours intéressée à leur situation. Pour gagner le maigre salaire qu'Omar leur attribue chaque mois, elles doivent payer un prix élevé : être très loin de ceux qu'elles aiment.

Marci, ma servante philippine, s'efforce de me faire reprendre intérêt à la vie, de me changer les idées en me racontant des histoires de son pays. Nos longues conversations permettent de décontracter les relations habituellement inintéressantes entre maître et servante.

Un jour, elle me révèle timidement l'ambition de sa vie.

Elle voudrait mettre assez d'argent de côté en travaillant chez nous comme femme de chambre pour retourner aux Philippines et y faire des études d'infirmière.

Les infirmières philippines sont très demandées partout dans le monde et, pour les femmes de ce pays, c'est un métier très bien payé.

Marci dit qu'après son diplôme elle reviendra en Arabie Saoudite travailler dans l'un de nos hôpitaux modernes. Elle sourit en ajoutant que les infirmières philippines touchent un salaire d'environ mille dollars par mois, alors qu'elle reçoit deux cents dollars comme femme de chambre. Avec un salaire pareil, elle pourra entretenir toute sa famille aux Philippines.

Son père a été tué accidentellement dans une mine lorsqu'elle avait trois ans. Sa mère était enceinte de sept mois, d'un deuxième enfant. Leur existence était triste, mais la grand-mère de Marci s'occupait des deux enfants, tandis que sa mère travaillait dans un hôtel comme femme de chambre. Elle répétait souvent à Marci que les études sont la seule solution pour combattre la pauvreté, et se privait énormément pour l'éducation de ses enfants.

Il y a deux ans, Marci devait entrer dans une école d'infirmières, mais son jeune frère Tony, renversé par une voiture, a été gravement blessé. Il a fallu l'amputer d'une jambe. Les soins médicaux ont vite fait d'épuiser les économies de la famille et de priver Marci de son école.

Je pleure en l'écoutant me raconter sa vie. Comment fait-elle pour conserver son sourire, jour après jour, semaine après semaine ? Marci sourit davantage encore. C'est facile, dit-elle, du moment que l'on a un rêve, et un moyen de le réaliser.

Elle a grandi dans une région pauvre des Philippines et se sent extrêmement privilégiée d'avoir un travail et de pouvoir manger à sa faim trois fois par jour. Chez elles, les gens meurent non pas de faim mais de malnutrition, qui les rend vulnérables à toutes sortes de maladies inconnues dans les pays riches.

Marci me fait partager l'histoire de son peuple d'une manière si vivante que je finis par me sentir moi-même une partie de cette histoire, de son pays, de sa culture si riche. J'avais sous-estimé Marci et les autres Philippins, car jusqu'à présent je ne leur prêtais guère d'attention, je ne les considérais que comme de simples étrangers démunis d'ambition. Comme je me trompais !

Quelques semaines plus tard, Marci prend son courage à deux mains pour me parler de son amie Madeline. Me parler de Madeline, c'est poser le grand problème des valeurs morales de mon pays. C'est grâce à Marci que j'apprends pour la première fois que les femmes du tiers monde sont réduites à l'état d'esclaves sexuelles dans mon pays, l'Arabie Saoudite.

Marci et Madeline sont amies d'enfance. Madeline est d'origine plus pauvre encore que Marci. Avec ses sept frères et sœurs, elle avait l'habitude de mendier sur la route qui relie sa province à Manille. Il arrivait qu'une grosse voiture transportant des touristes s'arrête, et que de grandes mains blanches jettent quelques pièces dans leurs petites paumes tendues. Alors que Marci fréquentait l'école, Madeline se battait pour manger.

Dès son plus jeune âge, Madeline avait un rêve et un plan pour faire de ce rêve une réalité. Lorsqu'elle a eu dix-huit ans, après avoir emprunté à Marci une vieille tenue d'écolière, elle est allée à Manille. Là, elle a repéré une agence qui recrutait des employés pour l'étranger. Elle s'est présentée pour un travail de domestique. Madeline est si petite et si jolie que le patron libanais de l'agence insinua sournoisement qu'elle pourrait parfaitement trouver du travail dans un bordel de Manille. Là, elle gagnerait bien plus d'argent qu'une simple domestique ne peut même l'imaginer !

Madeline est catholique et croyante et, bien qu'ayant été élevée dans des conditions difficiles, sa réaction de rejet fut si forte que le Libanais comprit qu'elle ne vendrait pas son corps. Alors, avec un geste de regret, l'homme lui dit de remplir sa demande et d'attendre.

Puis il parla d'une offre récente : il devait trouver à peu près trois mille travailleurs philippins pour la région du golfe Persique. Il obtiendrait pour Madeline une priorité d'embauche, en qualité de domestique, car les riches Arabes réclament toujours de jolies filles pour les servir. Et il la raccompagna jusqu'à la porte, sans cesser de cligner de l'œil et de lui tapoter les fesses d'un air complice.

Lorsqu'elle reçut la confirmation de son embauche à Riyad comme domestique, Madeline fut à la fois excitée et effrayée. À la même époque, les plans de Marci pour entreprendre des études d'infirmière venaient de s'effondrer, et elle décida de suivre l'exemple de Madeline, en cherchant du travail à l'étranger. Quand Madeline partit pour l'Arabie Saoudite, Marci paria qu'elle ne tarderait pas à la suivre. Les deux amies se dirent au revoir en promettant de s'écrire.

Quatre mois plus tard, Marci a trouvé aussi un travail en Arabie Saoudite. Elle n'avait toujours pas de nouvelles de Madeline. Une fois sur place, elle ne savait pas où la chercher ailleurs qu'à Riyad. Comme elle avait obtenu du travail dans une famille de la même ville, Marci s'est obstinée à chercher son amie.

Je me souviens du soir où Marci est arrivée chez nous. Maman avait la responsabilité de la maison et de l'embauche des domestiques. Ce soir-là, Marci avait l'air d'une toute petite chose effrayée, qui s'est aussitôt cramponnée à la plus ancienne de nos servantes philippines.

Comme nous en avions déjà une vingtaine dans la villa, Marci ne s'est pas fait particulièrement remarquer. Inexpérimentée et âgée de dix-neuf ans seulement, on lui a attribué le ménage des chambres des deux plus jeunes filles de la famille, Sara et moi. Je ne lui ai prêté que peu d'attention durant les seize mois où elle a passé son temps à me suivre inlassablement à travers la maison, en me demandant si j'avais besoin de quelque chose.

Aujourd'hui, elle me surprend en racontant que les autres Philippines lui envient sa place, car ni Sara ni moi ne la battons, ou n'élevons la voix pour la réprimander. Les yeux écarquillés, je demande à Marci si l'on bat les domestiques chez nous. Soulagement, la réponse est non, pas dans la villa. On sait qu'Ali est difficile. Il parle fort et sur un ton insultant, mais son geste le plus violent se limite à donner des coups dans les tibias d'Omar. J'en ris car j'ai peu de sympathie pour Omar.

C'est en chuchotant que Marci me raconte maintenant les potins des domestiques. Il paraît que la deuxième femme de mon père, originaire de l'un des États voisins du Golfe, a l'habitude de pincer et de battre ses servantes chaque jour que Dieu fait.

Une malheureuse Pakistanaise a été blessée gravement à la tête, le jour où cette femme l'a poussée dans l'escalier ! Comme on lui reprochait de ne pas travailler assez vite, la jeune Pakistanaise s'est précipitée hors de la salle de bains, lourdement chargée d'un panier plein de linge sale. Elle a heurté accidentellement la femme de mon père et celle-ci, folle furieuse, lui a donné un coup violent dans l'estomac, l'envoyant basculer en arrière dans l'escalier.

Alors que la servante gémissait par terre sans se relever, la vieille femme s'est précipitée sur elle pour la battre et lui ordonner de finir son travail. La servante ne bougeant plus, la vieille l'a accusée de jouer la comédie. Finalement, on a dû l'emmener chez le médecin. Mais la fille ne s'est pas remise normalement : elle se tient la tête dans les mains à longueur de journée en ricanant.

Sur ordre de l'épouse de mon père, le médecin du palais

a établi un certificat disant que la fille est tombée accidentellement et souffre de commotion. Dès qu'elle sera en mesure de voyager, on la renverra au Pakistan, en lui retirant ses deux derniers mois de salaire. Elle sera réexpédiée à ses parents, riche de quinze dollars!

Marci ne comprend pas que je sois si étonnée. La plupart des domestiques sont maltraités, dans mon pays. Notre maison fait partie des rares exceptions. J'ai eu l'occasion d'aller chez des amies, je reconnais que l'on n'y a guère de considération pour les servantes, mais je n'ai jamais assisté à ce genre de correction. J'ai vu quelques-unes de mes amies leur parler mal, les blesser verbalement, mais je n'ai jamais remarqué qu'on les maltraite physiquement.

Marci soupire tristement et m'explique que les abus sexuels ou physiques sont généralement dissimulés. Elle me rappelle que je vis à quelques centaines de mètres d'un palais où l'on cache les souffrances de beaucoup de jeunes filles, et que je n'en ai pas la moindre idée. Elle me conseille d'ouvrir les yeux, d'observer ce qui se passe dans mon pays et comment l'on y traite les femmes venues de l'étranger. Je l'approuve avec tristesse.

Après cette première conversation, Marci fait de plus en plus confiance à ma nature franche. Je deviens sa véritable confidente, et elle se décide alors à me raconter toute l'histoire de Madeline. Je me souviens de ce récit comme si c'était hier. Les phrases que nous avons échangées ce jour-là résonnent encore dans ma tête, je vois nettement son visage si grave en face de moi...

— Je veux que vous sachiez tout de Madeline, ma meilleure amie. Vous êtes princesse et le jour viendra peut-être où vous pourrez aidez les pauvres femmes des Philippines...

Ce matin-là, je me sens si seule, à traîner mon ennui jour

après jour, que j'écoute ce que Marci veut me faire comprendre, avide de détails, même de potins rapportés par une servante philippine. Je m'installe paresseusement sur mon lit. Marci empile avec empressement des coussins derrière ma tête, exactement comme j'aime. Je lui demande :

— Avant de raconter ton histoire, va me chercher une coupe de fruits frais et un verre de *laban*.

Elle revient avec les fruits et le lait caillé. Je sors les pieds de sous la couverture pour qu'elle les masse pendant qu'elle me raconte l'histoire de Madeline.

En me souvenant de cette scène, j'ai honte de mon comportement égoïste d'alors. Curieuse d'entendre un récit pourtant tragique, j'exige avant toute chose la satisfaction de mes désirs personnels. Plus vieille et plus sage maintenant, je me souviens avec amertume de la sévère leçon qui m'a été donnée sur la culture saoudienne.

Je ne connais pas un Saoudien qui ait jamais porté la moindre attention à la vie d'une servante, à sa famille, ses rêves, ses aspirations. Les gens du tiers monde sont là pour nous servir, nous, les riches Saoudiens, et rien d'autre. Ma mère elle-même, pourtant si gentille et si attentionnée, a rarement montré d'intérêt pour les problèmes personnels de ses servantes. Elle avait pour excuse la lourde charge d'une maisonnée, avec toute ses responsabilités, et les exigences de mon père. Je n'ai pas la même excuse. J'ai maintenant conscience que Marci et les autres domestiques n'étaient pour moi que des robots aux ordres de mes caprices, et je voudrais rentrer sous terre. Quand je pense que Marci comme les autres dans la maison me trouvaient gentille parce que j'étais la seule à leur poser des questions ! C'est un souvenir difficile à avaler pour quelqu'un qui s'estime sensible...

Marci commence à raconter en me massant les pieds. Son visage est pensif, simplement, sans autre expression.

— Avant de quitter mon pays, j'ai supplié le Libanais de me donner l'adresse de l'employeur de Madeline. Il a répondu : « Non, je n'ai pas le droit. » Je lui ai menti. Je lui ai raconté que je devais remettre des affaires à mon amie, de la part de sa mère. J'ai tellement insisté qu'il a fini par me donner un numéro de téléphone et m'indiquer le quartier de Riyad où travaillait Madeline.

— L'employeur est un prince ?

— Non. Il vit dans le quartier Al Malaz, à une demi-heure de voiture d'ici.

Notre palais est situé dans le quartier Al Nasiriyah, un endroit prestigieux, habité par de nombreux princes. C'est le quartier résidentiel le plus riche de Riyad. Je suis allée à Al Malaz une seule fois, il y a longtemps, et je me souviens de nombreux petits palais appartenant à de hauts cadres saoudiens des affaires.

Marci n'a pas le droit de quitter nos terres, sauf une fois par mois, à l'occasion du marché organisé par Omar pour les domestiques. Étant donné que chez nous, en Arabie Saoudite, les serviteurs travaillent sept jours par semaine, cinquante-deux semaines par an, je me demande comment elle s'est débrouillée pour aller voir son amie :

— Comment as-tu fait pour aller jusqu'à Al Malaz ?

Marci hésite un peu puis se décide :

— Vous connaissez Antoine, le chauffeur philippin ?

Nous avons quatre chauffeurs, deux Philippins et deux Égyptiens. Habituellement, c'est Omar ou l'autre Égyptien qui me conduit. Nous nous servons des Philippins pour les courses d'épicerie ou les commissions courantes.

— Antoine ? Celui qui sourit toujours ?

— Oui, celui-là. On aime bien se voir de temps en temps, et il était d'accord pour m'emmener chez mon amie.

J'éclate de rire.

— Marci ! Tu as un petit ami ? Et Omar ? Comment as-tu fait pour éviter d'avoir des problèmes avec lui ?

— On a attendu qu'il accompagne votre famille à Tayf et on a saisi l'occasion.

Marci s'amuse de mon propre amusement. Elle sait que rien ne me fait plus plaisir qu'un mauvais tour réussi contre les hommes de la maison.

— D'abord, j'ai appelé le numéro de téléphone qu'on m'avait donné aux Philippines. On n'a pas voulu me laisser parler à Madeline. J'ai dit que j'avais un message de sa mère. Au bout de pas mal de palabres, on m'a expliqué l'endroit et décrit la villa. Antoine m'a conduite là-bas, on a repéré la maison et trouvé quelqu'un à qui donner une lettre pour Madeline. Un Yéménite a pris la lettre des mains d'Antoine. Deux semaines plus tard, j'ai reçu un appel de mon amie. J'avais du mal à l'entendre tellement elle chuchotait, elle avait peur qu'on la surprenne au téléphone. Elle m'a dit qu'elle était dans une vilaine situation, il fallait que je vienne l'aider. Nous avons mis un plan au point.

Je remets mes pieds sous la couverture et me concentre sur le récit de Marci. Je n'ai plus envie de massage. Je devine que Marci et son amie ont couru un danger, et mon intérêt pour cette Philippine inconnue grandit de minute en minute.

— Deux mois ont passé. Nous savions que les mois d'été allaient nous donner l'occasion de nous rencontrer. On avait peur que Madeline soit emmenée en Europe par son patron, mais elle est restée à Riyad. Quand vous et votre famille avez quitté la ville avec Omar, je me suis cachée sur la banquette arrière de la Mercedes noire, et Antoine m'a emmenée chez Madeline.

S'étranglant d'émotion, Marci me décrit la situation de son amie.

— Je suis restée dans la voiture pendant qu'Antoine allait sonner à la porte. Je ne pouvais rien faire, si ce n'est examiner l'état de cette maison. La peinture était écaillée, la porte rouillée. Le peu de végétation qui subsistait sur les murs était en train de périr par manque d'eau. On peut dire que c'était un sale endroit. J'ai compris que mon amie était dans une situation difficile en travaillant dans une maison aussi sordide.

« J'étais angoissée, avant même qu'on me permette d'entrer. Antoine a dû sonner à cinq reprises avant que nous entendions quelqu'un bouger et venir ouvrir. C'était, comme Madeline me l'avait dit au téléphone, dégoûtant. Un vieux Yéménite habillé d'un plaid enroulé autour de sa robe a ouvert la porte. Il avait l'air de dormir. Sa vilaine figure disait bien qu'il n'était pas content d'être tiré de sa sieste. On a eu peur tous les deux et la voix d'Antoine tremblait quand il a demandé : "S'il vous plaît, pouvons-nous parler à miss Madeline des Philippines ?" Le Yéménite parlait mal l'anglais, mais Antoine a appris un peu d'arabe et ils ont réussi à se comprendre suffisamment pour que le Yéménite nous refuse la permission d'entrer. Il nous a repoussés de la main, en commençant à refermer la porte. Alors je me suis redressée sur la banquette de la voiture, et je me suis mise à pleurer en assurant que Madeline était ma sœur, que je venais juste d'arriver à Riyad et que je travaillais dans le palais d'un prince royal.

« Je crois que ça lui a fait peur, mais il n'a pas changé d'attitude. J'ai tendu vers lui une enveloppe, qui était censée venir des Philippines. Notre mère était gravement malade. Il fallait absolument que je parle à Madeline juste quelques minutes pour lui rapporter les dernières paroles de notre mère mourante.

« J'espère que Dieu ne me punira pas d'un pareil mensonge. Je crois qu'il m'a entendue, en tout cas, car le Yéménite a paru changer d'avis en comprenant le mot arabe "mère". J'ai vu qu'il réfléchissait. D'abord il a examiné Antoine, puis moi, et pour finir nous a dit d'attendre un moment. Il a refermé la porte et on a entendu le flip flop de ses sandales qui retournaient à la villa. Je savais ce qu'il allait faire : demander à Madeline de lui décrire sa sœur. J'ai regardé Antoine avec un sourire d'espoir, notre plan allait peut-être marcher.

Marci s'arrête un instant de parler au souvenir de ce moment là.

— C'était un vieux Yéménite effrayant. Il avait une allure affreuse et portait un poignard recourbé à la ceinture. Avec Antoine, on a failli se sauver dans la voiture et revenir au palais. Mais l'idée que ma pauvre amie était enfermée là-dedans m'a donné un sursaut de courage.

« Madeline m'avait dit que deux Yéménites surveillaient la villa, un vieux et un jeune chargés de la garde des femmes de la maison. Aucune servante n'avait la permission de quitter son travail, ou de sortir de là. Au téléphone, elle m'avait dit aussi que le jeune Yéménite avait un cœur de pierre, et ne laissait personne se présenter à la porte. Même pas pour une mère mourante! En principe, nous devions avoir plus de chance avec le vieux. Comme toute la famille était en voyage en Europe, le jeune avait eu droit à deux semaines de vacances ; il était retourné au Yémen pour se marier. À ce moment-là, il n'y avait à la villa que le vieux Yéménite et un jardinier pakistanais.

« On regardait nos montres, on trouvait le temps long. Enfin, on a entendu le bruit des pas du vieillard qui revenait. La porte a grincé longuement. Je tremblais à l'idée de passer cette porte de l'enfer. Le vieux a grommelé quelque chose et fait signe à Antoine qu'il devait rester là, à côté de la voiture. J'étais seule autorisée à entrer...

Marci me rend malade, j'imagine la peur qu'elle a eue.

— Comment as-tu fait? Moi j'aurais appelé la police!

Marci hoche la tête.

— La police ne s'occupe pas des Philippins dans ce pays. Elle nous aurait tout simplement ramenés chez nos patrons, mis en prison ou expulsés, au gré de votre père! Dans ce pays, la police est du côté des forts, pas des faibles.

Je sais bien que ce qu'elle dit est vrai. Les Philippins se situent un cran au-dessous de nous, les femmes. Même moi, une princesse, je ne peux attendre aucune aide de la police si cela signifie aller contre les désirs des hommes de ma famille. Mais, pour l'instant, prise par l'aventure de Marci, je n'ai pas envie de penser à mes problèmes.

— Allez, continue ! Qu'est-ce que tu a vu à l'intérieur ?

J'imagine les mystérieuses expériences d'un Frankenstein saoudien...

Me voyant redoubler d'intérêt, Marci se met à raconter avec passion, son visage exprimant toutes les émotions qu'elle revit.

— Je suivais le vieux. Il marchait lentement, alors j'ai pu regarder tout autour de moi... Les murs de ciment n'ont jamais été peints. Une petite construction dans le jardin n'avait même pas de porte, elle était grande ouverte, avec une espèce de torchon en lambeaux en guise de toit. À en juger par le désordre, les tapis sales, les boîtes vides et les odeurs de poubelles, le vieux Yéménite habitait là-dedans. On a longé la piscine, mais elle était vide d'eau, il ne restait qu'une mare noirâtre de détritus tout au fond. J'y ai vu trois petits squelettes, qui ressemblaient à ceux de bébés chats.

— Des chatons ? Oh, mon dieu !

Marci sait à quel point j'aime les chats.

— Quelle mort horrible !

— Ça ressemblait à des chats. Je suppose qu'ils sont nés au fond de la piscine vide et que leur mère n'a pas pu les remonter.

Je frémis d'horreur. Marci poursuit :

— La maison est grande, mais aussi sale que les murs. On a dû la peindre il y a longtemps et les tempêtes de sable ont tout arraché. Il y a un jardin, mais toutes les plantes sont mortes de sécheresse. Il y a quatre ou cinq oiseaux dans une cage pendue à un gros arbre. Ils ont l'air tristes et

130

maigres, on ne les entend pas, ils n'ont plus de chants dans le cœur depuis longtemps.

« De la porte d'entrée, le vieux Yéménite a crié quelque chose en arabe à quelqu'un d'invisible. Puis il a hoché la tête et m'a fait signe d'entrer. J'ai hésité, une odeur épouvantable m'a prise à la gorge. Morte de peur, j'ai crié de loin le nom de Madeline. Le Yéménite était retourné à sa sieste interrompue. Je n'osais pas avancer.

« Enfin Madeline est arrivée, du fond d'un couloir sombre. La lumière était très faible et après l'éclat du soleil, au-dehors, je la voyais mal. Puis elle s'est mise à courir en comprenant que c'était moi, sa vieille amie. Nous nous sommes embrassées, et j'étais toute surprise de la trouver propre et sentant bon. Elle était plus maigre qu'avant, mais vivante !

J'étais soulagée, je m'attendais à ce que Marci trouve son amie à demi morte, sur un tapis pouilleux, luttant pour lui donner ses dernières instructions afin de ramener son corps à Manille...

— Et alors ? Qu'est-ce qui s'est passé, Marci ?

La voix de Marci change de registre, comme si les souvenirs étaient trop pénibles pour être racontés.

— On a beaucoup pleuré, on s'est embrassées, puis Madeline m'a conduite le long de ce couloir sombre. Elle me tenait par la main, elle m'a guidée jusqu'à une petite pièce sur la droite. Elle m'a poussée vers un divan, s'est assise en face de moi, par terre. Et, tout à coup, elle a fondu en larmes. Elle a couché sa tête sur mes genoux. Je lui ai caressé les cheveux, en lui murmurant de me dire ce qui lui était arrivé. Elle a cessé de pleurer et m'a raconté toute sa vie depuis qu'elle avait quitté Manille, un an auparavant.

« À son arrivée, deux domestiques yéménites sont venus la chercher à l'aéroport. Ils tenaient une pancarte avec son nom, orthographié en anglais. Elle a suivi les deux hommes, ne sachant pas quoi faire d'autre. Elle avait peur d'eux et de leur allure sauvage. Elle craignait même pour sa vie quand ils l'ont emmenée à travers la ville. Il était tard lorsqu'elle est arrivée à la villa. Il n'y avait pas de lumière, elle n'a rien pu voir.

« À ce moment-là, la famille était en pèlerinage à La Mecque. Une vieille femme arabe qui ne parlait pas anglais lui a montré sa chambre. Elle lui a donné des gâteaux, des dattes et du thé chaud. Avant de quitter la pièce, elle a tendu à Madeleine un mot disant qu'elle aurait des instructions pour son travail le lendemain.

— La vieille femme était peut-être la grand-mère ?

— Peut-être... Madeline ne l'a pas dit, je ne sais pas. La pauvre Madeline a eu un haut-le-cœur quand elle a vu sa nouvelle maison à la lumière du soleil. Elle a bondi du lit en s'apercevant que les draps dans lesquels elle avait dormi étaient sales. Le plateau de la veille, l'assiette, le verre de thé étaient envahis de cafards.

« L'estomac retourné, Madeline a repéré la salle de bains. La douche ne fonctionnait pas. Elle a essayé de faire sa toilette dans le lavabo avec un reste de vieux savon dégoûtant et un filet d'eau tiède. Elle suppliait Dieu de l'aider à calmer les battements de son cœur. Puis la vieille femme arabe a frappé à la porte.

« Madeline n'avait pas le choix. Elle a suivi la vieille dans une cuisine où on lui a donné une liste de choses à faire.

« Elle a lu le papier écrit hâtivement : on lui disait qu'elle devait aider à la cuisine, servir de gardienne et s'occuper des enfants. La vieille lui a fait comprendre qu'elle devait se préparer quelque chose à manger. Après son petit déjeuner, Madeline s'est mise à nettoyer la saleté de toutes les bassines et de tous les pots de la cuisine.

« En plus d'elle, il y avait trois autres employées. Une vieille cuisinière indienne, une jolie femme de chambre originaire du Sri Lanka, et une autre, un laideron du

132

Bangladesh. La cuisinière avait au moins soixante ans, les autres une vingtaine d'années.

« La cuisinière ne voulait parler à personne. Elle devait retourner chez elle, en Inde, deux mois plus tard, et ne rêvait qu'à sa future liberté. Le laideron était renfermé sur son malheur car son contrat s'achevait dans un an. La jolie femme de chambre sri-lankaise ne travaillait pas beaucoup et passait son temps devant le miroir. Elle parlait ouvertement de son désir de retourner dans sa famille, racontait à Madeline qu'elle était la préférée du patron et qu'il allait lui rapporter un collier d'or de La Mecque.

« Madeline a été choquée lorsque la fille lui a ordonné de lui montrer son visage de près. Après ça, elle a déclaré avec une grimace que le maître allait la trouver trop maigre à son goût, mais qu'elle aurait peut-être une chance auprès de l'un des fils. Madeline n'a pas compris et a continué son ménage interminable.

« Quatre jours plus tard, la famille est revenue de La Mecque. Madeline s'est rendu compte que ses employeurs appartenaient à une classe inférieure. Ils avaient des manières vulgaires, un langage trivial, un comportement insupportable. Ce sont des gens devenus riches sans avoir rien fait, dont l'unique éducation vient du Coran, qu'ils détournaient, dans leur ignorance, à seule fin de combler leurs désirs.

« D'après le maître de maison, le second statut que le Coran reconnaît aux femmes, c'est l'esclavage. Toute femme non-musulmane est considérée comme une prostituée. Et ce qui n'arrange rien, c'est que le père et les deux fils se rendent en Thaïlande quatre fois par an pour y faire le tour des bordels de Bangkok, et s'offrir les services de jeunes et jolies Thaïlandaises. Ils croient que la plupart des femmes en Orient sont à vendre, donc que toutes les femmes, sauf les musulmanes, peuvent s'acheter. Lorsqu'ils emploient une servante, ils trouvent normal de la traiter comme un animal domestique, soumis aux caprices des hommes de la maison.

« Madeline a compris, à travers les propos de la mère, qu'elle était employée dans cette maison uniquement pour servir de défoulement sexuel aux deux adolescents de la famille. La mère l'a informée qu'elle devait "servir" Basel et Faris tous les jours. Elle lui a délivré cette information sans émotion particulière, et sans refus possible, au désespoir total de Madeline.

« À l'étonnement de la femme de chambre sexy, le maître à décidé que Madeline était à son goût. Il a dit à ses fils qu'ils pourraient coucher avec la nouvelle bonne une fois que lui-même aurait pris son plaisir...

Le récit de Marci me coupe le souffle. Je devine ce qu'elle va ajouter. J'ai peur de l'entendre.

— Cette première nuit, le père a violé Madeline.

Elle pleure.

— Et ce n'était qu'un début. Il s'est mis dans la tête qu'elle lui plaisait et l'a violée jour après jour.

— Pourquoi ne s'est-elle pas enfuie ? Pourquoi n'a-t-elle pas demandé de l'aide ?

— Elle a essayé. Elle a supplié les autres servantes de lui porter secours. La vieille cuisinière et le laideron ne voulaient pas s'en mêler et risquer de perdre leur salaire. La jolie femme de chambre haïssait Madeline. Elle prétendait que c'était sa faute si elle n'avait pas eu son collier ! L'épouse et la vieille dame n'étaient elles-mêmes pas bien traitées par le maître ; elles ne s'occupaient pas de Madeline et disaient qu'on l'avait engagée pour le plaisir des hommes de la famille.

— Moi, j'aurais sauté par la fenêtre et je me serais sauvée !

— Elle a essayé de se sauver, bien des fois. On l'a rattrapée, tout le monde dans la maison avait ordre de la surveiller. Une fois, pendant que les gens dormaient, elle est montée sur le toit et a jeté des petits billets dans l'allée pour demander de l'aide. Un voisin saoudien les a ramassés et les a rapportés aux Yéménites, qui l'ont battue !

— Qu'est-ce qui s'est passé, après votre rencontre ?

Marci a l'air résignée et malheureuse en poursuivant :

— Oh ! J'ai essayé beaucoup de choses. J'ai appelé notre ambassade à Djeddah. L'homme qui m'a répondu a dit qu'il recevait des tas de plaintes de ce genre, mais qu'il ne pouvait pas faire grand-chose. Notre pays dépend des devises qui nous viennent des travailleurs à l'étranger. Notre gouvernement n'a pas intérêt à attaquer le gouvernement saoudien avec des plaintes officielles. Que deviendrait le peuple philippin sans les devises de l'étranger ?

« Antoine a discuté avec d'autres chauffeurs. Il voulait aller à la police, mais on lui a dit que la police croirait n'importe quelle histoire que raconterait l'employeur saoudien, et que Madeline risquait d'être dans une situation bien pire.

Je hurle :

— Marci ! Qu'est-ce qu'il y a de pire ?

— Rien, rien... Je ne sais pas quoi faire. Antoine a peur, il dit que nous ne devons rien tenter d'autre. Finalement, j'ai écrit à la mère de Madeline pour lui expliquer la situation. Elle est allée au bureau d'embauche de Manille, où on l'a jetée dehors. Elle est allée chez le maire de la ville, qui a dit qu'il ne pouvait être d'aucune utilité. Personne ne veut s'en occuper.

— Où est ton amie, maintenant ?

— J'ai reçu une lettre, il y a un mois. Dieu merci ! elle a été renvoyée aux Philippines à la fin de ses deux années de contrat. Deux Philippines l'ont remplacée, plus jeunes qu'elle. Vous vous rendez compte ? Madeline était en colère contre moi ; elle m'en voulait, elle croyait que je l'avais abandonnée sans essayer de l'aider !

« S'il vous plaît, croyez-moi, j'ai fait tout ce que j'ai pu. Je lui ai renvoyé une lettre en lui expliquant ce qui s'était passé. Je n'ai pas eu de réponse.

Je n'ai pas un mot pour défendre les hommes de mon pays. Je contemple fixement le visage de Marci, sans voix.

C'est elle qui rompt enfin le silence.

— Et voilà ce qui est arrivé à mon amie, dans ce pays.

Je vois qu'elle a le cœur brisé pour son amie. Moi-même, j'étouffe de chagrin et de rage. Que peut-on répondre à une telle histoire d'horreur? Moi, rien.

J'ai honte pour les hommes de mon pays. Je me sens maintenant l'égale de cette jeune fille qui, il y a quelques instants seulement, était encore ma servante, mon inférieure.

Bourrée de remords, je fourre ma tête dans les oreillers et renvoie Marci d'un geste de la main. Pendant plusieurs jours, je me réfugie dans le silence. Je pense aux innombrables histoires de ce genre, qui torturent l'esprit autant des Saoudiens que des étrangers vivant sur cette terre que j'appelle mon pays.

Combien sont-elles de Madeline, combien d'âmes insouciantes à découvrir l'inutilité des uniformes de ceux que l'on paie pour être protégé? Et les hommes des Philippines, le pays de Marci, en refusant de regarder les choses en face ne valent guère mieux que ceux de mon pays.

En sortant de ma léthargie mortifère, je commence à interroger mes amies, à secouer leur passivité et leur silence sur le sort de leurs servantes. Je suis si obstinée que je finis par être submergée d'histoires indicibles sur les actes immondes commis par les hommes de ma culture envers des femmes de tous pays.

C'est l'histoire de Shakuntale, une Indienne, qui a été vendue par sa famille à treize ans pour cent soixante-dix dollars. On la fait travailler le jour, on la viole la nuit, comme l'innocente Madeline. Mais Shakuntale a été achetée. Elle est un bien de consommation sans retour. Jamais elle ne pourra rentrer chez elle. Elle est la propriété de ses tortionnaires.

J'entends avec horreur l'histoire de cette mère rejetant en riant les doléances de sa servante thaïlandaise, violée par le fils de la maison. Son fils a besoin de sexe, et la virginité des femmes saoudiennes oblige la famille à lui fournir une femme ! La mère explique avec conviction que les femmes orientales ne s'occupent pas de savoir qui couche avec qui. Les garçons sont rois aux yeux de leur mère.

Je prends soudain conscience que le diable et la perversité m'environnent. Un jour, je demande à Ali pourquoi il va en Thaïlande avec mon père trois fois par an. Il se renfrogne en me rétorquant que cela ne me regarde pas. Mais je connais la réponse, car beaucoup de frères et de pères de mes amies font, eux aussi, le voyage vers ces merveilleux pays, où l'on vend des jeunes filles et des femmes à n'importe quelle brute argentée.

Je me rends compte que je ne savais pas grand-chose des hommes et de leurs appétits sexuels. Il suffit d'un petit effort pour découvrir le diable qui rôde sous la mince façade de courtoisie entre les deux sexes.

Pour la première fois de ma jeune existence, je comprends qu'un sombre devoir, inévitable, attend celles de mon sexe. Mon projet pour l'égalité des femmes est sans espoir, car je reconnais, finalement, que le monde des hommes recèle, comme une condition malsaine, un trop grand amour de soi.

Nous, les femmes, nous sommes leurs vassales, et les murs de nos prisons sont infranchissables, car cette grotesque maladie de la supériorité absolue se transmet de génération en génération, dans le sperme des hommes — une maladie mortelle, incurable, dont les porteurs sont les hommes et les victimes les femmes.

La propriété de mon corps et de mon âme passera bientôt de mon père à un étranger que je devrai appeler mon mari. Car père m'a informée que je serai mariée trois mois après mon seizième anniversaire. Je sens les chaînes de la tradition s'enrouler autour de moi, de plus en plus serrées. Il ne me reste que six pauvres petits mois de liberté à savourer.

J'attends que mon destin déroule ses filets, enfant sans défense, plus impuissante que l'insecte pris dans une toile d'araignée.

Huda

Dix heures du soir, 12 janvier 1972, mes neuf sœurs et moi, suspendues aux lèvres de notre vieille esclave soudanaise, Huda, l'écoutons prédire son avenir à Sara.

Après l'affreux traumatisme qu'elle a subi lors de son mariage, puis de son divorce, Sara s'est mise à étudier l'astrologie. Elle est convaincue que la lune et les étoiles ont joué un rôle déterminant dans sa vie.

Depuis notre plus jeune âge, Huda nous rebat les oreilles d'histoires de magie noire. Elle est toujours ravie de se retrouver le centre d'intérêt et d'apporter quelques distractions à l'existence fade et morne que nous menons à Riyad.

Nous connaissons toutes la vie de Huda. À huit ans, en 1899, elle a été brutalement arrachée à sa mère. La pauvre femme était en train de bêcher dans un champ d'ignames pour nourrir sa famille, lorsque sa fille a été capturée devant elle par des marchands d'esclaves. Pendant toute notre jeunesse, Huda nous a captivées en nous racontant des heures durant l'histoire de son enlèvement et de son emprisonnement. Pour notre plus grand plaisir, elle rejoue cette capture à l'infini, avec un talent extraordinaire, et peu nous importe le nombre de fois où elle l'a racontée.

Elle s'accroupit près du divan et commence par chanter doucement en faisant mine de gratter dans le sable. Soudain, elle pousse un cri sauvage, arrache l'enveloppe d'un coussin derrière son dos, se l'enfonce sur la tête, hoquète, crie et se bat contre des bourreaux imaginaires. Elle gémit, se jette à terre, trépigne et pleure en réclamant sa mère. Pour finir, elle bondit sur la table, une main au-dessus des yeux, comme si elle cherchait à scruter l'horizon par la fenêtre du salon, et nous décrit les eaux bleues de la mer Rouge, depuis le navire qui l'emmène du Soudan vers les déserts d'Arabie. C'est la fin du premier acte.

Au deuxième acte, ses yeux s'agrandissent sauvagement. Elle cherche à voler un peu de nourriture imaginaire. Elle happe une poire ou une pêche dans le plateau de fruits et l'avale goulûment jusqu'au trognon. Après quoi, elle fait solennellement le tour de la pièce, les mains derrière le dos. On l'emmène au marché aux esclaves, tandis qu'elle chante un cantique à Allah pour sa délivrance.

Troisième acte : Huda est vendue contre un fusil à un membre du clan Rasheed de Riyad. On la traîne dans les rues de Djeddah, trébuchante et effrayée, au milieu d'une formidable tempête de sable, jusqu'à la forteresse de Mismaak, garnison du clan Rasheed dans la capitale.

Dans sa reconstitution finale du drame, Huda titube d'un meuble à l'autre, et nous éclatons de rire quand elle se met à faire des bonds autour de la pièce pour esquiver les balles de notre parent Abd al Aziz et de ses soixante hommes. La bande attaque la garnison des Rasheed et met l'ennemi en pièces, récupérant ainsi le pays au nom du clan Al Sa'ūd.

Maintenant, Huda laisse tomber son énorme corps sur une chaise, et joue des pieds et des mains pour se cacher des guerriers du désert qui pourchassent leurs ennemis. Elle mime enfin son sauvetage mouvementé par le père de mon père. Elle achève sa représentation en entraînant sur le sol l'une de nous, puis en l'embrassant encore et encore, comme elle l'a fait, dit-elle, à notre grand-père, son sauveteur.

C'est ainsi que Huda est arrivée dans notre famille.

Quand nous avons grandi, Huda nous a distraites de nos drames par des récits effrayants de prétendue sorcellerie. Maman écartait ces prédictions d'un sourire mais, le jour où je me suis réveillée en pleurant d'un cauchemar de sorcières et de potions magiques, elle a défendu à Huda de répandre ses croyances dans l'esprit des jeunes enfants. Maman n'est plus avec nous aujourd'hui, et Huda retrouve ses anciennes habitudes avec délices.

Elle examine les lignes de la main de Sara. Nous attendons, fascinées, le résultat. De ses yeux noirs en vrille, Huda louche sur la paume tendue pour suivre la ligne de vie de Sara, la dérouler devant elle comme une vision.

Ma sœur ne semble guère affectée, comme si elle s'attendait aux mots que Huda prononce maintenant avec solennité : Sara ne réalisera pas les ambitions de sa vie... Je m'agenouille près d'elle en geignant ; j'aimerais tant que Sara trouve enfin le bonheur qu'elle mérite ! Huda me met en colère, et je ridiculise tout haut ses prophéties, que j'aimerais tant prendre pour du charabia. Personne ne me prête attention parce que Huda continue à scruter la main de Sara. La vieille femme se frotte le menton et marmonne :

— Hum... Petite Sara, je vois là que tu seras bientôt mariée...

Sara sursaute et retire précipitamment sa main de la poigne de Huda. Le cauchemar d'un autre mariage n'est pas du tout ce qu'elle espère. Mais Huda rit, d'un rire doux, en disant à Sara qu'il ne faut pas avoir peur de l'avenir. Ce mariage sera un mariage d'amour, béni par six enfants qui lui donneront beaucoup de bonheur.

Sara fronce les sourcils d'un air soucieux. Puis hausse les

épaules, comme pour se débarrasser de cet avenir incontrôlable. Elle jette un coup d'œil dans ma direction et m'offre l'un de ses rares sourires. Elle demande à Huda de me lire les lignes de la main, en précisant que si elle peut prédire les actes de son imprévisible petite sœur, elle la croira jusqu'à la fin de ses jours! Mes autres sœurs hoquètent de rire, d'accord avec Sara, mais leurs regards me disent combien elles m'aiment d'une tendresse indéfectible, moi, la petite sœur qui met si souvent leur patience à bout.

Je redresse la tête avec une fierté que je suis loin de ressentir, pour ne pas perdre la face devant Huda. Je lui tends mes mains, paumes ouvertes, en lui demandant sèchement et avec autorité ce que je vais faire dans l'année à venir, à partir de maintenant!

Huda ignore complètement ma fausse rudesse enfantine et scrute longuement ma main, comme s'il lui fallait des heures pour prédire mon avenir. Ses mimiques sont surprenantes : elle secoue la tête, marmonne pour elle-même, grommelle en soupesant mon destin. Finalement, elle me regarde dans les yeux et chuchote ses révélations avec tant de confiance qu'elle me fait peur. Je sens autour des mots qu'elle prononce un souffle de magie sulfureuse.

Huda parle d'une voix bizarre, venue du fond de la gorge, impressionnante. Elle annonce que notre père va bientôt m'informer d'un mariage. Je trouverai le malheur et le bonheur en un seul homme. Je traînerai la destruction dans mon sillage. Mes actions futures apporteront joie et malheur à la famille que j'aime. J'attirerai un grand amour et une haine féroce. Je suis une force du bien et du mal. Je suis une énigme pour tous ceux qui m'aiment.

Soudain, Huda lève les bras au ciel et, dans un gémissement perçant, demande à Allah d'intervenir dans ma vie et de me protéger de moi-même. Puis elle se jette brusquement vers moi pour me prendre par le cou et se lamente en un long et sauvage hurlement.

Nura bondit sur ses pieds et vient m'arracher au désespoir bruyant de Huda. Mes sœurs me consolent, pendant qu'on l'emmène hors de la pièce. Mais elle continue à marmonner des prières, à supplier Allah de protéger la plus jeune enfant de sa bien-aimée Fadeela.

Je tremble d'émotion sous le choc. Voilà que je fonds en larmes, puis me mets à balbutier que Huda s'est vantée devant moi d'être une sorcière ; que sa mère était une sorcière avant elle, qu'elle lui a transmis son pouvoir diabolique par le lait maternel. Et je gémis que seule une sorcière pouvait reconnaître le diable que je suis !

Tahani, l'une de mes sœurs aînées, me fait taire. Il ne s'agit que d'un jeu qui a mal tourné, il n'y a pas de quoi en faire un drame ! Pour me changer les idées, Sara essuie mes larmes en me racontant que j'ai tout simplement du chagrin parce que je ne pourrai jamais être à la hauteur des folles prédictions de Huda !

Mes autres sœurs se joignent à elle et me rappellent en plaisantant, avec de grands éclats de rire, quelques-unes des meilleures farces que j'ai faites à Ali, toutes ces années passées. Il en est une qu'elles préfèrent et adorent se raconter. Il faut dire qu'elle était belle.

La farce a commencé le jour où j'ai demandé à une de mes amies de téléphoner à Ali et de prétendre qu'elle était folle de son charme ! Nous avons écouté Ali débiter des fadaises au téléphone et élaborer des plans pour essayer de la rencontrer par l'intermédiaire de son chauffeur, derrière une villa voisine en construction.

La fille a réussi à convaincre Ali de venir avec un bébé chèvre en laisse, pour que le chauffeur puisse le reconnaître. Elle a raconté que ses parents n'étaient pas en ville, et qu'il pouvait donc suivre le chauffeur sans risque jusque chez elle, pour un rendez-vous secret.

La villa en construction est de l'autre côté de la rue où habite mon amie et, avec mes sœurs, nous sommes allées la rejoindre sur le balcon de sa chambre. Nous étions malades de rire à regarder Ali faire le pied de grue, tenant le bébé chèvre et se tordant le cou pour ne pas rater les signes du chauffeur. Pour notre plus grand bonheur, mon amie ne s'est pas contentée de lui jouer ce tour une fois ou deux, mais trois fois ! Dans sa rage de rencontrer une fille, Ali perd vraiment tout sens commun.

Il est bon de se rappeler que ce genre de folies marche à tous les coups.

Encouragée par les rires de mes sœurs, je décide de ne plus penser aux élucubrations de Huda. Après tout, à plus de quatre-vingt ans, elle a le droit d'être un peu sénile.

Mais le soir même, je tombe de stupéfaction. Notre père vient nous rendre visite à la villa et annonce qu'il m'a trouvé un mari convenable ! Le cœur serré, je me dis que la première prédiction de Huda va se réaliser. Dans ma terreur, j'oublie complètement de demander à notre père le nom de ce futur mari. Les yeux embués, le cœur au bord des lèvres, je file dans ma chambre. Impossible de dormir de la nuit, les prédictions de Huda tournent dans ma tête. Pour la première fois de ma jeune vie, j'ai vraiment peur de l'avenir.

Le lendemain matin, Nura revient à la maison pour m'apprendre que je dois épouser Karim, un de nos cousins de naissance royale. Quand j'étais petite, j'ai joué avec sa sœur, mais je ne me rappelle pas grand-chose de ce qu'elle m'a dit de lui, sauf qu'il est du genre autoritaire. Il a maintenant vingt-huit ans, et je serai sa première femme. Nura a vu une photo de lui, elle prétend qu'il est particulièrement séduisant. De plus, il a fait ses études d'avocat à Londres et, ce qui n'est pas courant, il se distingue de tous ses autres cousins princiers par une réelle et excellente situation dans le monde des affaires. Tout récemment, il a ouvert son propre cabinet d'avocat à Riyad.

144

De l'avis de Nura, je suis une fille comblée. Il paraît que Karim a déjà dit à notre père qu'il tenait à ce que je finisse mes études avant de fonder une famille. Il ne veut pas d'une femme avec laquelle il ne pourrait pas avoir d'échanges intellectuels.

Je déteste le paternalisme et je ne suis pas d'humeur à cela. Je fais une sale tête à ma sœur, et disparais sous les couvertures. Nura pousse un long soupir quand je hurle depuis ma cachette que je ne suis pas du tout une fille comblée, mais que c'est plutôt lui, Karim, qui a de la chance !

Dès qu'elle est partie, je téléphone à la sœur de Karim, que je connais à peine, pour lui enjoindre d'expliquer à son frère qu'il ferait mieux de reconsidérer son projet de mariage avec moi. Je l'informe que, s'il m'épouse, il ne pourra pas prendre d'autres femmes, ou alors que je les empoisonnerai à la première occasion. En plus, je prétends que mon père a du mal à me trouver un mari depuis que j'ai eu un accident au laboratoire de l'école. Et, lorsqu'elle me demande de quoi il s'agit, je commence par jouer la timide, puis fais mine de me résigner à admettre l'affreuse vérité. Je lui raconte que j'ai bêtement renversé un flacon d'acide et que, depuis, je suis horriblement défigurée...

Quand elle raccroche à toute vitesse pour aller tout raconter à son frère, je m'offre un vrai fou rire.

Plus tard dans la soirée, mon père fait une entrée bruyante dans la maison, traînant deux des tantes de Karim. Je suis contrainte de me laisser examiner pour qu'elles constatent que je n'ai pas de cicatrices au visage, pas de malformations aux jambes. La colère me monte au nez, et j'ouvre grand la bouche en les défiant d'examiner mes dents, si elles l'osent. Je me penche vers les deux femmes en claquant la mâchoire avec énergie. Bouche saine, dents blanches !

Les deux femmes se détournent, me jettent un regard mauvais par-dessus l'épaule, puis déguerpissent en vitesse quand je me mets à hennir comme un cheval, en leur mettant la plante de mes pieds sous le nez, ce qui est une insulte grave chez les Arabes.

Père m'examine un long moment. Il a l'air de vouloir garder son calme, puis, à ma grande surprise, il hoche la tête et se met à rire. Je m'attendais à une gifle ou à un sermon. Même dans mon imagination la plus folle, jamais je n'aurais espéré le faire rire. Un sourire hésitant me vient aux lèvres, puis moi aussi je pouffe. Sara et Ali arrivent au salon, curieux, un sourire interrogateur aux lèvres.

Notre père se tord sur le divan, en essuyant ses larmes avec le bord de sa djellaba. Puis il me regarde et dit :

— Sultana, tu as vu leurs têtes quand tu as fait semblant de les mordre ? On aurait dit un vrai cheval ! Mon enfant, tu es une drôle de merveille. Je ne sais pas s'il faut envier ton cousin Karim ou en avoir pitié !

Père se mouche.

— Ce qui est sûr, c'est que la vie avec toi risque d'être orageuse.

Bouleversée par l'approbation paternelle, je m'assieds par terre et appuie ma tête contre lui. Je voudrais retenir à jamais l'instant où il m'a prise par les épaules, où il a souri à sa petite fille facétieuse.

Profitant de cette rare scène d'intimité, je trouve le courage de demander à notre père si je pourrais rencontrer Karim avant le mariage.

Il regarde Sara ; quelque chose dans l'expression du visage de ma sœur doit l'émouvoir. Il tapote le divan à côté de lui et l'invite à s'asseoir.

Aucun mot n'est prononcé, mais nous communiquons tous les trois par-delà les générations.

Stupéfait de l'attention que notre père accorde à des femmes, Ali reste planté dans l'embrasure de la porte, la bouche ouverte en un cercle bête et parfait. Complètement muet.

Karim

A la stupéfaction de mon père et à mon amer désappointement, la famille de Karim ne rompt pas notre engagement. Au contraire, Karim et son père se présentent la semaine suivante au bureau de mon père pour lui demander courtoisement la faveur de nous laisser nous rencontrer, Karim et moi. Sous l'œil de mentors dignes de foi, évidemment. Karim a entendu parler de mon comportement peu orthodoxe avec sa famille, et il est extrêmement curieux de savoir si je suis complètement folle ou juste un peu trop fougueuse.

Père n'a pas répondu à ma demande de rencontrer Karim, mais puisque la requête vient de la famille du fiancé, c'est une autre affaire. Après avoir longuement discuté de la question avec un certain nombre de tantes et ma sœur Nura, il donne une réponse favorable.

Quand il m'annonce la nouvelle, je danse de joie autour de la pièce. Je vais rencontrer l'homme que je dois épouser avant de me marier ! Mes sœurs sont aussi grisées que moi par cet extraordinaire événement, car cela « ne se fait pas » dans notre société. Nous sommes des prisonnières éternellement enchaînées par la tradition.

Les parents de Karim, mon père et Nura décrètent que Karim et sa mère viendront prendre le thé à la villa dans deux semaines. Nous serons tous les deux chaperonnés par Nura, Sara, deux de mes tantes et la mère de Karim.

L'espoir naît à l'horizon avec cette possibilité de contrôler ma vie, une féerie que je n'osais même pas imaginer la veille.

Je suis terriblement excitée à l'idée de voir Karim. Va-t-il être à mon goût? Puis, tout à coup, une idée nouvelle et déplaisante me frappe. Et si je ne plaisais pas à Karim? Oh! j'aimerais être belle comme Sara, briser le cœur des hommes et enflammer leur désir.

Me voilà maintenant plantée devant ma glace pendant des heures à examiner ma petite taille, à tortiller mes boucles courtes et indisciplinées. Mon nez est trop petit pour mon visage, mes yeux sont ternes. Il vaudrait peut-être mieux me cacher sous le voile jusqu'à la nuit de noces!

Sara se moque de mon désespoir et veut me rassurer : les hommes adorent les petites femmes, surtout celles qui ont le nez retroussé et les yeux rieurs. Quant à Nura, dont tout le monde respecte l'opinion, elle rit en affirmant que toutes les femmes de la famille me trouvent très jolie. Je ne me suis jamais attachée à la beauté, il serait peut-être temps pour moi de mettre mes avantages en valeur.

Tout à coup dévorée d'un furieux désir d'être une femme séduisante, je dis à notre père que je n'ai rien à me mettre. Car même si nous, femmes saoudiennes, marchons voilées dans les rues, dès que nous rentrons à la maison, ou chez une amie, les vêtements noirs traditionnels disparaissent. Comme nous ne pouvons pas susciter l'admiration du sexe opposé, sauf celle de nos maris, c'est entre nous que nous cherchons à éblouir, à séduire, avec des vêtements soigneusement choisis, à la dernière mode. Ici, on s'habille réellement pour les autres femmes! Par exemple, les femmes de mon pays arrivent à une réception pour le thé, l'après-midi, précieusement vêtues de soie et de satin, le tout rehaussé d'une débauche de diamants et rubis.

Beaucoup de mes amies étrangères sont ébahies devant les décolletés plongeants et les robes légères que nous cachons sous le voile et la triste *abaaya*. On m'a souvent dit que les femmes saoudiennes ressemblent à de merveilleux oiseaux exotiques par le choix des vêtements multicolores sous le noir extérieur. Sans aucun doute, nous, les femmes en noir, faisons beaucoup plus d'efforts pour choisir nos vêtements personnels, sous le costume officiel, que les femmes européennes, libres d'exhiber leurs tenues à la mode.

Père cède facilement à ma demande. Il semble tout content de l'intérêt que je porte à ce mariage, qu'il craignait de me voir rompre. Nura et son mari m'emmènent à Londres pour trois jours de courses folles chez Harrods.

Je m'ingénie à révéler aux vendeuses de chez Harrods que je dois rencontrer mon fiancé la semaine suivante. Justement parce que je suis une princesse saoudienne, je ne veux pas qu'elles pensent que je ne n'ai pas de choix dans la vie. Je suis toute désappointée de ce que personne ne manifeste de respect ou de surprise devant ma déclaration pleine de fierté. Celles qui sont libres ne peuvent pas imaginer le prix que représentent de telles petites victoires pour celles qui vivent au bout d'une laisse.

À Londres, Nura s'arrange pour me faire donner des soins de beauté et m'établir une liste de couleurs qui me vont le mieux. On me dit que le vert émeraude est la couleur qui me flatte le plus et j'achète aussitôt dix-sept costumes de cette nuance. Mes cheveux indisciplinés sont enroulés en une charmante torsade, et je contemple ma silhouette, dans les vitrines des magasins de Londres, avec la délicieuse impression d'être une élégante étrangère.

Le jour de la réception, Sara et Marci m'aident à

m'habiller. Je m'énerve à en pleurer devant l'impossibilité de reproduire ma coiffure de Londres, lorsque Huda surgit soudain dans ma chambre. Les yeux exorbités, elle se met à hurler :

— Attention! D'abord tu connaîtras le bonheur, puis viendra le malheur avec ton nouvel époux!

Je lui jette ma brosse à cheveux à la figure, en lui intimant l'ordre de ne pas gâcher ma journée avec ses élucubrations.

Sara me tire l'oreille en me disant que je devrais avoir honte de moi. Après tout, Huda n'est qu'une vieille femme. Mais je ne me sens pas du tout culpabilisée, et le dis à ma sœur, qui me rétorque que ça ne l'étonne pas puisque je n'ai pas de conscience. Nous nous disputons ainsi jusqu'au moment où la cloche résonne au-dehors. Alors elle me serre contre elle et me jure que je suis belle dans ma robe vert émeraude.

Je vais donc voir mon futur époux en chair et en os!

Les battements de mon cœur résonnent à mes oreilles. Sentant tous les regards se tourner vers moi, guettant ma réaction, je deviens cramoisie. J'avais prévu de faire une entrée de star, tout est tombé à l'eau... Oh! si je pouvais retourner dans la tranquillité de l'enfance.

Je n'avais pas besoin de m'émouvoir ainsi. Non seulement Karim est le plus bel homme que j'aie jamais vu, mais son regard sensuel caresse chacun de mes mouvements, comme si j'étais la plus belle créature du monde. Après quelques minutes de présentation plutôt tendues, je comprends qu'il ne renoncera jamais à ce mariage. Je me découvre alors un surprenant talent caché. Le genre de talent qui rend le plus de services aux femmes lorsqu'elles ont décidé de manipuler une situation pour parvenir à leurs fins.

J'apprends ce jour-là que je suis une séductrice-née. Complètement à l'aise, je me vois faire la moue, regarder

Karim d'un air langoureux à travers mes longs cils. Mon imagination s'envole : Karim ne serait que l'UN de mes nombreux soupirants...

Sa mère me surveille de près, apparemment navrée de mon numéro de vamp. Sara, Nura et mes tantes échangent des regards peinés. Mais Karim est hypnotisé et rien d'autre ne compte.

Avant de se retirer avec sa mère, il demande la permission de me téléphoner dans la semaine pour discuter de nos projets de mariage. Les tantes sont scandalisées de m'entendre répondre avant tout le monde :

— Bien entendu, quand vous voudrez après neuf heures.

Là-dessus, nous nous disons au revoir et je lui offre un sourire aussi féminin que prometteur.

Pendant que je fredonne mon air favori, une ballade d'amour libanaise, Nura, Sara et mes tantes me relatent scrupuleusement tout ce que j'ai fait de mal. Elles sont sûres que la mère de Karim va rompre le mariage puisque j'ai honteusement séduit son fils des lèvres et des yeux. Je leur rétorque qu'elles sont tout simplement jalouses de la chance que j'ai eue de voir mon futur époux avant les noces. Pour faire bonne mesure, je tire la langue à mes tantes en leur disant que, de toute façon, elles sont trop vieilles pour comprendre les battements de cœur de la jeunesse ! Je les plante là, les yeux écarquillés sous le choc de mon audace. Et, enfermée dans ma salle de bains, je me mets à chanter à pleins poumons.

Plus tard, je réfléchis à ma performance de séductrice. Si je détestais Karim, je me serais débrouillée pour qu'il ne m'aime pas non plus. Mais il me plaît, et j'ai voulu qu'il tombe amoureux de moi. J'avais bien imaginé un plan. Si je l'avais trouvé répugnant, si j'avais voulu annuler notre engagement, je me serais comportée odieusement. J'aurais, par exemple, mangé sans aucune éducation, roté au nez de sa mère, ou lui aurais renversé du thé chaud sur la poitrine. Et si Karim et sa famille n'avaient pas encore été convaincus que j'aurais fait une mauvaise épouse, j'avais même pensé à me suicider au gaz. Heureusement pour Karim et sa mère, ils ont échappé à un après-midi choquant, puisque je l'ai trouvé séduisant et de caractère charmant.

Je suis tellement soulagée de ne pas être mariée à un vieillard usé par la vie, si heureuse de penser que l'amour pourra naître de cette union !

Avec de si belles idées en tête, je fais cadeau à Marci de six jolis ensembles sortis de ma penderie et lui annonce que j'ai l'intention de demander à père la permission de l'emmener avec moi dans ma nouvelle demeure.

Karim m'appelle le soir même. Avec beaucoup d'amusement, il me raconte que sa mère l'a mis en garde contre notre mariage. Tremblante de colère devant mon audace, elle a prédit que je lui briserais le cœur, et apporterais finalement un désastre sur toute la famille.

Sûre de ma nouvelle séduction féminine, je réponds d'un ton acerbe qu'il ferait peut-être mieux de suivre les conseils de sa mère.

Karim chuchote que je suis la femme de ses rêves, une princesse brillante et pleine d'humour. Il déclare qu'il ne pourrait pas supporter le genre de femmes choisies par sa mère, plus muettes que des statues, figées comme des pierres, qui passeraient leur temps à prévenir le moindre de ses désirs. Il aime les femmes qui ont du cran. Une femme ordinaire le fatiguerait. Puis, il murmure d'un ton suggestif que j'ai mis « du bonheur dans ses yeux ».

Il aborde ensuite un sujet embarrassant : il me demande si j'ai été excisée. Je réponds qu'il faudrait que je demande à mon père. Il me met en garde aussitôt :

152

— Ne lui demande pas ! Si tu l'ignores, c'est que tu ne l'es pas.

Il paraît content de ma réponse.

Décidément naïve, je laisse échapper le sujet pendant le dîner. Ce soir, notre père est chez sa troisième épouse, et c'est Ali qui préside la table. Consterné par ma question, il cogne son verre sur la table et se tourne vers Sara dans l'attente d'un commentaire. Occupée à tartiner mon pain de *hoummous,* je ne remarque pas tout de suite l'inquiétude dans les yeux de mes sœurs. En relevant la tête, je découvre que tout le monde est mal à l'aise.

Ali, qui se prend pour le chef de famille, frappe du poing sur la table. Il veut savoir où j'ai entendu ce mot.

Cette fois, je réalise que quelque chose ne va pas. L'avertissement de Karim au téléphone me revient en mémoire, et je prétends avoir entendu les servantes en parler.

Ali me jette un regard courroucé par mon ignorance, et ordonne sèchement à Sara d'appeler Nura le lendemain matin afin qu'elle parle à « cette enfant ».

Maman disparue, c'est Nura, l'aînée, qui est responsable de mon information sur de pareils sujets. Elle arrive le lendemain avant dix heures et vient directement me trouver dans ma chambre. Ali l'a convoquée. Elle fait la grimace en me racontant qu'il l'a accusée d'avoir gravement manqué à ses devoirs de sœur aînée. Lui, Ali, ce cher Ali, a l'intention de faire part à notre père de ses observations et de son mécontentement.

Nura s'assied au pied de mon lit et, d'une voix douce, me demande ce que je sais des rapports entre un homme et une femme. Avec confiance, je réponds que je sais tout ce que je dois savoir. Ma sœur sourit :

— J'ai peur que ta langue ne parle pour toi, petite sœur. Tu ne connais peut-être pas tout de la vie.

Mais j'en sais beaucoup sur l'« acte » sexuel, comme elle va s'en rendre compte.

En Arabie Saoudite, ainsi que dans la plupart des pays arabes, le sexe est un sujet tabou. Par voie de conséquence, nous ne parlons que de cela. Les conversations sur le sexe, les hommes et les enfants sont l'essentiel des bavardages entre femmes.

Dans mon pays, où les activités pour ouvrir l'esprit des femmes manquent cruellement, la principale occupation est le bavardage, d'un palais à l'autre. Nous assistons presque chaque jour à des réceptions entre femmes, sauf le vendredi, notre jour de prières. Ensemble, nous buvons du café ou du thé, nous nous gavons de sucreries, étalées sur des divans profonds, et nous cancanons à plaisir. Dès qu'une femme porte le voile, elle est automatiquement admise à ces réunions.

Depuis que je suis voilée, j'ai assisté avec fascination à des conversations entre jeunes mariées racontant abondamment leur nuit de noces. Pas un détail, même le plus intime, n'est omis. Certaines jeunes femmes choquent les autres en affirmant qu'elles aiment le sexe. D'autres disent qu'elles font semblant d'accepter avec plaisir les avances de leur mari, pour qu'ils n'aillent pas chercher une autre femme. Il en est d'autres que le sexe écœure tellement qu'elles ferment les yeux et subissent les assauts de leur époux avec autant de crainte que de répugnance.

En fait, peu de femmes se taisent pendant ces conversations, ou refusent de parler, sauf celles qui doivent composer avec un mari cruel qui les maltraite, comme l'a été Sara.

Convaincue que j'ai compris tout ce qu'impliquait le mariage, Nura se contente d'ajouter quelques recommandations. Il est de mon devoir de femme, dit-elle, d'être tout le temps disponible pour mon mari, quels que soient mes sentiments du moment. Je prétends que je ferai ce que je voudrai, que Karim ne pourra pas me forcer, ou aller contre mes désirs.

Nura hoche la tête : non, Karim, pas plus qu'un autre,

n'acceptera le refus ; le lit nuptial, c'est son droit. Et si Karim était différent ? S'il n'utilisait jamais la force ? Nura affirme qu'un homme ne comprend pas ce genre de choses. Je ne dois pas l'espérer, ou je risque d'être cruellement déçue.

Pour changer de sujet, je demande à ma sœur ce qu'elle sait de l'excision.

De sa voix douce et tendre, Nura me confie qu'elle a été excisée à l'âge de douze ans. Le rite a été accompli sur trois de nos sœurs, qui se suivaient en âge. Les six plus jeunes de la famille ont échappé à cette coutume barbare grâce à l'intervention d'un médecin étranger, qui a longtemps discuté de ce rituel dangereux avec notre père.

Nura me révèle à quel point j'ai eu de la chance de ne pas subir un tel traumatisme. Elle est au bord des larmes. Je veux qu'elle me raconte ce qui s'est passé.

Autant qu'elle le sache, depuis des générations, les femmes de la famille ont subi l'excision. Notre mère, comme la plupart des Saoudiennes, a été excisée dès qu'elle est devenue femme, quelques semaines avant son mariage. À douze ans, lorsque Nura est devenue femme à son tour, maman a suivi la seule tradition qu'elle connaissait et a organisé le rituel dans un petit village, à quelques kilomètres de Riyad. La fête était prête. Nura était à l'honneur et jouissait de l'attention de tout le monde.

Quelques instants avant le rite, maman lui a expliqué que la plus vieille des femmes allait accomplir une petite cérémonie, et qu'il était important qu'elle ne bouge pas. Une femme battait tambour, une autre chantait. La vieille femme s'est approchée de Nura, effrayée, qu'on a étendue, nue des chevilles à la taille, sur un drap de lit étalé à même le sol. Quatre femmes la maintenaient. La plus âgée a levé le bras. Horrifiée, Nura a vu qu'elle tenait un rasoir.

Elle a hurlé. La douleur dans son bas-ventre était intenable.

À demi évanouie, Nura a senti que les femmes la soulevaient et la félicitaient d'entrer dans l'âge adulte. Paniquée, elle a vu le sang jaillir de sa blessure. On l'a transportée sous une tente pour soigner la plaie et la panser.

La blessure a cicatrisé rapidement, mais Nura n'a compris les conséquences de l'opération que pendant sa nuit de noces — une douleur insupportable et beaucoup de sang. Comme la douleur a persisté, Nura s'est mise à craindre les rapports sexuels avec son mari. Finalement, lorsqu'elle a été enceinte, elle est allée consulter un médecin européen. Celui-ci a été atterré quand il a vu la blessure. Il a expliqué à Nura que toutes les parties génitales extérieures avaient été enlevées et que, forcément, les rapports sexuels ne pouvaient lui apporter que de la souffrance, des saignements et des larmes.

Quand le médecin a appris que trois des sœurs avaient été excisées et que, logiquement, les six autres allaient probablement supporter les mêmes souffrances, il l'a suppliée de lui amener ses parents à sa clinique.

Mes trois sœurs ont vu le médecin. Il a dit que Baher était dans un état pire que celui de Nura, et qu'il ne comprenait pas comment elle pouvait supporter des relations sexuelles. Nura avait été témoin des autres cérémonies. Elle se souvenait que Baher avait lutté contre la vieille femme et avait réussi à s'enfuir à quelques mètres de ses tortionnaires. Mais on l'avait rattrapée, allongée de force sur le tapis, où elle s'était tellement débattue que sa mutilation avait provoqué une forte hémorragie.

À la grande surprise du médecin, c'est notre mère qui avait insisté pour que ses filles soient excisées. Elle avait elle-même supporté ce rite et était convaincue qu'il était conforme au désir d'Allah. Finalement, le médecin est parvenu à convaincre notre père que ce sacrifice était un non-sens total, sans parler des risques physiques. J'ai donc échappé à cette coutume cruelle et inutile.

Je demande à Nura pourquoi, à son avis, Karim a posé une pareille question. Elle dit que j'ai la chance d'être tombée sur un homme qui estime qu'une femme a droit à son intégrité. Beaucoup d'hommes, aujourd'hui encore, exigent l'excision de leurs épouses. Tout dépend de l'endroit, de la région où l'on vit, de l'opinion de la famille dans laquelle on naît. Certaines familles entretiennent cette pratique alors que d'autres l'abandonnent à un passé barbare.

Nura ajoute qu'il lui semble que Karim souhaite une femme qui ait elle-même du plaisir et qui ne soit pas seulement l'objet de son plaisir à lui.

Et elle me laisse à mes pensées.

J'ai de la chance d'être la plus jeune de la famille. Je tremble en imaginant le traumatisme de Nura et de mes autres sœurs, tout ce qu'elles ont dû endurer.

Je suis heureuse que Karim se préoccupe de mon bien-être. Je commence à croire que quelques-unes d'entre nous pourront peut-être connaître le bonheur, un jour, dans mon pays, en dépit de traditions qui ne sont pas dignes d'une société civilisée.

Mais tant d'injustice me trouble. Nous, femmes d'Arabie, ne pouvons être heureuses que si l'homme qui nous domine est juste et bon, sinon, le chagrin nous submerge. Quoi que nous fassions, notre avenir est soumis à une condition préalable : la gentillesse de l'homme qui nous régit.

Mes yeux se ferment, je vais dormir. En rêve, je suis habillée d'une superbe robe vert émeraude. J'attends mon fiancé, Karim. Il tarde à venir, et mon rêve tourne au cauchemar. Je m'éveille en tremblant, couverte de sueur. J'étais poursuivie par d'affreuses vieilles femmes en noir brandissant des rasoirs, poussant des cris perçants à la vue de mon sang.

J'appelle Marci en hurlant pour qu'elle m'apporte de l'eau fraîche. Je suis dans l'angoisse, car je viens de comprendre la signification de cette vision d'horreur : l'obstacle principal au changement et à la disparition de ces coutumes archaïques tient aux femmes arabes elles-mêmes.

Les femmes de la génération de ma mère n'ont pas reçu d'éducation. Elles savent peu de chose sur le monde, à part ce que les hommes leur disent être la vérité. Le résultat tragique est que des coutumes comme l'excision sont maintenues par les femmes qui ont elles-mêmes souffert sous le couteau de la barbarie. Confondant le passé et le présent, elles soutiennent inconsciemment les hommes dans leur volonté de nous garder ignorantes et recluses. Ma mère, pourtant prévenue des dangers médicaux, s'est accrochée au passé traditionnel. Elle ne pouvait imaginer d'autre chemin pour ses filles que celui qu'elle avait elle-même suivi, de peur qu'une infraction quelconque aux traditions ne compromette leurs chances de mariage.

C'est à nous, les femmes modernes éduquées, de changer le cours de nos vies. C'est en notre pouvoir, au plus secret de nos entrailles.

J'attends mes noces avec détermination. Je veux être la première de toutes les femmes saoudiennes à rompre le cercle infernal. Ce sont mes fils et mes filles qui transformeront l'Arabie en un pays digne de tous ses citoyens, hommes ou femmes.

Le mariage

La chambre où l'on prépare les festivités de mon mariage est pleine de gaieté. Toutes les femmes de la famille s'empressent autour de moi. Personne ne s'entend plus, car tout le monde parle et rit en même temps, dans la perspective de cette cérémonie exceptionnelle.

Je me suis installée dans le palais de Nura et Ahmed, achevé quelques semaines seulement avant la date prévue pour le mariage. Nura est ravie du résultat, et se préoccupe beaucoup de ce que l'on dit à travers la ville de Riyad sur son bel hôtel particulier doré sur tranche, des remarques sur l'argent qu'ils ont dépensé et sur la splendeur de la réalisation.

Personnellement, je déteste le nouveau palais de Nura. Par romantisme, j'aurais voulu me marier à Djeddah, au bord de la mer. Mais père a voulu un mariage traditionnel, et pour une fois je n'ai pas protesté lorsqu'il a refusé d'accéder à ma demande. J'ai décidé depuis quelques mois de réserver mes passions à des sujets d'importance capitale, et de laisser de côté les petits inconvénients de l'existence. Je suis probablement fatiguée de tout ce qui manque à mon pays.

Radieuse, Nura se rengorge des compliments de nos parentes sur la splendeur de son palais. J'échange quelques sourires de complicité avec Sara. Nous sommes d'accord, elle et moi, sur le total manque de goût qui règne ici. Ce palais de marbre est hideux. Des centaines d'ouvriers philippins, thaïlandais et yéménites, surveillés par des contremaîtres allemands, ont travaillé vingt-quatre heures sur vingt-quatre pour réaliser cette monstruosité. Peintres, menuisiers, métallurgistes et architectes ne parlaient pas sur le même ton, ni de la même voix ; le résultat est que ce palais est en conflit avec lui-même.

Les murs sont dorés et surchargés d'ornements. Avec Sara, nous avons recensé cent quatre-vingts tableaux accrochés aux seuls murs du hall d'entrée. Sara est consternée ; elle me dit que le choix artistique de ces toiles a été fait par quelqu'un qui a peu, voire pas du tout, de connaissance des grands maîtres. On marche sur d'interminables tapis criards aux dessins mêlés d'oiseaux et de bêtes de toutes sortes. La décoration des chambres soulève le cœur. Je me demande comment des enfants d'un même sang peuvent avoir des goûts aussi différents.

Nura a raté misérablement la décoration de sa maison. En revanche, les jardins sont un chef-d'œuvre. Près de deux kilomètres de pièces d'eau et de pelouses, semées de fleurs magnifiques, d'arbustes et d'arbres, encerclent le palais. Le regard est sans cesse émerveillé par une nouveauté : des statues, des cages à oiseaux multicolores, des fontaines jaillissantes, et même un manège pour les enfants.

Mon mariage avec Karim aura lieu à neuf heures du soir, dans le jardin. Nura sait que j'adore les roses jaunes, elle en a fait venir d'Europe par milliers. Elles flottent sur le lac devant un pavillon couvert de roses, où Karim m'épousera ce soir. Ma sœur proclame fièrement qu'on parlera encore de ce mariage dans dix ans.

En Arabie Saoudite, on ne publie pas de bans pour les noces, qui sont une affaire strictement privée. Mais on

160

dépense des montagnes d'argent et c'est l'occasion pour chaque branche de la famille royale de venir de tous les coins du pays et de dépenser le plus possible.

Je pleure, je tape sur mes tantes, qui veulent m'arracher brutalement ma toison intime. Elles appellent ça épiler ! Hurlant de douleur, je demande pourquoi on persiste dans cette coutume aussi sauvage. Je reçois une bonne gifle de la part de ma plus vieille tante, pour oser montrer autant d'impudence. Elle me regarde sévèrement dans les yeux et clame que moi, Sultana, je suis une gamine stupide. Fille de croyant, je devrais connaître les recommandations du Prophète : la vraie propreté exige que l'on épile, tous les quarante jours, le pubis et les aisselles. Moi, bien entendu, et comme d'habitude, je crie de plus belle que ça n'a plus de sens ! Après tout, les musulmanes modernes disposent d'eau chaude et de savon pour se laver ! Il y a belle lurette que l'on ne se sert plus du sable du désert pour un tel office !

Ma tante sait l'inutilité d'entreprendre une discussion avec moi, et continue imperturbablement son travail. J'insiste à plaisir, pour choquer toutes les femmes présentes, en affirmant hautement que, si le Prophète pouvait parler en nos temps de modernité, il abolirait une tradition aussi sotte. Je suis convaincue que cette histoire prouve à elle seule que nous ne sommes encore que des mules stupides. Nous posons les pieds dans les pas de la mule qui nous a précédées, même si cela doit nous faire chuter dans le même ravin. Voilà ce que je pense, et je pense aussi que c'est en évoluant, en devenant enfin des mules intelligentes, en le voulant avec force, que nous progresserons et laisserons derrière nous cette époque rétrograde et primitive !

Mes parentes échangent des regards inquiets. Elles

vivent dans la crainte permanente de mon esprit de rébellion et ne se sentent bien qu'en compagnie de femmes béates et soumises. Elles considèrent comme un miracle le fait que j'aie accepté avec satisfaction celui que l'on m'a choisi pour époux, mais elles ne respireront avec soulagement qu'à la fin de la cérémonie.

Ma robe a été taillée dans une dentelle rouge, la plus éclatante que j'ai trouvée. Je veux être une mariée audacieuse ; mon plus grand plaisir est de scandaliser la famille qui m'a suppliée de choisir un rose pâle ou un pêche fade à la place. Comme à mon habitude, j'ai refusé de céder. Je sais que j'ai raison. D'ailleurs, même mes sœurs ont finalement admis que cette couleur lumineuse flatte mon teint et mes yeux.

Sara et Nura m'aident à enfiler la robe. C'est un moment de bonheur suprême lorsqu'elles laissent glisser la dentelle sur mes épaules, et qu'elles boutonnent délicatement la taille. Une ombre de tristesse vient ternir cet instant voluptueux quand Nura attache autour de mon cou le cadeau de Karim, un collier de diamants et rubis. Je ne peux pas ne pas revoir l'image de ma mère, le triste jour du mariage de Sara. J'étais assise par terre, encore enfant, je la regardais poser sur le cou de ma sœur les joyaux du malheur. Il n'y a que deux ans de cela, et il me semble que c'était dans une autre vie, une autre Sultana. Je secoue ce voile de tristesse d'un sourire. Maman doit me regarder de là-haut en ce moment, un éclair de joie dans les yeux. C'est comme si je la voyais moi-même.

Je peux à peine respirer dans ce corset serré, à peine me pencher pour prendre le bouquet de fleurs de printemps, entièrement réalisé en pierres précieuses, que Sara a spécialement dessiné pour moi.

Enfin, je regarde les visages souriants de mes sœurs, et annonce :

— Je suis prête !

Il est l'heure de prendre un nouveau départ, d'entrer dans une autre vie.

Les battements des tambours soutiennent l'orchestre venu d'Égypte. Nura d'un côté, Sara de l'autre, j'apparais fièrement devant les invitées impatientes réunies dans le jardin. La cérémonie officielle s'est déroulée auparavant, comme dans tous les mariages saoudiens : Karim et sa famille dans une aile du palais, ma famille dans une autre, le religieux se déplaçant pour demander si les uns voulaient de l'une, et les autres de l'un. Ni Karim ni moi n'avions le droit d'échanger nos promesses devant tout le monde réuni.

La famille a fêté l'événement durant quatre jours et quatre nuits. La célébration du mariage durera encore trois jours et trois nuits, après notre apparition devant les invitées féminines. La cérémonie de ce soir est une sorte d'étape instituée pour permettre aux amoureux de jouir, selon l'usage, de la beauté, de la contemplation de la jeunesse, et de l'espoir. Notre nuit de gloire.

Je n'ai pas revu Karim depuis notre première rencontre. Néanmoins, il a continué à me faire la cour pendant des heures au téléphone.

Je le vois maintenant, escorté de son père, marchant lentement en direction du pavillon. Il est si beau. Et il va devenir mon mari.

Je ne sais pour quelle étrange raison je suis fascinée par les battements de son cœur. Le léger tressaillement est visible sur sa poitrine, je peux compter les coups.

Mon imagination m'emporte, me jette contre lui, contre cette poitrine puissante et romantique, et je me dis que ce cœur est le mien. Que j'ai seule le pouvoir de l'animer de joie ou de tristesse. C'est un moment grave pour une jeune fille.

Enfin, il se tient debout devant moi, grand et droit. Je suis submergée d'une émotion soudaine. Je sens mes lèvres trembler, mes yeux s'embuer, je lutte contre l'envie de pleurer.

Lorsque Karim relève lentement le voile qui cachait mon visage, nous éclatons de rire ensemble, de joie et d'émotion si intensément mêlées.

Le public des femmes applaudit avec enthousiasme et tape du pied. En Arabie Saoudite, il est rare que les jeunes époux se plaisent autant l'un à l'autre.

Je ne quitte pas son regard, il ne quitte pas le mien. Je suis tremblante d'émotion, de bonheur incrédule. J'étais une enfant de l'ombre et mon nouvel époux, au lieu de représenter le désespoir, la continuité d'une enfance mal-heureuse, m'apporte la douce liberté.

Impatients d'être seuls, nous n'assistons pas longtemps à la réception, à peine le temps de recevoir les félicitations de nos amies et de nos parentes.

Karim jette des pièces d'or, dans de petits sacs de velours, aux joyeuses invitées, pendant que je m'éclipse pour mettre des vêtements de voyage.

J'aurais voulu parler à mon père mais il a disparu du jardin, une fois son rôle terminé. Il doit être soulagé. La plus jeune de ses filles, la plus turbulente des enfants de sa première femme, est maintenant mariée, à l'abri, il n'en est plus responsable. Je souffre de n'avoir pu établir un lien avec lui autrement que dans mes rêves, jamais dans la réalité.

Pour notre lune de miel, Karim a promis de m'emmener où je voudrais, de faire ce que je désirerais. Il adhère à chacun de mes souhaits. C'est avec une joie enfantine que j'ai établi la liste de tous les endroits que je souhaite visiter, et de toutes les choses que j'aimerais accomplir. Notre première étape sera Le Caire, de là nous irons à Paris, New York, Los Angeles et, enfin, Hawaii. Devant nous, huit magnifiques semaines de liberté, loin de l'Arabie.

Vêtue de soie vert émeraude, j'embrasse mes sœurs en leur disant au revoir. Sara pleure si violemment qu'elle n'arrive plus à me lâcher. Elle n'arrête pas de chuchoter : « Sois courageuse. » J'ai mal au cœur pour elle. Je comprends trop bien que le souvenir de sa nuit de noces ne s'est jamais effacé. J'espère qu'au fil des années ce cauchemar s'estompera.

Je dois dissimuler ma jolie robe sous la noire *abaaya*, me cacher sous le voile, avant de me glisser sur la banquette arrière de la Mercedes avec mon mari. Mes quatorze valises sont déjà à l'aéroport.

Pour préserver notre intimité, Karim a réservé toutes les places de première classe, pour chacun de nos voyages. Cette folie fait sourire les hôtesses de l'air libanaises. Nous sommes comme deux adolescents, nous n'avons jamais appris l'art de se faire la cour.

Nous arrivons enfin au Caire, passons la douane en courant, pour nous faire conduire dans une opulente villa sur les bords du vieux Nil. Construite au XVIIIe siècle par un riche marchand turc, elle appartient au père de Karim qui l'a restaurée dans toute sa splendeur originelle. Elle est composée de trente pièces réparties sur plusieurs étages ; des fenêtres en arceaux donnent sur un jardin luxuriant, les murs sont recouverts de fines mosaïques bleues, avec des créatures sculptées en bas relief.

Cette maison me séduit immédiatement. Karim est fier lorsque je lui dis que c'est le plus merveilleux endroit du monde pour commencer un mariage.

La décoration parfaite est un contraste total avec l'affreux tape-à-l'œil du palais de Nura. Je réalise que l'argent ne dote pas automatiquement d'un sens artistique les gens de mon pays, même ceux de ma propre famille.

Je n'ai que seize ans, je suis encore une enfant, et mon

mari comprend ce que cette jeunesse signifie. Il facilite mon entrée dans le monde des adultes de la seule manière possible. Lui comme moi désapprouvons le mode de mariage dans notre pays. Il m'explique que deux étrangers ne sont pas immédiatement des intimes, même s'ils sont mari et femme. À son avis, un homme et une femme doivent prendre leur temps pour se connaître, comprendre leurs mystères afin que naisse le désir.

Karim m'a déclaré, il y a plusieurs semaines déjà, que nous prendrions le temps de nous faire la cour, après notre mariage, comme des fiancés. Et, quand je serai prête pour lui, ce sera à moi de lui dire : « Je veux tout savoir de toi. »

Nos journées, nos soirées se passent en divertissements. Dîner, monter à cheval pour faire le tour des pyramides, flâner dans les dédales du bazar au milieu de la foule du Caire, lire et parler. Les domestiques ne savent sûrement pas quoi penser de ce jeune couple heureux, qui s'embrasse chastement tous les soirs pour se dire bonne nuit, avant de gagner des chambres séparées.

Au bout de la quatrième nuit, c'est moi qui attire mon mari dans mon lit. Bien après, assoupie sur son épaule, je chuchote à son oreille un secret. Je suis devenue l'une de ces scandaleuses jeunes femmes de Riyad qui reconnaissent de bon cœur adorer faire l'amour avec leur mari.

Je ne suis jamais allée en Amérique, et j'ai hâte de me forger une opinion sur ce peuple qui répand sa culture à travers le monde, même s'il ne connaît lui-même pas grand-chose de ce monde. Les New-Yorkais me font peur avec leurs manières rudes et leur arrivisme. Je suis contente d'arriver à Los Angeles ; l'ambiance y est agréable, décontractée, plus familière pour des Arabes.

Après des semaines de voyage, et après avoir rencontré des Américains de presque chaque État de l'Union, c'est en Californie que je dis à Karim :

— J'aime ce peuple étrange et fort, j'aime les Américains.

Il me demande pourquoi, et j'ai du mal à exprimer ce que je ressens. Finalement, je tente une explication :

— Je crois que ce merveilleux mélange de culture a créé une civilisation plus réaliste que n'importe quelle autre dans l'histoire.

Je suis sûre que Karim ne comprend pas ce que je veux dire. J'essaie de préciser :

— Il y a si peu de pays capables de donner une totale liberté à chaque citoyen, sans tomber dans le chaos. C'est ce qu'ils ont réussi dans cet immense continent. Il paraît impossible qu'un si grand nombre de gens soient à la fois tous libres et libres individuellement, alors que tant d'opinions différentes s'expriment. Imagine seulement ce qui arriverait dans le monde arabe. Dans un pays aussi grand que l'Amérique, nous aurions la guerre en moins d'une minute ! Chaque homme serait persuadé qu'il détient à lui seul la bonne réponse au problème de tous ! Chez nous, les hommes ne regardent pas plus loin que le bout de leur nez. Ici, c'est différent.

Karim m'observe avec étonnement. Il n'a pas l'habitude d'une femme qui s'intéresse aux grands problèmes, et il passe la nuit à m'interroger sur mes idées à propos d'un tas de sujets. Il est évident que mon mari n'est pas accoutumé à entendre une femme exprimer ses propres opinions. Il paraît complètement estomaqué de ce que je pense des options politiques, et de l'état du monde en général. Finalement, il m'embrasse dans le cou, en disant que j'aurai grand besoin d'achever mon éducation lorsque nous serons de retour à Riyad.

Vexée par le ton protecteur qu'il a pris, je rétorque que

j'ignorais que mon éducation n'était pas suffisante pour discuter.

Les huit semaines prévues ont traîné jusqu'à dix. Nous ne nous résignons à rentrer qu'après un appel du père de Karim. Nous avons prévu d'habiter dans son palais, avec la mère de Karim, en attendant que le nôtre soit construit.

Je sais bien que la mère de Karim ne m'aime pas. Il est maintenant en son pouvoir de me rendre la vie désagréable. Je repense à mon comportement fou, à mes manquements à la tradition qui ont entraîné son mépris, et je me maudis d'avoir si peu réfléchi à mon avenir en m'aliénant ma belle-mère dès notre première rencontre.

Comme tous les hommes arabes, Karim ne prendra jamais le parti de sa femme contre sa mère. Je ferais mieux d'arriver avec une branche d'olivier à la main.

Au moment de l'atterrissage à Riyad, je reçois un choc déplaisant. Karim me rappelle de mettre le voile. Je renâcle à me recouvrir de noir. J'ai encore en tête le souvenir ardent, le parfum si doux de la liberté, qui déjà s'atténue et disparaît au moment même où nous pénétrons dans l'espace saoudien.

Le cœur serré, j'entre avec Karim dans le palais de sa mère, là où notre vie conjugale commence.

À cet instant, j'ignore encore à quel point cette femme me déteste, j'ignore qu'elle est prête à toutes les manigances pour mettre un terme à notre union pourtant si heureuse.

Vie de couple

S'il n'y avait qu'un mot pour dépeindre la situation des femmes de la génération de ma mère, ce serait : « Attendre ». Elles attendent, elles passent leur vie à attendre. Les femmes de cette génération, privées d'éducation, bannies du monde du travail, n'ont rien d'autre à faire qu'à attendre d'être mariées, attendre d'être mères, attendre que les enfants grandissent, et attendre de devenir vieilles.

Dans les pays arabes, l'âge apporte beaucoup de satisfactions aux femmes, le respect leur est dû, parce qu'elles ont consciencieusement rempli leurs devoirs, donné naissance à de nombreux fils et, par conséquent, assuré la continuité du nom de la famille.

Ma belle-mère, Noorah, a donc attendu toute sa vie qu'une belle-fille vienne lui rendre l'honneur qu'elle pense être son dû désormais. Karim, son fils aîné, est le plus aimé. Selon les anciennes traditions saoudiennes, l'épouse de ce premier fils doit être aux ordres de sa belle-mère. Comme toutes les jeunes femmes, je connais cette coutume, mais ce qu'elle implique a tendance à m'échapper, jusqu'au moment où je me trouve confrontée à la réalité.

Il est probable que le désir d'avoir un enfant mâle est courant dans la plupart des pays, mais on ne peut le comparer à ce qu'il suscite dans les pays arabes, où les femmes subissent une tension infernale dès les premiers jours de leur grossesse, dans l'espoir de la naissance d'un fils. Les fils sont la seule justification d'un mariage, la clé du bonheur pour l'époux. Les enfants mâles sont tellement adorés, qu'un lien excessivement puissant se développe entre la mère et le fils. Rien ne peut les séparer, sauf l'amour pour une autre femme. À peine étions-nous mariés, Karim et moi, que sa mère m'a immédiatement regardée comme une rivale, et pas du tout comme un nouveau membre de la famille. Je suis donc l'intruse entre Karim et sa mère. Ma seule présence accroît sa tendance à la mauvaise humeur.

Il y a quelques années, la vie de ma belle-mère a brusquement pris un tour qui a déréglé sa conception des choses. Première épouse du père de Karim, Noorah lui a donné sept enfants, dont trois fils. Karim avait quatorze ans lorsque son père a pris une deuxième épouse, une Libanaise d'une grande beauté et d'un charme exceptionnel. Et, depuis ce jour, la paix ne règne plus entre les murs de ce palais, où vivent les deux femmes.

Noorah, mesquine de nature, se montre d'une malveillance haineuse depuis ce second mariage. Sa haine l'a incitée à aller consulter une sorcière éthiopienne qui, bien qu'au service du palais royal, loue ses talents aux autres princes. Elle lui a donné une forte somme pour jeter un sort à la Libanaise et la rendre stérile. Fière de sa propre fécondité, Noorah était sûre que la seconde femme serait répudiée si elle n'avait pas de fils.

En l'occurrence, le père de Karim aimait tellement cette Libanaise que, enfant ou pas, cela n'avait pas d'importance pour lui. Les années passant, Noorah s'est rendu compte que la Libanaise n'aurait effectivement pas d'enfants, mais qu'elle ne serait pas répudiée pour autant. L'obsession de sa vie étant de séparer le couple, elle est donc retournée voir la sorcière, lui a redonné une forte somme pour obtenir, cette fois, qu'un « nuage de mort » tombe sur la Libanaise.

Lorsque le père de Karim a entendu parler du sinistre plan de Noorah, il est entré dans une rage terrible. Il a juré que si sa seconde épouse mourait avant Noorah, c'est cette dernière qu'il répudierait et enverrait au loin, en disgrâce, avec interdiction d'avoir des contacts avec ses enfants.

Noorah, convaincue que la stérilité de sa rivale est due aux pouvoirs de la sorcière, a peur de la voir mourir. Pour elle, la magie noire est implacable. Terrorisée, elle est obligée, depuis ce jour, de protéger la Libanaise, tout le temps, et partout. Sa vie est un enfer passé à surveiller la femme qu'elle a voulu tuer. Étrange maisonnée...

Depuis ce malheur, Noorah a rompu toute relation avec son entourage, mis à part ses enfants. Comme je ne suis pas de son sang et que Karim m'aime beaucoup, je suis devenue une cible toute trouvée. Sa jalousie démesurée atteint tout le monde, sauf Karim qui, à l'instar de la plupart des fils, ne voit pas grand mal au comportement dévoué de sa mère.

En vieillissant, elle a apparemment gagné en sagesse, car elle me prodigue de grandes marques d'affection... à condition que Karim soit à portée de voix.

Chaque matin, j'accompagne gaiement mon mari jusqu'à la porte. Dur au travail, il part pour son cabinet juridique à neuf heures ; c'est tôt pour n'importe qui, en Arabie Saoudite, en particulier pour un prince. Peu de Saoudiens se réveillent avant dix ou onze heures.

Je sais que Noorah nous surveille depuis la fenêtre de sa chambre car, dès que j'ai refermé la porte sur Karim, elle s'empresse de crier mon nom, comme s'il y avait une urgence. Comme si les trente-trois servantes employées dans la maison ne pouvaient pas s'en charger, elle hurle pour que je lui serve son thé.

J'ai déjà passé mon enfance à me faire maltraiter par les hommes de ma famille, je ne suis pas d'humeur à subir, durant la seconde partie de ma vie, les caprices d'une femme, fût-elle la mère de Karim.

Pour l'instant, je ne dis rien. Mais elle ne va pas tarder à se rendre compte que je peux contrer mes adversaires avec bien plus de force que la vieille femme mentalement atteinte qu'elle est. Un proverbe arabe dit : « La patience est la clé de toutes les solutions. » En attendant de passer de l'échec au succès, je trouve plus intelligent d'user de sagesse dans les rapports entre les deux générations... Je serai patiente, j'attendrai l'occasion de la réduire en mon pouvoir.

Heureusement, je n'ai pas longtemps à patienter. Le jeune frère de Karim, Muneer, revient d'Amérique, où il faisait ses études. Il est furieux d'être rentré en Arabie Saoudite, ce qui ne facilite pas la paix dans la maison.

On a beaucoup écrit sur la monotonie de la vie des femmes saoudiennes, et peu sur l'existence factice des jeunes garçons. Il est vrai que, comparée à celle des femmes, la vie d'un jeune homme est heureuse. Mais il manque trop de choses, les jeunes gens s'ennuient des heures durant à la recherche d'une distraction un peu stimulante. Nous n'avons pas de théâtre, pas de cinéma, pas de clubs, les dîners au restaurant entre hommes et femmes sont interdits, sauf entre mari et femme, frère et sœur, ou père et fille...

Muneer n'a que vingt-deux ans. Il s'est habitué aux libertés de la société américaine et l'idée de rester en Arabie Saoudite ne lui sourit pas du tout. Il vient d'obtenir un diplôme d'études commerciales à Washington et voudrait jouer le rôle d'intermédiaire dans les contrats du gouvernement. En attendant de pouvoir faire la preuve de sa capacité à gagner de l'argent — la passion des princes royaux —, il s'est mis à fréquenter un groupe de princes connus pour leur comportement douteux et pour avoir organisé des soirées mixtes. Leurs invitées féminines sont des jeunes femmes étrangères, de moralité discutable, travaillant dans les hôpitaux ou les compagnies aériennes. Les drogues s'y trouvent en abondance. Beaucoup de princes sont devenus toxicomanes ou alcooliques, ou les deux. Sous l'emprise de la drogue ou de l'alcool, leur mécontentement vis-à-vis des familles qui gouvernent le pays a tendance à s'exacerber. La modernisation ne leur suffit pas, ils souhaitent l'occidentalisation. Ces jeunes gens sont d'ardents partisans de la révolution. Rien d'étonnant à ce que l'oisiveté engendre chez eux des comportements et des réflexions dangereux, et que très vite leurs petits complots subversifs soient notoirement connus.

Le roi Faysal lui-même, libéral dans sa jeunesse, s'est transformé en un pieux monarque particulièrement attentif aux jeunes membres de sa famille. Il cherche à les guider, à les préserver des excès de leurs vies inutiles. Certains princes parmi les plus remuants ont été placés dans les affaires de famille, d'autres envoyés à l'armée.

Un jour, le roi Faysal fait part au père de Muneer de son inquiétude concernant le comportement de son fils ; plus tard, j'entends, venant du bureau, des voix irritées. Aussitôt, comme les autres femmes de la maison, je me trouve quelque chose d'important à faire dans la salle des cartes, juste en face du bureau. Là, les yeux rivés sur une carte, les oreilles tendues en direction des bruits de voix, nous sursautons toutes ensemble en entendant Muneer accuser la famille régnante de corruption et de gaspillage. Il prétend que lui et ses amis vont apporter au royaume les changements dont il a tant besoin. Puis il quitte la villa en coup de vent, l'injure à la bouche, en appelant à la révolte.

Certes, il clame ce jour-là que le pays a besoin de bouger, d'avancer vers un autre avenir, mais son engagement personnel demeure vague, alors que ses activités réelles sont embarrassantes. Séduit par l'alcool et l'argent facile, il s'est laissé entraîner dans une vilaine histoire de compromission.

Peu d'étrangers savent aujourd'hui encore que l'alcool n'était pas interdit aux non-croyants au royaume d'Arabie Saoudite avant 1952. Deux événements tragiques et différents, liés à des princes, sont responsables de cet interdit ordonné par notre premier roi, Abd al Aziz.

En 1940, le prince Nasir, fils de notre roi, est revenu des États-Unis complètement transformé. Ce n'était plus le même homme. Il avait découvert l'attrait du mélange alcool et femmes libérées. Dans son idée, l'alcool était l'atout nécessaire pour obtenir l'adoration des femmes.

Lorsqu'il a été nommé gouverneur de Riyad, plus rien n'a empêché Nasir d'obtenir à son gré la précieuse boisson. Il organisait des soirées illicites, où s'amusaient des hommes autant que des femmes. L'été 1947, après une nuit d'orgie, sept des participants sont morts intoxiqués par de l'alcool frelaté. Parmi les sept personnes décédées se trouvaient des femmes. Rendu fou par cette tragédie le roi Abdal Aziz a lui-même corrigé son fils et l'a fait mettre en prison.

Plus tard, en 1951, ce fut le tour d'un autre fils du roi, Mishari. Sous l'effet de l'alcool, il a tiré sur le vice-consul britannique et l'a tué, ainsi que sa femme. Cette fois, la patience du roi était à bout. C'est depuis ce temps-là que l'alcool est interdit au royaume d'Arabie Saoudite et que le marché noir est né.

Les gens, en Arabie, ont réagi à la prohibition de la même manière que dans d'autres pays. Plus une chose est défendue, plus elle est tentante. Je sais que beaucoup d'hommes et de femmes saoudiens boivent en société. Un grand nombre d'entre eux sont même dépendants de l'alcool. Je n'ai jamais vu un intérieur saoudien qui ne contienne un grand assortiment des boissons les plus rares et les plus chères, à la disposition des invités.

174

Depuis 1952, le prix de l'alcool a grimpé jusqu'à deux cents dollars la bouteille de whisky. On peut faire fortune en important illégalement et en vendant de l'alcool prohibé. Ainsi Muneer et ses deux cousins, tous deux princes de sang royal, persuadés que l'alcool sera légalisé tôt ou tard, ont mis toute leur énergie dans ce commerce, et sont très vite devenus fabuleusement riches en important de l'alcool de Jordanie.

Si les douaniers ont des soupçons, c'est simple, on achète leur silence. L'unique obstacle à l'importation illégale d'alcool vient des membres des Comités pour la propagation de la vertu et la prévention du vice, toujours aux aguets. Ces comités, constitués par des *mutawas,* enragent devant l'impudence des membres de la famille royale. Ceux-ci devraient être les premiers à montrer l'exemple en observant la loi islamique, alors qu'ils se considèrent eux-mêmes de plus en plus comme au-dessus des enseignements du Prophète.

Ces comités m'ont aidée sans le savoir, et grâce aux malversations de Muneer, à trouver le moyen de lutter contre mon abusive belle-mère.

C'est un samedi, le premier jour de la semaine, un jour que ni Karim ni sa famille n'oublieront de leur vie.

Après une journée de travail fatigante et de canicule épuisante, Karim rentre à la maison d'humeur maussade et tombe au milieu d'une altercation musclée entre sa femme et sa mère.

Dès qu'elle aperçoit son fils, Noorah abandonne l'habituel combat qu'elle entame au crépuscule avec moi, sa jeune belle-fille, et affirme en pleurant à son fils adoré que je lui ai manqué de respect et que, sans raison apparente, j'ai déclenché la bagarre avec elle.

Tout en parlant, elle me pince l'avant-bras et moi, dans

un geste de colère sauvage, je me rue sur elle pour lui assener un coup, ce que j'aurais fait sans l'intervention de Karim. Noorah me regarde méchamment, puis se retourne vers son fils. Elle insinue sournoisement que je suis une vilaine épouse et que, s'il me faisait surveiller, il ne tarderait pas à divorcer.

Un autre jour, Karim aurait ri de nos gesticulations ridicules et infantiles, en disant que les femmes qui n'ont pas grand-chose à faire passent leur temps en chamailleries. Mais ce jour-là, son agent de change londonien vient de lui apprendre que, la semaine précédente, il a perdu plus d'un million de dollars sur le marché des changes, et il est d'une humeur noire. Il se précipite sur l'occasion pour se défouler. Étant donné qu'aucun Arabe ne contredit sa mère, c'est moi qui reçois trois gifles en pleine figure. De petites gifles, davantage faites pour m'humilier que pour faire mal, et qui rougissent à peine mes joues.

J'ai mauvais caractère depuis l'âge de cinq ans, j'ai tendance à m'énerver au premier signe d'opposition mais, dès que le danger se rapproche, je me sens moins nerveuse. Quand le péril est là, je rassemble toutes mes forces. Au moment où j'en viens aux mains avec mon agresseur, je n'ai plus peur du tout, et je suis capable de mener la bagarre jusqu'au bout, sans me préoccuper des coups.

La bataille commence. J'envoie à la tête de Karim le premier vase rare et précieux qui me tombe sous la main. Il esquive d'un mouvement rapide sur la gauche, en protégeant son visage. Le vase explose sur une peinture de Monet, qui doit coûter des centaines de milliers de dollars. Le vase et les nénuphars de Monet sont détruits. Au comble de la fureur, j'attrape au passage une somptueuse statuette orientale en ivoire, et la jette à la tête de Karim.

Les explosions successives et les éclats de voix alertent toute la maisonnée. Les femmes et les servantes surgissent de partout en poussant des hurlements. À ce moment-là,

Karim comprend que je suis prête à tout casser dans la pièce où se trouvent les trésors les plus précieux de son père. Pour m'arrêter, il m'envoie un coup de poing en pleine mâchoire. Je sombre dans un brouillard noir.

En ouvrant les yeux, je découvre à mon chevet Marci, qui me tamponne le visage avec un linge mouillé. J'entends des éclats de voix au rez-de-chaussée, et j'imagine que l'on parle encore de ma bagarre avec Karim. Marci me détrompe. Un nouveau problème vient de surgir concernant Muneer.

Le roi Faysal a sommé le père de Karim de s'expliquer sur un chargement d'alcool, que l'on a saisi dans les rues de Riyad. Le chauffeur du camion, un Égyptien, s'était arrêté dans une boutique pour manger un sandwich, et l'odeur pénétrante de l'alcool a provoqué sa perte. Arrêté par un membre de l'un de ces comités de prévention contre le vice, et terrorisé, il a dénoncé volontairement Muneer et un autre prince. Les dirigeants du Conseil religieux, alertés, ont prévenu le roi. Et le roi est dans une rage terrible.

Karim et son père ont quitté la villa pour se rendre au palais royal. On a envoyé les chauffeurs à la recherche de Muneer.

Tout en soignant ma mâchoire endolorie, je mijote un nouveau plan de revanche contre Noorah. Je l'entends se lamenter quelque part. Je me lève et pars à sa recherche, en suivant les pleurs à l'oreille. Moi, femme dépourvue de sainteté, je veux voir la scène de mes propres yeux, je veux goûter pleinement le plaisir que je ressens devant son désespoir.

Les lamentations me mènent jusqu'au salon. Je rirais du spectacle si je n'avais pas mal à la mâchoire. Noorah est effondrée dans un coin de la pièce, en larmes, suppliant Allah de sauver son Muneer adoré de la colère du roi et des religieux.

Elle m'aperçoit et se calme aussitôt. Après un long

moment de silence, elle me regarde d'un air méprisant et dit :

— Karim m'a promis qu'il allait divorcer d'avec toi. Il a compris que « qui grandit avec une certaine habitude, meurt avec elle[1] ». Et tu as grandi comme une sauvage. Il n'y a pas de place pour quelqu'un comme toi dans notre famille.

Noorah, s'attendant à des pleurs et des supplications, naturels à l'énoncé de ce jugement sans appel, me scrute intensément ; je réponds que c'est moi qui vais demander à divorcer de son fils. Je prétends que Marci est déjà en train de faire mes bagages et que je vais quitter cette maison étouffante dans l'heure qui suit. Ultime insulte, j'ajoute, en lui tournant le dos, que j'ai l'intention d'influencer mon père, afin que Muneer soit traité d'une façon exemplaire, qui obligera à réfléchir ceux qui dédaignent les règles de la foi. Son précieux fils aura droit à la flagellation ou à l'emprisonnement, voire aux deux. Et je quitte Noorah, dont le menton tremble de peur.

Les cartes ont changé de mains. J'ai la voix ferme et le ton déterminé. Noorah n'a aucun moyen de savoir si j'ai le pouvoir, en coulisses, de mettre mes menaces à exécution.

Noorah exultait que son fils demande le divorce. Elle sera mortifiée si je suis la première à le demander. Il est difficile, mais pas impossible pour une femme en Arabie de divorcer de son mari.

Comme mon père est un prince du sang, proche de notre premier roi, plus proche que Karim, en tout cas, Noorah craint pour l'instant que je ne réussisse dans mon entreprise pour punir Muneer. Elle ignore que mon père me mettra probablement dehors pour mon impudence, et que je n'aurai nulle part où aller.

Ma bravade ne me laisse guère d'échappatoire ; il me faut prouver, par mes actions, que je suis à la hauteur de mes menaces aventureuses.

1. Proverbe arabe.

Lorsque je me présente à la porte avec Marci chargée de mes bagages, toute la maison est en ébullition. Coïncidence, on vient de localiser Muneer chez un ami à lui, et il arrive à ce moment-là avec l'un des chauffeurs. Complètement inconscient de ce qui l'attend, il se met à jurer lorsque je lui apprends tout ce que sa mère a fait pour provoquer mon divorce imminent d'avec Karim.

Une vague de joie mauvaise m'envahit quand Noorah, craignant la réalisation des menaces que je viens de proférer, me prie de rester. Ce double drame a entamé sa détermination. Elle sort de cette partie de bras de fer quelque peu abîmée. Après moult supplications de sa part, je me résigne à rester.

Fatiguée par cet après-midi humiliant j'allais m'endormir au retour de Karim, lorsque je le surprends qui demande à Muneer de songer, à l'avenir, à préserver la réputation du nom de leur père avant de commettre des actes délictueux. J'entends sans effort la réponse insolante de Muneer ; il accuse son frère de mettre de l'huile dans les rouages de la monstrueuse mécanique d'hypocrisie qu'est le royaume d'Arabie Saoudite.

Le roi Faysal est révéré par la plupart des Saoudiens, pour sa manière de vivre et la ferveur qu'il apporte à tenir son rôle de monarque. Au sein de sa propre famille, les princes les plus nobles le tiennent en haute considération. Il a sorti notre pays de l'ignorance qui prévalait sous le règne du roi Sa'ūd et l'a conduit à être respecté et même admiré par de nombreuses régions du monde. Mais une énorme divergence d'idées sépare les aînés et les plus jeunes de la famille.

Ces gens, dévorés par le désir de faire fortune facilement, haïssent le roi qui abolit leurs privilèges, interdit leurs participations aux affaires illégales et les châtie sévèrement lorsqu'ils enfreignent les règles de l'honneur. Il n'existe pas de compromis possible entre les deux camps, et l'orage couve en permanence.

Cette nuit-là, Karim s'endort à des lieues de moi, dans notre grand lit. Toute la nuit, je l'entends s'agiter et se retourner. Je le sais plongé dans de sombres pensées. Il me vient un sentiment de culpabilité, exceptionnel chez moi, lorsque je réalise la gravité de ses ennuis. Je prends la décision de lui accorder plus d'attention si mon mariage résiste à cette journée de tempête.

Le lendemain matin, un nouveau Karim entre en scène. Il affecte d'ignorer ma présence et de ne plus me parler. Toutes mes bonnes intentions de la nuit dernière s'évanouissent en fumée dans la pâle lueur du matin. D'une voix grave, je dis que le divorce me semble préférable, alors qu'au fond de moi j'espère un signe de paix de sa part. Il me regarde, puis d'une voix à la fois sèche et glaciale, rétorque :

— Ce que tu penses importe peu, nous devons faire passer nos divergences après les problèmes familiaux.

Karim continue de se raser, comme si je n'avais rien dit d'autre qu'une banalité.

Ce nouvel ennemi, l'indifférence, me ramène au calme et j'attends, l'air de rien, que Karim ait fini de s'habiller. Il passe la porte de la chambre et me quitte sur cette phrase définitive :

— Tu sais, Sultana, tu m'as déçu avec ton esprit frondeur dissimulé sous un joli sourire féminin.

Après son départ, je m'écroule sur le lit, pleurant jusqu'à épuisement.

Noorah me convoque à une conférence de paix au cours de laquelle nous dissimulons nos désaccords profonds sous des manifestations d'affection.

Elle envoie l'un de ses chauffeurs au souk des joailliers, acheter pour moi un magnifique collier de diamants. Je me précipite au souk de l'or, à la recherche du plus beau, du plus cher collier d'or que je puisse trouver. Il m'en coûte plus de quatre-vingt mille dollars, et j'ai un peu peur de ce que Karim va dire. J'entrevois maintenant une possibilité de paix avec cette femme, ce qui pourrait sauver mon mariage.

Des semaines passent avant que l'on décide du sort de Muneer. Une fois de plus, la famille ne voit aucun intérêt à rendre publics les méfaits des princes du sang. La colère du roi a été quelque peu tempérée par les efforts de mon père et de beaucoup de princes, estimant qu'il valait mieux étouffer l'incident, le prendre comme l'incartade d'un jeune homme influencé par les démons de l'Occident.

Noorah, qui croit que j'ai influencé quelque peu mon père pour qu'il agisse auprès du roi, fait preuve de gratitude envers moi et clame à qui veut l'entendre son bonheur d'avoir une belle-fille telle que moi.

Nul ne saura jamais la vérité, que je n'ai pas dit un mot de tout cela à mon père. Son intérêt s'est arrêté au fait qu'il ne désire pas voir la famille où je suis entrée mêlée à un scandale associé au nom du frère de Karim. Il ne pense qu'à lui-même et à mon frère Ali. Quoi qu'il en soit, me voilà devenue, aux yeux de ma belle-mère, une sorte d'héroïne indispensable.

Une fois encore, l'intervention du roi a fait taire les *mutawas*. Le roi Faysal est en si grande estime auprès du Conseil religieux que ses appels sont entendus et respectés.

Muneer se retrouve dans les affaires paternelles; on l'expédie à Djeddah diriger de nouveaux bureaux. Pour apaiser son mécontentement, on lui offre d'énormes contrats officiels. Peu après, il fait part à son père de son désir de se marier, on lui présente une cousine convenable, et le voilà qui déborde de bonheur. En quelques mois sa fortune se multiplie, il rejoint les rangs des princes dont l'existence se borne à gagner de plus en plus d'argent, jusqu'à ce que leurs comptes en banque débordent et rapportent plus d'intérêts à eux seuls que le budget intérieur de certains petits États.

Karim s'est installé dans une autre chambre le jour de notre dernière conversation. Ni sa mère ni son père ne semblent pouvoir le faire changer d'avis concernant notre divorce.

À ma grande horreur, une semaine après notre séparation, je découvre que je suis enceinte. Après mûre réflexion, je pense ne pas avoir d'autre solution que l'avortement. Je sais que Karim refuserait le divorce s'il savait que j'attends un enfant, mais je ne veux pas d'un mari qui agirait sous la contrainte.

Je suis en face d'un vrai problème, car l'avortement n'est pas courant dans notre pays, où la majorité des enfants sont désirés. De plus, je n'ai pas la moindre idée de l'endroit où aller, ni de qui consulter.

Mon enquête est délicate. Finalement, je confie mon secret à une cousine royale, qui m'apprend que sa jeune sœur s'est retrouvée enceinte l'année dernière pendant un voyage d'agrément à Nice. Ignorant son état, elle est revenue à Riyad. Quand elle a compris la vérité, elle a eu tellement peur de son père qu'elle a voulu se suicider. Sa mère a découvert son secret et déniché un médecin indien qui, pour des honoraires énormes, pratique l'avortement sur des femmes saoudiennes.

Je commence alors à préparer prudemment un plan pour m'échapper du palais et me rendre chez le médecin. Marci est dans la confidence.

Me voilà dans le salon d'attente, complètement déprimée, lorsque Karim surgit sur le seuil le visage rouge de colère. Je ne suis qu'une femme voilée parmi d'autres femmes voilées, mais il me reconnaît à l'originalité de mon *abaaya* de soie et à mes escarpins de cuir rouge italiens.

Il me tire et me pousse vers la sortie, hurlant à la réceptionniste qu'il va faire fermer le cabinet et expédier le médecin en prison.

Je souris aux anges à l'abri de mon voile, car Karim proteste de son amour pour moi, tout en essayant de reprendre souffle. Il resplendit de bonheur! Toutes mes craintes de le perdre s'envolent à cette minute. Il jure qu'il n'a jamais eu l'intention de divorcer, qu'il n'a dit cela que par colère et orgueil.

Karim a découvert mon plan à cause de Marci, qui a révélé mon secret à une autre servante de la maison. Celle-ci est allée tout droit le répéter à Noorah, si bien que ma belle-mère, affolée, quasiment hystérique, a couru chercher Karim jusque dans le bureau d'un client pour lui dire que j'allais tuer son petit-fils avant même qu'il naisse!

C'est à cette réaction que notre enfant doit la vie. Marci mérite récompense.

Karim me ramène à la maison en jurant tout ce qu'il sait. Une fois dans notre chambre, il me couvre de baisers, et nous faisons la paix à notre façon.

Après bien des péripéties, nous voilà revenus au sommet du bonheur. Miraculeusement tout s'est bien terminé.

Naissance

La plus intense, la plus complète expression de la puissance de la vie, c'est la naissance. L'acte de concevoir et de mettre au monde est plus magnifique, plus profond que n'importe quel miracle de l'art. C'est ce que j'ai compris en attendant la naissance de notre premier enfant avec tant de joie et de bonheur.

Avec Karim, nous préparons méticuleusement cette naissance. Aucun détail ne paraît trop petit pour être négligé. Nous prévoyons un voyage en Europe quatre mois avant la date de l'accouchement, qui aura lieu au Guy's Hospital de Londres.

En dépit de toutes nos précautions, quelques incidents mineurs empêchent notre départ. La mère de Karim, aveuglée par un voile tout neuf en tissu plus épais que d'habitude, se foule la cheville en trébuchant sur une vieille bédouine, assise par terre en plein souk ; un cousin proche, sur le point de signer un important contrat, demande à Karim d'ajourner son voyage ; ma sœur Nura fait peur à tout le monde avec une crise d'appendicite.

Une fois ces problèmes résolus, j'ai des contractions, et le médecin m'interdit de voyager. Nous devons nous résigner, Karim et moi, à l'inévitable et nous préparer à ce que notre enfant naisse à Riyad. Malheureusement, l'hôpital et le centre de recherches Roi Faysal, qui doit offrir aux membres de la famille royale les soins médicaux les plus modernes, n'est pas encore ouvert. Il va falloir que j'accouche dans une petite clinique de la ville, trop connue pour son manque d'hygiène et son personnel inefficace.

Comme nous appartenons à la famille royale, nous jouissons de droits inaccessibles aux autres Saoudiens. Karim réserve trois chambres à la maternité pour les transformer en une suite royale. Il engage des tapissiers et des peintres locaux. Il fait venir, de Londres, des décorateurs d'intérieur pour prendre les mesures, avec leurs échantillons de tissus.

L'administrateur de la clinique, tout fier, nous fait faire, à mes sœurs et à moi, la visite guidée de l'ensemble des locaux. Dans la suite, un bleu ciel resplendit sur les murs, les draps et les couvertures de soie. Un lit de bébé sophistiqué, de la même soie bleue, est solidement fixé au sol par d'énormes écrous, au cas où le personnel étourdi le bousculerait et ferait tomber notre précieux rejeton par terre !

Quand elle apprend les précautions prises, Nura s'étouffe de rire. Selon elle, Karim va rendre la famille complètement folle avec toutes ces inventions pour protéger notre enfant.

Effectivement, je reste sans voix lorsqu'il m'apprend qu'une équipe de six personnes arrivera bientôt de Londres pour m'assister pendant l'accouchement. Le plus célèbre des obstétriciens de Londres, accompagné de cinq infirmières parmi les plus expérimentées, recevra des honoraires énormes pour passer trois semaines à Riyad avant la date présumée de la naissance.

Comme je n'ai plus ma mère, Sara vient s'installer au palais jusqu'à la fin de ma grossesse. Elle me garde autant que je la garde. En observant soigneusement ma sœur préférée, je me rends compte des changements terribles survenus chez elle. J'ai peur qu'elle ne se remette jamais de son affreux mariage. L'humeur calme, la tranquillité, maintenant constantes chez elle, ont remplacé la gaieté et l'entrain d'autrefois. Comme la vie est injuste ! À sa place, avec mon tempérament agressif, je m'en serais mieux sortie avec un mari abusif, car les brutes ont tendance à perdre de leur force face à ceux qui leur tiennent tête. Mais Sara, avec sa douceur, son âme paisible, était une proie facile pour un mari féroce.

Je suis tout de même heureuse de sa présence reposante. Plus mon corps s'épaissit, plus je deviens capricieuse et imprévisible. Quant à Karim, dans l'excitation de sa future paternité, il a perdu tout sens commun.

Chaque fois qu'elle quitte nos appartements du deuxième étage, Sara doit être voilée, du fait de la présence du frère de Karim, Asad, et de nombreux parents qui vont et viennent dans la maison en attendant la naissance. Les célibataires de la famille, bien que logés dans une autre aile du palais, entrent, sortent et se promènent à loisir à travers le palais, à n'importe quelle heure.

Trois jours après l'arrivée de Sara, Noorah fait dire par Karim que ma sœur n'est pas obligée de mettre son voile pour circuler dans l'aile principale du palais ou dans les jardins. Le plus petit relâchement de ce genre dans la vie étroitement restreinte des femmes me réjouit toujours.

Au début, Sara a un peu peur, puis elle se dépouille bientôt avec joie de tout ce noir. Un soir, tard, Sara et moi, nous reposons sur des fauteuils d'osier, dans le jardin commun, profitant de la fraîcheur de la nuit — il y a des jardins pour les femmes, et des jardins communs, ou familiaux, dans la plupart des palais saoudiens. Ce soir-là, alors que nous ne nous y attendions pas, Asad et quatre de ses amis rentrent d'un rendez-vous tardif.

En les entendant approcher, Sara tourne aussitôt son

visage contre le mur, craignant de faire honte à la famille en se montrant à des étrangers. Je n'ai pas la moindre envie de l'imiter, et je signale notre présence en parlant fort, pour avertir Asad qu'il y a des femmes dévoilées dans le jardin.

Les compagnons de Asad passent loin de nous en courant, sans un regard, et s'engouffrent par une porte de côté dans le salon des hommes. Asad, lui, vient dans notre direction pour me demander où se trouve Karim, et son regard tombe sur le visage de Sara.

Il a une réaction physique tellement soudaine, que je crains qu'il n'ait une attaque cardiaque. Il sursaute de tout son corps, de manière si grotesque que je me précipite aussi vite que mon ventre me le permet et l'attrape par le bras pour attirer son attention. Je me sens sincèrement inquiète. Est-il malade? Son visage est congestionné, il semble incapable de faire un mouvement dans une quelconque direction. Je l'aide à s'asseoir sur une chaise et je crie pour qu'une servante apporte un verre d'eau.

Comme personne ne répond, Sara saute sur ses pieds et se précipite à l'intérieur pour aller chercher de l'eau elle-même. Horriblement embarrassé, Asad essaie de se relever, mais je suis tellement sûre qu'il va s'évanouir que j'insiste pour qu'il reste tranquille. Il affirme qu'il n'a mal nulle part, et ne peut pas expliquer son malaise soudain.

Sara revient avec un verre et une bouteille d'eau minérale fraîche. Sans le regarder, elle remplit le verre et l'approche de ses lèvres.

La main de Asad frôle les doigts de Sara. Leurs yeux se rencontrent. Le verre leur échappe et se brise sur le sol. Sara me bouscule et court vers la maison.

J'abandonne Asad à ses amis, venus s'enquérir de lui avec impatience. Ils envahissent le jardin et se montrent plus troublés par mon visage que par mon ventre énorme et protubérant. Je les croise avec défi, et mets un point d'honneur à les saluer de face. Ils répondent par des murmures embarrassés, ne sachant plus où se mettre.

À minuit, Karim me réveille. À son retour au palais, Asad l'a intercepté avec nervosité. Karim veut savoir ce qui s'est passé dans le jardin. D'une voix ensommeillée, je lui raconte l'incident de ce soir et m'enquiers de la santé d'Asad.

Je me réveille complètement, et en sursaut, quand Karim me répond qu'Asad voudrait épouser Sara. Il a affirmé à son frère qu'il ne connaîtrait jamais de bonheur si Sara ne devenait pas sa femme. Rien que ça ! Venant du plus play-boy des play-boys ! Un homme qui, il y a seulement quelques semaines, rendait sa mère malade en jurant avec véhémence que jamais il ne se marierait !

Je suis stupéfaite. J'explique à Karim que je devine facilement l'attirance de Asad pour Sara, étant donné son comportement dans le jardin, mais que son insistance à se marier est parfaitement incroyable ! Après quelques secondes seulement de contemplation ? Non ! Je refuse d'y croire, c'est insensé ! Je me retourne pour me rendormir.

Mais, pendant que Karim prend sa douche, je réfléchis à l'incident et m'extirpe du lit pour aller frapper à la porte de Sara. N'obtenant pas de réponse, je pousse doucement la porte. Ma sœur, immobile sur le balcon, contemple le ciel magnifiquement étoilé.

Au prix d'énormes difficultés, je me faufile à côté d'elle et j'attends, en silence, stupéfaite de la tournure des événements.

Sans un regard dans ma direction, Sara dit avec conviction :

— Il veut m'épouser.

J'en conviens d'une toute petite voix.

— Oui...

Un éclair étrange dans les yeux, Sara poursuit :

— Sultana, j'ai vu mon avenir en regardant au plus

profond de son âme. C'est lui, l'homme dont a parlé Huda quand elle a prédit que je connaîtrais l'amour, tu te rappelles ? Elle a dit aussi que de cet amour naîtraient six enfants.

Je ferme les yeux pour me remémorer l'histoire racontée par Huda, ce jour-là, dans la maison de nos parents. Je me souviens : elle avait dit que Sara ne réaliserait pas ses ambitions, et elle avait parlé de mariage... Enfin, le reste de la prédiction me revient clairement en mémoire. Je tremble en me rendant compte que ce que Huda a prédit est arrivé.

Je me sens obligée de nier l'idée qu'on puisse tomber amoureux au premier regard, mais, tout à coup, je me rappelle l'intensité de mes propres émotions le jour où j'ai rencontré Karim pour la première fois. Alors, la langue clouée, je ne dis pas un mot.

Sara caresse mon ventre :

— Va te coucher, Sultana, ton bébé a besoin de repos. Mon destin est en marche...

Elle tourne son regard vers les étoiles.

— Dis à Karim que Asad peut parler de cela avec mon père.

En retournant au lit, je trouve Karim éveillé. Je lui répète les mots de Sara. Il hoche la tête pensivement et murmure que la vie est bien étrange, en vérité, avant d'entourer tendrement mon ventre de ses bras.

Au matin, pendant que Karim se rase, je descends lourdement l'escalier jusqu'au rez-de-chaussée. J'entends Noorah avant même de l'apercevoir. J'écoute silencieusement derrière la porte, en retenant péniblement mon souffle. Elle est en train de citer un proverbe, selon son habitude :

— « L'homme qui épouse une femme pour sa beauté sera déçu. Seul celui qui épouse une femme de bon sens peut dire véritablement qu'il est marié. »

190

Je n'ai pas du tout envie de me disputer, ce matin, et m'apprête à révéler ma présence, lorsqu'elle se remet à parler. Je change d'idée et retiens de nouveau mon souffle, tendant l'oreille pour mieux entendre.

— Asad, cette fille a déjà été mariée. Réfléchis, mon fils, tu peux épouser qui tu veux. Il serait sage de commencer ta vie avec une femme neuve, non avec une femme qui a déjà servi! En plus, mon fils, tu vois comme est Sultana, c'est une boule de feu! Crois-tu que sa sœur soit fabriquée autrement?

Mon cœur bat la chamade. Cette fois, je pousse mon ventre à l'intérieur de la pièce.

Je savais qu'elle allait prévenir Asad contre Sara, et mes soupçons se confirment bien au-delà. Pire, le léopard n'a pas abandonné sa proie : Noorah me hait toujours en secret. Je suis pour elle une potion amère à avaler.

Connaissant le caractère libertin de Asad, je n'étais pas favorable à une histoire d'amour avec Sara. À présent, je suis dans leur camp. À l'expression de Asad, je vois avec soulagement que rien ne pourra le détourner de son but. C'est un homme véritablement possédé.

La conversation cesse quand ils voient tous deux mon visage, car j'ai trop de mal à dissimuler ma rage. Je suis furieuse que Noorah ait la prétention de s'opposer au mariage de son fils avec ma sœur. Évidemment, je ne peux pas la contredire à propos de mon caractère rebelle — j'ai choisi ce rôle dès mon plus jeune âge, et je n'ai pas l'intention de changer — mais que Sara souffre de ma réputation, c'est un comble!

Dans mon enfance, j'ai entendu beaucoup de vieilles femmes dire :

— Si tu t'installes à côté d'un forgeron, tu seras recouverte de suie, mais si tu t'installes à côté d'un parfumeur, tu embaumeras.

Je comprends maintenant que, de l'avis de Noorah, Sara est couverte de la suie de sa jeune sœur. J'éprouve un sentiment de rage inépuisable envers ma belle-mère.

Sans compter que la beauté de Sara suscite la jalousie de beaucoup de femmes. Je sais bien que son apparence empêche les gens de tenir compte de la douceur de son caractère et de sa brillante intelligence. Pauvre Sara!

Asad se lève, me salue imperceptiblement de la tête et nous laisse en présentant ses excuses. Noorah a l'air de recevoir un coup de poignard dans le dos, lorsqu'il se retourne vers elle en disant :

— Ma décision est prise. Si elle et sa famille m'acceptent, personne ne m'en empêchera.

Noorah se met à déplorer l'insolence de la jeunesse, pleure derrière son dos, cherche à le culpabiliser en hurlant qu'elle n'a plus beaucoup de temps à vivre, que son cœur va s'arrêter le jour même. Comme Asad ignore totalement son manège évident, elle retourne s'asseoir en branlant la tête de désespoir.

Les sourcils froncés, elle sirote pensivement une tasse de café. Je suis sûre qu'elle est en train de mijoter un mauvais coup contre Sara, exactement comme elle l'a fait pour la Libanaise.

Bouleversée, je sonne pour que le cuisinier apporte les yaourts et les fruits du petit déjeuner. Marci vient soulager mes pieds enflés, d'un massage de ses doigts habiles. Noorah tente d'engager la conversation, mais je suis trop en colère pour lui répondre. Au moment où je me mets à grignoter des fraises bien mûres, arrivées d'Europe le jour même, une contraction brutale me fait tomber à terre.

Épouvantée, je fonds en larmes. Cette douleur qui me broie le ventre arrive bien trop tôt, et elle est bien trop forte. Je sais que les douleurs commencent d'abord par des élancements, comme ceux que j'ai eus précédemment et qui n'étaient que de fausses contractions.

C'est immédiatement le chaos dans la maison. Noorah hurle en appelant Karim, Sara, toutes les infirmières, toutes les servantes. En quelques instants, Karim est là pour me relever, me prendre dans ses bras et me transporter dans une limousine spécialement transformée pour cette occasion.

La voiture est extra-longue, on a enlevé les sièges arrière, et on les a remplacés par un lit. Trois petits sièges permettent à Karim, Sara et l'infirmière de s'asseoir près de moi. Le médecin spécialiste venu de Londres et les cinq autres infirmières suivent dans une autre limousine.

L'infirmière tente en vain d'écouter les battements de mon cœur, tandis que je me cabre de douleur. Karim hurle au chauffeur d'aller plus vite, puis il se ravise et lui crie de ralentir, après quoi il râle sur sa manière de conduire qui va nous tuer tous! Il se met à frapper le pauvre homme dans la nuque, sous prétexte qu'il vient de céder le passage à un autre véhicule.

Il se maudit de ne pas avoir prévu une escorte de police. Sara fait de son mieux pour le calmer, mais mon mari tempête et se déchaîne. Finalement, l'infirmière anglaise le prévient avec fermeté que son affolement est nuisible, autant à sa femme qu'au bébé. Elle le menace de le faire sortir de la voiture s'il ne se calme pas. En sa qualité de prince de sang royal et de haut rang, Karim n'a jamais affronté de sa vie la moindre critique féminine. Sous le choc, il reste sans voix. Nous respirons tous de soulagement.

L'administrateur de la clinique et le personnel ont été alertés. Ils attendent tous à la porte d'entrée. L'administrateur jubile visiblement que notre enfant voie le jour dans son établissement car, à l'époque, beaucoup de familles princières vont à l'étranger pour une naissance.

Le travail est long et difficile. Je suis jeune, petite ; mon bébé est gros et refuse de venir.

Je me souviens peu de l'accouchement lui-même. J'avais l'esprit embrumé par les calmants et mes souvenirs sont flous. La tension nerveuse de tout le personnel alourdissait l'atmosphère de la salle ; à plusieurs reprises, j'ai entendu le médecin insulter ses collaborateurs. Comme mon mari et toute la famille, ils priaient probablement pour que j'aie un fils.

Ils ont dû grandement remercier le ciel en voyant apparaître un enfant mâle. Si une fille était née, leur désappointement aurait été immense. Personnellement, je désirais une fille. Mon pays était sur le point de changer, j'envisageais avec optimisme l'avenir de ma petite fille.

La joie du médecin et du personnel me tire d'un immense trou noir. Un fils est né !

Je suis sûre d'entendre le médecin murmurer à son infirmière principale :

— La tête en chiffon, là, avec une robe, va me remplir les poches pour ce gros lot !

Je voudrais protester contre cette insulte qui vise mon mari, je le fais en esprit, mais un sommeil de plomb fait tout disparaître autour de moi, et cette réflexion ne me revient pas en tête avant des semaines.

Karim remercie le médecin en lui offrant une Jaguar toute neuve et cinquante mille livres anglaises. Pour les infirmières, on fait venir un bijoutier du souk de l'or, avec un crédit de cinq mille livres. L'administrateur de la clinique, venu d'Égypte, jubile en recevant une somme substantielle pour la construction d'une maternité. On lui donne, en outre, une prime équivalente à trois mois de son salaire.

J'oublie mon désir d'avoir une fille dès que j'ai mon petit garçon dans les bras, dès que je vois son premier bâillement, son premier sourire. J'aurai une fille plus tard ! Mon fils sera élevé différemment, bien mieux que les hommes de la génération précédente. J'ai le pouvoir de modeler son avenir et l'intention de le faire. Il n'aura pas l'esprit rétrograde, ses sœurs auront leur place à ses côtés, dans l'honneur et le respect, il connaîtra et aimera sa future femme avant de l'épouser.

L'immense éventail de ses futures possibilités brille, scintille comme une étoile nouvelle dans le ciel. Je me dis que bien des fois dans l'histoire du monde un seul homme a fait que des millions d'autres ont évolué. J'éclate d'orgueil à imaginer tout le bien pour l'humanité qui jaillira de ce petit corps entre mes bras.

C'est certain, une aube nouvelle pour les femmes d'Arabie va naître grâce à mon propre sang.

Karim, lui, ne pense guère à l'avenir de son fils. Gâteux devant son enfant, il est fou de joie à l'idée de tous les fils que nous allons faire ensemble.

Nous sommes tous les deux bêtes de bonheur !

Sombres secrets

Dès notre naissance, la mort nous attend. Il n'y a qu'une façon de naître, mais d'infinies manières de partir. L'inévitable attente du dernier départ suit la merveilleuse réalisation des promesses de la vie. Mais quand la mort réclame trop tôt un être plein de vie, c'est la chose la plus triste du monde. Une jeunesse prometteuse fauchée par la main d'un autre homme, c'est le pire de tout.

En plein bonheur de la naissance de mon fils, je me trouve confrontée à la mort stupide d'une innocente jeune fille.

Karim et le personnel médical m'ont voulue isolée des autres femmes saoudiennes, installées à quelques pas de ma suite princière. Mon fils dort près de moi, entouré, surprotégé, alors que d'autres enfants, des garçons, des filles, sont simplement gardés à la nursery. La curiosité me pousse hors de mes appartements. Comme pour la plupart des princesses de sang royal, ma vie s'est déroulée loin de celle des citoyens ordinaires, et ma nature m'entraîne à discuter avec ces femmes. Si mon enfance a été triste, la vie de la majorité des Saoudiennes est plus triste encore; je m'en rends compte bien vite.

Mon existence est soumise, réglementée par les hommes, mais je bénéficie d'une certaine protection, grâce à mon nom de famille, alors que les femmes rassemblées devant les vitres de cette nursery n'ont jamais voix au chapitre.

J'ai dix-huit ans à la naissance de mon premier enfant. Je rencontre des filles de treize ans berçant leur bébé, des jeunes femmes de mon âge ayant déjà quatre ou cinq enfants.

Une jeune fille m'intrigue. De ses yeux noirs pleins de tristesse, elle contemple les nouveaux-nés qui hurlent. Elle est tellement immobile, tellement muette et depuis tant de temps, que je me rends compte qu'en réalité ses yeux ne regardent rien de ce qui est devant elle. On la dirait plongée dans un drame d'un autre monde, bien loin de l'endroit où elle se trouve.

On me dit qu'elle vient d'un petit village proche de la ville. D'habitude, les femmes de sa tribu accouchent chez elles, mais elle a souffert cinq longs jours et autant de nuits, jusqu'à ce que son mari se décide à l'amener ici. Je fais connaissance avec elle, au hasard des matinées, et apprends qu'elle a été mariée à douze ans avec un homme de cinquante-trois ans. Elle est sa troisième épouse, mais sa préférée.

Selon Mohammed, notre vénéré prophète de l'islam, les hommes doivent répartir leur temps à égalité entre cha-cune de leurs femmes. Dans ce cas précis, le mari était tellement pris par les charmes de sa jeune épouse que, pour lui faire plaisir, la première et la deuxième épouses ont accepté de céder leur tour à leur compagne. La jeune femme déclare que son mari est un homme puissant, et qu'il « le fait » plusieurs fois dans la journée. Les yeux agrandis, elle mime avec son bras, de haut en bas, une mécanique inépuisable, pour me faire mieux comprendre ce qu'elle veut dire.

À présent, elle est terrorisée, car elle vient de donner naissance à une fille, et non à un fils. Son mari sera en

198

colère quand il viendra les chercher pour les ramener au village, car les premiers-nés de ses autres femmes sont des garçons. Elle a un mauvais pressentiment et craint de devenir un objet de mépris pour son mari.

Elle se souvient très peu de son enfance, qui lui paraît maintenant remonter à un siècle. Elle a grandi pauvrement et ne connaît que le travail harassant et les sacrifices quotidiens. Elle raconte comment elle a aidé ses nombreux frères et sœurs à mener les troupeaux de chèvres et de chameaux, et à entretenir un petit jardin. J'aimerais bien connaître ses sentiments sur les hommes, les femmes, la vie en général, mais comme elle a été cruellement privée d'éducation, je ne reçois pas les réponses que j'attends.

Elle est partie avant que je lui dise au revoir. Je me sens glacée en pensant à sa morne existence, et me traîne jusqu'à ma suite princière, assez déprimée.

Dans son hystérie pour la sécurité de son fils, Karim a posté des gardes armés à la porte de mes appartements. En revenant de ma triste promenade à la nursery, je vois avec étonnement que d'autres gardes sont installés devant une autre porte. Je me dis qu'une autre princesse doit être en train d'accoucher, et je m'empresse de demander son nom à l'infirmière. Le sourire s'éteint aussitôt sur ses lèvres, un pli soucieux se creuse sur son front, entre les sourcils, tandis qu'elle me répond que je suis la seule princesse dans cet hôpital !

Puis elle accepte de me raconter l'histoire, non sans m'avertir qu'elle en est parfaitement scandalisée. Après quoi, elle se met à insulter le monde entier, avant de décrire ce qui s'est passé dans la chambre 212. Elle ajoute que rien de ce genre ne pourrait arriver dans son pays — les Anglais sont civilisés, dieu merci ! — et que le reste du monde est barbare.

Ma seule imagination ne me permet pas de la suivre dans sa colère. Je la supplie de me décrire enfin ce qui se passe derrière cette porte, avant la visite de Karim.

Elle se décide : la veille, le personnel de la clinique a été mis en alerte ; une jeune femme sur le point d'accoucher est arrivée, enchaînée des pieds et des mains, à la maternité, escortée par des gardes armés. Un groupe de *mutawas* furieux, suivis de l'administrateur paniqué, leur emboîtait le pas. Ils ont désigné eux-mêmes, et sans l'avis de l'administrateur, un médecin.

Le médecin, consterné, a été avisé que cette jeune femme venait d'être traînée devant la Shari'a, le tribunal islamique, et jugée coupable de fornication. Comme il s'agit d'un crime de *Hudud*, c'est-à-dire contre Dieu, le châtiment est sévère. Les *mutawas*, drapés dans leur dignité et leur rigueur, étaient venus là pour s'assurer de la punition adéquate.

Le médecin, un musulman d'origine indienne, n'a pas pu protester devant les *mutawas*, il était cependant furieux du rôle qu'on lui faisait jouer. Il a expliqué au personnel que la punition habituelle pour le crime de fornication est la flagellation mais que, dans ce cas précis, le père a demandé la mort pour sa fille. Elle doit rester sous bonne garde jusqu'à l'accouchement, après quoi, elle sera lapidée jusqu'à ce que mort s'ensuive.

Le menton de l'infirmière tremble d'indignation en achevant son récit. Elle a vu cette jeune femme, et c'est encore une enfant. Elle lui donne environ quatorze ou quinze ans. Elle ne sait presque rien d'autre et m'abandonne à mes réflexions pour aller commenter l'affaire avec les autres infirmières.

Je supplie Karim de tirer cette histoire au clair. Il hésite — cela ne nous concerne pas. Devant mes pleurs et mes supplications, il promet tout de même de se renseigner.

Sara vient illuminer ma journée en apportant de bonnes nouvelles de son histoire d'amour. Asad a parlé à notre père, il a reçu la réponse positive qu'il espérait. Sara et Asad se marieront dans trois mois. Je suis enthousiasmée ; ma sœur a connu si peu de bonheur dans la vie.

Elle apporte aussi d'autres nouvelles qui me nouent l'estomac de peur. Avec Asad, ils ont inventé de se retrouver tous les deux seuls à Bahrein le week-end prochain. J'ai beau protester, Sara déclare qu'elle fera ce voyage pour rejoindre Asad, avec ou sans mon secours.

Elle a prévu de dire à notre père qu'elle restait encore chez nous, au palais, pour m'aider dans mon nouveau rôle de mère. À l'inverse, elle expliquera à Noorah qu'elle retourne chez notre père. Elle pense que personne ne devinera la vérité.

Je lui demande comment elle s'y prendra pour voyager sans la permission de notre père — c'est lui qui garde nos passeports, enfermés à l'abri dans son bureau. Sans compter qu'il lui faut une lettre d'autorisation paternelle, sinon, elle ne pourra jamais monter dans l'avion. Sa réponse me terrorise. Elle a emprunté un passeport et une lettre d'autorisation à une amie, qui devait aller à Bahrein rendre visite à des parentes ; l'une d'elles étant tombée malade, le voyage a été annulé.

Comme toutes les Saoudiennes sont voilées et que les gardes à l'aéroport n'ont jamais le culot de demander à voir le visage d'une femme, beaucoup de Saoudiennes échangent ainsi leurs passeports. La lettre d'autorisation devrait être une difficulté supplémentaire, mais elles l'échangent en même temps que les passeports.

Sara rendra la pareille à son amie, une autre fois. Il lui suffira de prévoir un voyage dans un pays proche, et de l'annuler à la dernière minute, sous n'importe quel prétexte. Elle pourra alors donner ses papiers à son amie.

C'est un système souterrain et compliqué, auquel les hommes de chez nous n'ont jamais pensé. Cela m'a toujours amusée, cette aisance avec laquelle les femmes se repassent leurs passeports officiels au nez et à la barbe de leurs geôliers, mais cette fois il s'agit de ma sœur, je tremble d'angoisse.

Dans un dernier effort pour dissuader Sara d'accomplir ce genre d'aventures téméraires, je lui raconte l'histoire de la jeune femme qui attend, dans la chambre voisine, d'être lapidée à mort. Comme moi, Sara est épouvantée par cet acte de barbarie. Mais elle ne renonce pas à son projet. Je tremble d'appréhension en acceptant de lui servir de couverture, alors qu'elle pouffe de rire à l'idée de rencontrer Asad, sans aucun mentor. Il s'est débrouillé pour obtenir l'appartement d'un ami à Manama, capitale du petit État de Bahrein.

Toute à son excitation, Sara sort mon fils de son cocon de soie. Les yeux pleins de bonheur, elle se gave de cette petite perfection; elle aussi connaîtra bientôt la joie de la maternité, elle dit qu'ils auront six enfants, puisque c'est la prédiction de Huda.

Je me réjouis du bonheur de ma sœur, mais la peur ma glace le ventre.

Ce soir, Karim revient de bonne heure avec des informations sur la condamnation de ma petite voisine. Il a appris que cette fille a la réputation d'être impudique, qu'elle s'est trouvée enceinte après avoir fait l'amour avec un groupe d'adolescents. Karim est dégoûté par son comportement. Selon lui, cette fille a déshonoré le nom de sa famille en méprisant les lois de notre pays et ses parents ne pouvaient pas agir différemment.

Je demande à mon mari s'il connaît la punition des jeunes gens impliqués dans l'affaire. Il n'a pas de réponse à donner. Je me permets de lui faire remarquer que l'on aurait pu sermonner cette jeune fille sévèrement, au lieu de la condamner à mort ; dans le monde arabe, lorsqu'il s'agit de sexe, on fait toujours retomber entièrement la faute sur les épaules des femmes.

Je suis stupéfiée de voir Karim accepter avec autant d'indifférence l'exécution prochaine de cette enfant, quel que soit son crime. Malgré mes supplications pour qu'il fasse un effort et intervienne auprès du roi, le seul à pouvoir fléchir le père et atténuer ce châtiment trop cruel, Karim ne veut rien savoir de mes larmes et dissimule mal son irritation. Pour lui, le sujet est clos.

Au moment de nous dire au revoir, je me replie maussadement sur moi-même. Je l'observe sans émotion et sans un mot tandis qu'il couvre son fils de baisers et lui promet une vie parfaite.

Je m'apprête à quitter la clinique lorsque l'infirmière anglaise, blanche de colère, fait irruption dans mes appartements. Les nouvelles de la jeune condamnée sont affreuses. L'infirmière a une mémoire qui donne la chair de poule, elle a enregistré jusqu'au plus atroce détail ce que lui a raconté le médecin indien. La jeune condamnée a donné le jour à une petite fille aux premières heures de l'aube. Trois *mutawas*, ayant eu connaissance de l'indignation de la communauté étrangère en ville, sont restés plantés avec les gardes armés à l'entrée de la salle de délivrance, pour veiller à ce qu'aucun sympathisant étranger ne vienne aider la jeune femme à s'évader.

Après l'accouchement, on a ramené la mère sur un chariot dans sa chambre. Là, les *mutawas* ont informé le médecin que la jeune mère serait emmenée le jour même, et lapidée pour son crime contre Dieu. Le sort du nouveau-né n'est pas encore réglé, la famille refusant d'élever cette enfant comme la sienne.

Les yeux agrandis d'horreur, l'infirmière me raconte ce

que la jeune fille, en larmes, a expliqué au médecin des événements qui l'ont conduite à cette situation tragique.

Elle se nomme Amal et elle est la fille d'un commerçant de Riyad. Elle n'avait que treize ans et venait juste d'être voilée quand, pour elle, la vie a basculé.

C'était un jeudi, il faisait nuit. Le jeudi est chez nous l'équivalent du samedi soir en Occident. Ses parents, en voyage aux Émirats pour le week-end, ne devaient pas rentrer avant le samedi midi. Les trois domestiques philippins de la maison dormaient, le chauffeur se trouvait dans sa petite maison près du portail, loin du bâtiment principal. Ses frères et sœurs plus âgés vivent dans d'autres quartiers de la ville.

Ce soir-là, Amal était donc seule à la maison, avec son frère de dix-sept ans. On l'avait chargé, ainsi que les trois Philippins, de veiller sur sa jeune sœur. Mais, profitant de l'absence de ses parents, le frère avait invité un groupe d'adolescents de ses amis. La salle de jeu étant située juste en dessous de sa chambre, Amal a dû supporter la musique tonitruante et les éclats de voix jusque tard dans la soirée. Elle pensait que son frère et ses camarades étaient en train de fumer de la marijuana, une drogue dont le garçon s'était récemment entiché.

Finalement, comme les murs de sa chambre ne cessaient de vibrer sous la puissance de la stéréo, elle a décidé de descendre pour demander à son frère et à ses amis de baisser le volume. Elle n'était vêtue que d'une longue chemise de nuit légère, et n'avait pas du tout l'intention d'entrer dans la pièce, seulement de passer la tête par la porte et de leur crier de se calmer.

Les lumières étaient tamisées, la pièce presque dans le noir. Comme son frère ne répondait pas à ses cris, Amal est entrée pour le chercher. Il était introuvable. Les autres adolescents, complètement drogués, parlaient des femmes. Ils se sont jetés sur Amal à plusieurs, et elle s'est retrouvée plaquée au sol. Elle s'est mise à hurler pour appeler son frère en essayant de faire comprendre aux garçons qu'elle était la fille de la maison, mais rien ne pouvait plus entrer dans leurs cervelles bourrées de drogue.

On lui a arraché sa chemise. Les amis de son frère l'ont brutalement assaillie, comme un troupeau en délire. Le volume de la musique couvrait les bruits de l'agression, et personne n'a entendu les appels au secours d'Amal. Elle a perdu connaissance après que le troisième garçon l'eut violée.

Son frère était aux toilettes, mais tellement drogué qu'il s'était effondré contre un mur, et endormi pour le reste de la nuit. Plus tard, lorsque la lumière de l'aube a effleuré les visages et que les agresseurs ont compris la vérité sur l'identité d'Amal, ils ont fui la maison.

Le chauffeur et les trois Philippins ont emmené Amal à l'hôpital le plus proche. Aux urgences, le médecin a prévenu la police. Les *mutawas* s'en sont mêlés.

Amal vivait retirée du monde, comme toutes les femmes ; elle n'a donc pas pu dire les noms de ses agresseurs, seulement qu'ils étaient des relations de son frère. Il fallut demander les noms au frère, mais le temps de localiser les jeunes gens et de les faire comparaître devant la police pour une enquête, ils s'étaient arrangés entre eux pour inventer une histoire.

D'après leur version de la soirée, il n'y avait pas de drogue. Ils ont simplement reconnu qu'ils écoutaient de la musique et s'amusaient innocemment. Ils ont raconté qu'Amal était entrée dans la pièce en chemise de nuit, et les avait provoqués pour faire l'amour. Elle aurait dit aux garçons qu'elle était en train de lire un livre érotique dans sa chambre et qu'elle voulait en savoir davantage. Ils prétendent l'avoir d'abord ignorée, mais elle se serait tenue d'une telle manière, s'asseyant sur leurs genoux, les embrassant, caressant leurs corps, qu'ils n'ont pas pu résister plus longtemps. On avait laissé cette fille sans chaperon, et elle avait bien l'intention de s'offrir du bon temps avec des garçons. Ils ont enfin déclaré qu'elle s'était montrée insatiable et leur avait demandé de participer tous à l'orgie.

Les parents sont rentrés des Émirats. La mère d'Amal croyait la version de sa fille ; folle de chagrin, elle n'a pas réussi à convaincre le père de l'innocence d'Amal. Le père, qui n'avait jamais supporté les filles, choqué par l'événement, a estimé que les garçons avaient agi comme n'importe quel mâle l'aurait fait dans de telles circonstances. La dureté dans le cœur, il a conclu que sa fille devait être punie pour avoir couvert son nom de honte.

Quant au frère d'Amal, craignant une sévère punition pour avoir fait usage de drogue, il n'a pas eu un geste pour innocenter sa sœur. Les *mutawas* ont offert au père leur soutien et leur réconfort moral dans sa ferme conviction, l'ont consolé, embrassé pour son intégrité religieuse.

Amal doit mourir aujourd'hui.

Je ne peux plus écouter les récriminations furieuses de l'infirmière anglaise, trop émue, trop écrasée de chagrin et d'émotions. J'imagine les efforts inutiles qu'a déployés cette pauvre mère pour sauver sa fille d'un destin cruel, et mon bonheur personnel perd misérablement tout intérêt.

Je n'ai jamais assisté moi-même à une lapidation, mais Omar y est allé à trois occasions ; il a pris grand plaisir à nous décrire le sort qui attend les femmes futiles, incapables de garder leur honneur, si précieux aux yeux des hommes. Je repense aujourd'hui à ces récits sur le vif, ils pèsent encore dans ma mémoire.

Quand j'avais douze ans, une femme d'un petit village, non loin de Riyad, a été jugée coupable d'adultère, et condamnée à mourir par lapidation. Omar et le chauffeur de l'un de nos voisins ont décidé d'assister au spectacle.

Une foule immense s'était rassemblée depuis le matin,

agitée, impatiente de voir arriver l'« infâme ». Omar a raconté que la foule était déjà furieuse d'impatience sous le soleil brûlant, lorsqu'une jeune femme de vingt-cinq ans environ a été brutalement jetée hors d'un car de police. Omar a précisé qu'elle était fort jolie, exactement le genre de femmes capable d'enfreindre les lois de Dieu.

On lui avait lié les mains. Elle avait la tête baissée. Sur un ton officiel, un homme a lu à voix haute les circonstances de son crime, afin que la foule puisse l'entendre. On l'a bâillonnée d'un chiffon sale, puis on a mis sur sa tête un capuchon noir. On l'a forcée à s'agenouiller. Le bourreau, un homme immense, l'a fouettée. Cinquante coups.

Un camion est arrivé pour décharger des monceaux de pierres et de roches. L'homme qui avait lu la condamnation a informé la foule que l'exécution pouvait commencer. Un groupe de gens, des hommes en majorité, s'est rué sur les pierres et a commencé à les lancer sur la femme. La coupable s'est effondrée à terre très rapidement, le corps secoué de soubresauts, roulant sur lui-même. Omar a expliqué que les pierres cognaient sur son corps, rebondissaient, et cela pendant un temps interminable. Parfois, on arrêtait les jets de pierres pour qu'un médecin prenne le pouls de la condamnée.

Après une séance de deux heures environ, le médecin a finalement décrété la mort de la jeune femme, et la lapidation a cessé.

L'infirmière anglaise me tire à nouveau de mes sombres pensées en surgissant dans ma chambre, très agitée. La police et les *mutawas* sont en train d'emmener ma voisine. Si je viens dans le couloir, je pourrai voir son visage, car elle n'est pas voilée !

J'entends effectivement un grand remue-ménage dans le couloir. Vite, je mets mon voile, mes jambes m'entraînent au-dehors, sans que j'aie la moindre idée de ce que je vais faire.

La condamnée est une petite chose fragile, de la taille d'une enfant, entre les gardes impassibles qui la conduisent vers son destin. Elle a le menton rentré dans la poitrine; il est difficile d'apercevoir l'expression de son visage. Mais j'arrive à discerner à quel point elle est jolie. Une enfant qui aurait dû grandir en beauté... si on lui avait permis de grandir. Elle jette des regards craintifs sur l'océan de visages qui l'observent avec curiosité. Sa peur est visiblement terrible. Personne de sa famille ne l'accompagne à la tombe. Il n'y a ici que des étrangers pour la regarder passer sur le chemin de son dernier voyage.

Je rentre dans ma suite princière. Je prends mon fils dans mes bras; avec toute ma tendresse je berce celui qui a la chance de ne pas appartenir au sexe faible. Je scrute pensivement le tout petit visage. Agira-t-il de même? Cautionnera-t-il ce système si injuste pour les femmes et, de ce fait, injuste pour sa mère et pour ses sœurs?

Je me demande s'il ne vaudrait pas mieux que, dans mon pays, tous les bébés femelles soient mis à mort dès leur naissance. L'acharnement des hommes serait peut-être modifié par notre absence...

La question qui me vient à l'esprit me fait trembler. Comment une mère peut-elle protéger ses filles contre les lois de ce pays?

La vaillante infirmière anglaise a les yeux pleins de larmes. Elle me demande avec émotion pourquoi, moi, une princesse, je ne suis pas intervenue afin d'arrêter une telle folie. Je lui explique que je n'ai pas le pouvoir d'aider la condamnée. Les femmes n'ont pas droit à la parole, dans mon pays; pas une voix ne peut s'élever, pas même celle d'une princesse de la famille royale. J'ajoute avec tristesse que non seulement cette enfant subira la mort annoncée, et que cette mort sera atroce, mais que nul n'enregistrera son existence ni son décès.

Je songe avec rancœur et amertume aux vrais coupables, qui se promènent librement, sans se préoccuper le moins du monde de la mort tragique qu'ils ont provoquée.

Le visage enjoué, Karim arrive à la clinique. Il a organisé notre retour au palais aussi méticuleusement qu'un plan de guerre. Une escorte de police doit faciliter le trajet au milieu de l'intense circulation de la cité moderne et en pleine extension de Riyad.

Il me fait taire dès que j'essaie de lui raconter ce qui vient de se passer. Il n'a pas envie d'entendre de si terribles choses alors qu'il porte son fils dans les bras, et le conduit vers sa destinée de prince, en un pays qui élève et rassure, tranquillise et lénifie un être comme lui.

Mon mari se préoccupe à peine du sort de cette humble fille, et mes sentiments pour lui en souffrent. Je pousse un profond soupir. Je me sens si seule, si effrayée. Comment mes futures filles et moi-même allons-nous faire face aux années qui viennent ?

Mort d'un roi

L'année 1975 est pour moi une année chargée de souvenirs doux-amers. Une année hybride, mêlée à la fois de bonheur lumineux et de sinistre découragement, tant pour ma famille que pour mon pays.

Entouré de tous ceux qui l'aiment, Abdullah, mon fils adoré, fête son second anniversaire. Nous avons fait venir de France, dans l'un de nos avions privés, un petit cirque afin de l'amuser. Le cirque s'est installé pour une semaine dans le palais du père de Karim.

Sara et Asad ont survécu à leur audacieux rendez-vous d'amour. Ils sont maintenant mariés, heureux, et attendent leur premier bébé. Très impatient de le voir naître, Asad est allé à Paris acheter tous les vêtements d'enfants disponibles dans trois grands magasins. Noorah, qui n'en croit pas ses yeux, raconte à qui veut l'entendre que son fils a perdu l'esprit. Environnée d'un tel amour, ma sœur irradie enfin de bonheur.

Ali fait ses études aux États-Unis et n'est plus directement concerné par les existences de ses sœurs. Il a donné à notre père la peur de sa vie, en lui annonçant qu'il était tombé amoureux d'une Américaine de la classe ouvrière. Au grand soulagement de père, il est tellement volage qu'il n'a pas tardé à changer d'avis ; finalement, il préfère une épouse saoudienne. Nous avons su plus tard que cette Américaine l'avait assommé avec un chandelier, le jour où il s'était montré violent et querelleur, exigeant d'elle une obéissance absolue !

Nous, les jeunes couples saoudiens modernes, nous sommes partisans d'un adoucissement subtil dans les restrictions sévères qui régissent la vie des femmes. Peu à peu, les efforts de notre roi Faysal et de son épouse Iffat pour promouvoir l'éducation et l'indépendance des femmes donnent des résultats. Notre instruction va de pair avec la détermination de changer le pays. Certaines femmes sont résolues à ne plus se voiler le visage. Elles continuent à cacher leurs cheveux, à porter l'*abaaya,* mais leur courage donne de l'espoir à toutes les autres. Nous, les princesses de sang royal, nous n'obtiendrons jamais une telle liberté. C'est la classe moyenne qui montre la voie. Des écoles féminines sont maintenant ouvertes, sans crainte de la désapprobation et des manifestations publiques des *mutawas.* Nous avons la certitude que l'éducation des femmes nous mènera à l'égalité.

Malheureusement, les arrêts de mort pour les femmes, décrétés par des fondamentalistes incultes, sont toujours monnaie courante. Petit pas après petit pas, nous nous accrochons avec obstination.

En l'espace de six mois, nous voilà devenus, Karim et moi, propriétaires de quatre maisons : notre palais à Riyad est enfin terminé ; Karim estimant que son fils grandira mieux en respirant la brise fraîche du bord de mer, nous achetons une villa sur la côte de Djeddah ; mon père possède à Londres, à quatre rues de chez *Harrods,* un appartement immense qu'il nous offre au détriment de ses autres enfants. Étant donné que mes sœurs et leurs maris possèdent déjà des appartements à Londres et que Sara et

Asad sont sur le point d'en acheter un à Venise, nous saisissons avec joie l'occasion d'avoir une résidence dans cette ville colorée et animée, si aimée des Arabes. Enfin, à l'occasion du troisième anniversaire de notre mariage et en guise de cadeau pour l'avoir honoré d'un fils, Karim m'achète une charmante villa au Caire.

À la naissance d'Abdullah, le joaillier de la famille est allé en avion de Riyad à Paris afin de rapporter un choix de diamants, de rubis et d'émeraudes, qu'il a montés en sept colliers différents, avec bracelets et boucles d'oreilles assortis. Inutile de dire que je suis richement récompensée pour avoir fait ce que je voulais !

Nous passons tous les deux beaucoup de notre temps à Djeddah. Heureusement notre villa est située dans un endroit très recherché, fréquenté par la famille royale. Nous jouons au backgammon, tout en veillant sur notre fils, entourés de domestiques philippins ; nous barbotons dans des eaux bleues qui regorgent de poissons exotiques. Même nous, les femmes, nous avons le droit de nager, à condition de garder nos *abaayas* bien serrées autour du corps jusqu'à ce que nous soyons dans l'eau jusqu'au cou. L'une des servantes vient me débarrasser de mon *abaaya*, que je lui tends à bout de bras, et ainsi je peux nager et plonger à ma guise. Je suis aussi libre qu'il est possible de l'être à une femme saoudienne.

Nous sommes à la fin de mars, pas encore dans les mois chauds de l'année, si bien qu'il est difficile de s'attarder dans l'eau après le soleil de midi. Je demande à une servante de ramener notre fils et de le rincer sous la douche portable. Nous le regardons glisser sous l'eau chaude, et agiter ses jambes dodues. Nous sourions, pleins de fierté. Karim me prend la main et la serre en disant qu'il se sent coupable d'être aussi heureux. Je lui reprocherai plus tard de nous avoir porté malheur, ainsi qu'à tous les Saoudiens, en parlant trop de sa joie de vivre.

Beaucoup d'Arabes croient au mauvais œil. Nous n'évoquons jamais à voix haute notre bonheur ou la beauté de nos enfants — il est toujours possible que l'esprit du diable nous entende, et nous vole l'objet de notre joie, ou nous fasse du mal en nous arrachant un être aimé. Pour écarter le mauvais œil, nos enfants portent toujours, accrochés à leurs vêtements, des chapelets de perles bleues. Aussi modernes que nous soyons, notre fils ne fait pas exception.

Quelques instants plus tard, nous voyons avec horreur Asad accourir vers nous en criant :

— Le roi Faysal est mort! Quelqu'un de la famille l'a assassiné!

Le souffle coupé par l'émotion, nous attendons en tremblant qu'Asad nous raconte les rares détails qu'il tient d'un cousin royal.

À l'origine de la mort de notre oncle, il y a une querelle vieille de dix ans à propos de l'ouverture d'une station de télévision. Le roi Faysal a toujours été pour la modernisation et le progrès dans notre pays rétrograde. Karim l'a entendu dire une fois que bon gré, mal gré, il pousserait les Saoudiens, à coup de pied s'il le fallait, dans le XXe siècle. Les problèmes qu'il a dû affronter avec les extrémistes et les religieux étaient en fait la suite logique des vexations subies par ces derniers sous le règne de notre premier dirigeant, le père de Faysal, Abd al Aziz. Ces religieux luttaient alors furieusement contre l'ouverture de la première station de radio, et notre premier roi était venu à bout de leurs objections en ordonnant qu'on lise le Coran sur les ondes. Les intégristes ne pouvaient guère trouver pécheresse cette méthode rapide de répandre la parole de Dieu.

Quelques années plus tard, lorsque le roi Faysal a voulu faire installer des stations de télévision pour son peuple, il a rencontré la même opposition des Ulémas et des chefs religieux. Des membres de la famille royale se sont joints, malheureusement, à leurs protestations. En septembre 1965, alors que je n'étais encore qu'une enfant, l'un de nos cousins prit la tête d'une manifestation contre une station de télévision, à quelques kilomètres de Riyad. Le prince renégat et ses partisans démolirent entièrement la station. Cet épisode s'est terminé en fusillade avec la police, et il a été tué.

Près de dix ans ont passé, mais la haine bouillonnait encore dans l'esprit du jeune frère du prince, qui s'est vengé en tuant notre oncle le roi.

Karim et Asad s'envolent pour Riyad. Avec Sara et nos cousines de sang royal, nous nous rassemblons à l'abri des murs de notre palais. Tout le monde pleure et crie son chagrin à l'autre! Peu de femmes n'aimaient pas le roi Faysal, car il était notre seule chance, je dirais même notre ultime chance, de liberté. Lui seul avait le double prestige d'être un homme religieux et le promoteur de la cause des femmes dans notre pays. Il estimait que nos chaînes étaient les siennes, et suppliait nos pères de le soutenir dans sa quête de changement social. Une fois, je l'ai entendu moi-même dire que, même si les rôles de l'homme et de la femme étaient différents, ils étaient également voulus par Dieu, et qu'un sexe ne pouvait pas dominer l'autre avec une telle suprématie. D'une voix douce, il a ajouté qu'il ne serait pas complètement heureux avant que chaque citoyen de son pays, homme ou femme, soit maître de son destin individuel. Il était convaincu que l'éducation des femmes était indispensable pour renforcer notre cause, et que l'ignorance nous enfermait dans l'obscurantisme.

Après le roi Faysal, aucun dirigeant ne se fera le champion de cette cause. Avec le recul, je me rends compte que notre petite ascension vers la liberté a entamé sa chute au moment où la vie du roi a explosé sous les balles hypocrites de sa propre famille. Et ce jour-là, nous, les femmes, nous savons que notre seul espoir de liberté va être enterré avec lui.

Chacune d'entre nous éprouve de la haine pour la famille qui a engendré ce cousin, Faisal ibn Musaid, assassin et fossoyeur de nos rêves et de nos espoirs. L'une de mes cousines crie à qui veut l'entendre que le père de l'assassin n'est pas sain d'esprit. Demi-frère du roi Faysal lui-même, il est pourtant né premier dans la hiérarchie de l'accession au trône, mais il a fui tout contact avec les membres de sa famille et toutes les responsabilités du trône. L'un de ses fils était un fanatique, prêt à mourir pour empêcher une malheureuse chaîne de télévision de s'installer, un autre vient de tuer Faysal, notre roi bien-aimé et respecté.

Rien n'est pire que d'imaginer l'Arabie Saoudite sans un tel sage pour nous guider. Je n'ai jamais vu un pareil chagrin populaire. C'est comme si le pays tout entier et tous ses citoyens étaient à l'agonie. Le meilleur des chefs que notre famille pouvait offrir à son peuple vient d'être abattu par l'un des siens.

Trois jours plus tard, le bébé de Sara prend sa mère en traître en arrivant au monde prématurément. La petite Fadeela porte le prénom de notre mère et rejoint la nation en plein deuil. Notre peine est profonde, la guérison très improbable, mais « Petite Fadeela » réveille nos cœurs, et nous interprétons l'arrivée de cette nouvelle vie comme un message de joie.

Craignant l'avenir pour sa fille, Sara parvient à convaincre son mari de signer un document dans lequel il certifie que Fadeela sera libre de choisir son mari sans intervention de la famille. Sara a fait un horrible cauchemar, où Asad et elle mouraient dans un accident d'avion, et où sa fille était élevée dans les traditions cruelles et austères de notre génération. Alors, elle a regardé son mari dans le blanc des yeux en lui jurant qu'elle préférerait commettre un meurtre plutôt que de voir sa fille mariée à un sadique. Asad, toujours fou d'amour pour sa femme, l'a réconfortée en lui signant ce papier et en ouvrant en Suisse, au nom de l'enfant, un compte d'un montant de un million de dollars. La fille de Sara aura les moyens légaux et financiers d'échapper à ses propres cauchemars si la nécessité s'en fait sentir.

Ali revient des États-Unis pour les vacances d'été et il est, si possible, encore plus détestable que dans mon souvenir. Il se croit malin en nous racontant ses escapades avec des femmes américaines, et en affirmant que oui, c'est vrai, exactement comme on le lui a dit : les Américaines sont toutes des putains ! Karim l'interrompt en lui faisant remarquer qu'il a lui-même rencontré à Washington beaucoup de femmes de haute moralité, mais mon frère s'esclaffe en insinuant que les choses ont beaucoup changé. Il prétend que les femmes qu'il a rencontrées dans les bars prennent l'initiative et proposent de faire l'amour avant même qu'on ne parle. Karim répond que, justement, toute la question est là : si une femme est seule dans un bar, c'est qu'elle attend de passer une nuit, ou un bon moment, avec quelqu'un. Après tout, les femmes sont libres en Amérique, comme les hommes. Karim conseille à Ali d'aller à la sortie des églises ou aux réceptions culturelles ; là, il serait surpris du comportement des femmes ! Ali n'en croit rien. Il prétend avoir testé en Amérique la moralité de toutes les femmes, de tous styles. D'après son expérience, elles sont toutes, et définitivement, des putains.

Comme la plupart des musulmans, Ali refuse de voir ou de comprendre les coutumes et les traditions d'autres religions et d'autres pays. La seule et unique connaissance que la plupart des Arabes ont de la société américaine vient des films de série B, ou de minables shows télévisés. Plus important, les Saoudiens voyagent seuls et la réclusion qu'ils imposent à leurs compagnes fait que leur intérêt se porte sur les femmes étrangères. Malheureusement, ils ne rencontrent que des femmes qui travaillent dans les bars, comme strip-teaseuses ou prostituées. Cette vision déforme l'opinion des Saoudiens sur la moralité occidentale féminine.

Comme la plupart des femmes de chez nous ne voyagent pas, elles croient également aux histoires que racontent leurs maris ou leurs frères. Résultat, la grande majorité des Arabes sont sincèrement persuadées que la plupart des Occidentales sont réellement des prostituées.

Même en admettant que mon frère soit beau, de cette sorte de beauté exotique qui attire beaucoup de femmes, je sais parfaitement, et sans aucun doute, que chaque Américaine n'est pas une putain ! Je confie à Karim que j'aimerais bien avoir l'occasion de voyager avec mon frère. Que ce serait drôle de le suivre à la trace en brandissant derrière lui une pancarte qui dirait :

« Cet homme te dédaigne en secret et te méprise ! Si tu dis oui à cet homme, il racontera à tout le monde que tu es une putain ! »

Avant de retourner aux États-Unis, Ali a prévenu notre père qu'il était prêt à prendre une première femme. La vie sans le sexe, c'est le bagne, prétend-il, et il voudrait une femme à sa disposition chaque fois qu'il reviendra en vacances à Riyad. Plus important, il est temps pour lui d'avoir un fils. Car, sans fils, un homme ne représente rien, en Arabie Saoudite, et tous ceux qui le connaissent se moquent de lui.

Sa jeune femme ne pourra pas vivre avec lui aux États-Unis, bien entendu ; elle devra s'installer dans la maison de mon père, soigneusement gardée par Omar et les autres domestiques. Ali explique qu'il doit être libre afin de profiter de la morale laxiste américaine! Sa seule exigence concernant sa femme, exception faite de sa virginité, bien sûr, est qu'elle doit être jeune — pas plus de dix-sept ans — exceptionnellement belle et obéissante.

En deux semaines, Ali est promis à une cousine royale. La date du mariage est fixée à décembre, quand il aura plus d'un mois de vacances entre les cours.

À voir mon frère, je me rends compte à quel point j'ai eu de la chance en épousant un homme comme Karim. Certes, mon mari est loin d'être parfait, mais Ali représente le mâle saoudien type. Supporter un maître tel que lui doit transformer la vie en enfer.

Avant son départ pour les États-Unis, la famille se rassemble dans notre villa de Djeddah. Un soir, parce qu'ils ont trop bu, les hommes se font discuteurs. Après le dîner, la question futile de savoir si oui ou non les femmes peuvent conduire une automobile vient sur le tapis. Karim et Asad sont d'accord avec Sara et moi pour que cette interdiction stupide évolue, puisqu'elle ne repose sur aucun fondement islamique. Nous citons l'exemple des femmes qui pilotent des avions dans les pays industrialisés, alors qu'on ne nous laisse même pas conduire une voiture! Beaucoup de Saoudiens ne peuvent pas s'offrir plus d'un chauffeur. Que fait donc la famille s'il est parti faire des courses? Que se passe-t-il en cas d'urgence médicale si le chauffeur n'est pas disponible, ou s'il est au marché? Les Saoudiens ont-ils si peu confiance dans les capacités des femmes, qu'ils préfèrent laisser conduire — et c'est courant chez nous — des enfants de douze ou treize ans plutôt que des femmes adultes?

Ali, notre père et Ahmed imaginent alors des situations réellement exaspérantes. Ali prétend que les femmes et les hommes en profiteraient pour avoir des aventures sexuelles dans le désert! Ahmed craint que le voile ne soit une entrave à la visibilité. Notre père évoque la possibilité d'accidents de voitures et la vulnérabilité des femmes attendant dans la rue le policier chargé de la circulation ! Il cherche auprès de ses gendres la confirmation de son opinion, selon laquelle une femme derrière un volant serait un danger pour elle-même et pour les autres. Les maris de mes sœurs disparaissent aux toilettes, ou font semblant de remplir leurs verres.

Finalement, d'un air prétentieux, comme s'il venait de trouver à lui seul l'argument décisif, Ali déclare que les femmes étant plus influençables que les hommes, elles voudront imiter les jeunes qui font des courses en voiture à travers les rues. Naturellement, les femmes n'auront pas d'autre idée que de chercher à les égaler, ce qui aurait pour résultat de faire monter les statistiques des accidents !

Mon frère me met décidément en fureur ! Il se trompe s'il croit que j'ai laissé derrière moi les pulsions de ma jeunesse. Le coup d'œil suffisant qu'il me jette me fait bondir. À la surprise de tout le monde, je saute sur Ali, agrippe une poignée de ses cheveux, et tire dessus aussi fort que je peux. Il faut les forces réunies de Karim et de mon père pour me faire lâcher prise. Le rire énorme de mes sœurs déferle dans le salon, tandis que leurs maris me regardent avec un mélange d'effroi et d'admiration.

Le lendemain, Ali essaie de faire la paix avant de partir pour les États-Unis. Ma haine est encore si vive que je l'entraîne dans une conversation sur le mariage, sur l'obstination des hommes à vouloir des épouses vierges, alors qu'ils passent leur temps à user de toutes les femmes possibles. Ali prend la conversation très au sérieux ; il se met à citer le Coran, pour m'édifier sur l'absolue nécessité de la virginité des femmes.

L'ancienne Sultana, celle de tous les traquenards sournois, revient au galop.

Je hoche la tête avec gravité en poussant un long soupir.

Ali me demande ce que j'en pense au fond de mon cœur. J'affirme que, pour une fois, il m'a convaincue, et que, effectivement, toutes les femmes devraient être vierges à leur mariage. J'ajoute, avec une malice parfaitement dissimulée, qu'il n'a pas remarqué à quel point la nature des jeunes filles a changé, et combien il est rare, de nos jours, de trouver une véritable vierge parmi elles.

Au regard interrogateur et incrédule de mon frère, je réponds que, sûrement, peu de femmes se conduisent mal en Arabie Saoudite — pourquoi risqueraient-elles leur vie ? — mais qu'elles profitent des voyages pour rencontrer des partenaires sexuels, et offrir leur plus précieux cadeau à des étrangers.

Ali enrage à l'idée qu'un autre homme que lui, un Saoudien, puisse déflorer une vierge saoudienne ! Nerveusement il s'inquiète de savoir où j'ai eu de telles informations. L'air de le mettre dans la confidence, je supplie mon frère de ne pas révéler notre conversation, car notre père et Karim en seraient scandalisés. Mais je veux bien admettre devant lui que nous discutons entre femmes de cette question, et que c'est bien connu : le temps des vierges s'achève dans notre pays.

Ali pince les lèvres et semble réfléchir intensément. Il me demande comment font ces jeunes filles le soir de leurs noces car, s'il n'y a pas de sang, elles sont répudiées et retournent chez leurs pères. En Arabie, il est toujours de mise que la belle-mère brandisse les draps tachés de sang pour montrer à ses amies et à ses parents qu'une femme pure et honorable vient d'entrer dans la famille.

Je m'approche d'Ali et lui murmure que la plupart des jeunes filles ont recours à la chirurgie pour réparer leur hymen. J'ajoute que beaucoup de jeunes femmes donnent et redonnent leur virginité à des hommes crédules. C'est simple de berner un homme. Il existe des tas de médecins en Europe qui réalisent adroitement ce genre d'opération, et quelques-uns sont connus pour ce service en Arabie Saoudite.

À l'horreur totale de mon frère, je chuchote maintenant que si, par malchance, la fille n'a pas pu faire la réparation à temps pour son mariage, c'est extrêmement facile pour elle de placer le foie d'un mouton, à l'intérieur, juste avant l'acte sexuel. Le mari ne voit pas la différence ! Il a tout simplement défloré un morceau de foie, et pas sa femme !

Une nouvelle angoisse submerge mon égocentrique de frère. Il se précipite immédiatement pour appeler un ami médecin. Le téléphone à la main, il devient livide lorsque son ami reconnaît que de telles pratiques sont possibles. En ce qui concerne le foie de mouton, le médecin n'en a pas entendu parler, mais cela lui semble une des manigances que les femmes immorales inventent tôt ou tard.

Complètement perturbé, Ali vient deux fois à la villa ce jour-là, afin de me demander mon avis sur le meilleur moyen d'échapper à ce genre de tricherie. Je réponds qu'il n'y a aucun moyen, hélas ! à moins de ne pas quitter sa fiancée depuis le jour de sa naissance jusqu'à la nuit de noces. J'ajoute qu'il n'a plus qu'à accepter cette éventualité : après tout, celle qu'il épousera n'est qu'un être humain, et peut avoir commis des erreurs de jeunesse.

C'est un Ali déprimé et soucieux qui retourne aux États-Unis.

Quand je raconte ma blague à Sara, Karim et Asad, Sara ne peut s'empêcher de rire. Karim et Asad échangent un coup d'œil inquiet et regardent tout à coup leurs femmes différemment.

Le mariage d'Ali se fera comme prévu. Sa jeune épouse est douloureusement belle. Dieu que j'ai pitié d'elle.

Nous rions tout de même, avec Sara, de voir Ali continuer à s'angoisser comme un fou. Plus tard, mon mari me réprimande pour avoir mystifié Ali, qui lui a confié qu'il appréhendait désormais l'acte sexuel. Si on le bernait ? Il ne le saurait jamais et serait condamné à vivre dans le doute avec cette femme, et toutes ses futures femmes ! Le plus horrible cauchemar du Saoudien mâle est de passer après un autre en faisant l'amour à la femme qu'il épouse. Si la femme est une prostituée, il n'y a pas de honte mais l'épouse représente le nom de sa famille, elle porte ses fils... L'idée qu'on puisse le tromper est plus que ne peut supporter mon frère.

J'admets volontiers devant mon mari que je suis parfois méchante, et reconnais sans hésitation que je devrais me repentir de beaucoup de péchés le jour du Jugement dernier. Mais, le soir de la nuit de noces de mon frère, je ressens une jubilation que je n'ai jamais connue. J'ai découvert et exploité la plus grande terreur d'Ali.

Chambre de femme

Nura feuillette le Coran, ses mains tremblent à la recherche d'une sourate dans notre Livre saint. Elle place le passage sous mes yeux, et je lis avec une émotion grandissante :

« Si certaines de tes femmes sont coupables de lubricité, demande la preuve à quatre témoins et, s'ils le confirment, emprisonne-les chez elles jusqu'à ce que la mort les réclame[1]. »

Je regarde Nura, puis mes sœurs, l'une après l'autre. Je m'attarde sur le visage défait de Tahani. Tout espoir est perdu pour son amie, Sameera.

Habituellement réservée, Sara parle, pour une fois :

— Personne ne peut l'aider. Le Prophète lui-même ordonne cette punition.

Je rétorque avec flamme :

— Sameera n'est pas coupable de lubricité ! Quatre témoins pour un crime contre Dieu, ça ne devrait pas exister ! Elle est simplement tombée amoureuse d'un Occidental ! Chez nous, les hommes prétendent qu'ils peuvent épouser une femme étrangère, une femme de religion différente, et à nous les femmes c'est interdit ! C'est

1. Sourate 4, *15*. Voir traduction page 296.

stupide ! Cette loi et son interprétation ont été faites par les hommes, pour les hommes !

Nura essaie de me calmer mais je suis bien décidée à combattre jusqu'à la dernière extrémité cette tyrannie contre nature qui crucifie maintenant celle que nous aimons toutes, Sameera.

Hier, les hommes de sa famille et de sa religion ont condamné Sameera à l'enfermement dans une chambre noire, jusqu'à ce que la mort vienne l'enlever. Sameera a vingt-deux ans. La mort ne viendra que très lentement prendre quelqu'un de si jeune et de si fort.

Son crime ? Alors qu'elle fréquentait une école à Londres, elle a rencontré quelqu'un qui n'est pas de notre religion, et elle en est tombée amoureuse.

Dès qu'elles sont en âge de comprendre, on enseigne, non seulement aux femmes saoudiennes, mais aussi à toutes les musulmanes, qu'épouser un non-musulman est un péché : avec un époux chrétien ou juif, la religion de leurs enfants ne serait pas assurée. En effet, comme, au Moyen-Orient, le dernier mot revient toujours au mari, les enfants pourraient être élevés en chrétiens ou en juifs, et l'épouse et la mère n'auraient rien à dire. Or, chaque musulman apprend que l'islam est l'ultime message d'Allah au genre humain et que, par conséquent, c'est une foi supérieure à toutes les autres.

Les musulmans n'ont pas le droit de se placer volontairement sous l'influence de non-musulmans, ni de laisser se développer une telle relation humaine. Pourtant, beaucoup de Saoudiens épousent sans problèmes des femmes de religion différente. Nos enseignements religieux disent en effet que l'union d'un homme musulman avec une femme d'une autre confession est permise, car les enfants seront élevés dans la religion supérieure de leur père. Seules les femmes d'Arabie Saoudite paient le prix suprême pour une liaison avec un non-croyant.

226

Rien que de penser à l'injustice de tout cela, je suis malade de rage.

Nous savons, mes sœurs et moi, que dès maintenant, la vie de Sameera ne sera qu'un long chemin de pierre, qui finira, péniblement et lentement, en une immense tragédie. Et nous, ses amies d'enfance, nous n'avons aucun moyen de lui porter secours.

Sameera est enfant unique. Depuis l'âge de huit ans, elle est la meilleure amie de ma sœur Tahani. Sa mère a souffert d'un cancer de l'ovaire, elle en a guéri, mais on lui a dit qu'elle ne pourrait plus avoir d'enfant. Curieusement, le père de Sameera n'a pas divorcé de sa femme stérile, ce qui aurait été la réaction de la majorité des Saoudiens.

Nous avons connu, mes sœurs et moi, des femmes atteintes de maladies graves, qui ont été rejetées par leur mari. Le stigmate social du divorce est extrêmement grave ; quant au traumatisme émotionnel et financier, il est accablant pour les femmes. Si son enfant n'est plus un nourrisson, il est retiré à la mère divorcée. Si elle a de la chance et des parents qui l'aiment, ils l'accueilleront chez eux, ou un fils aîné lui donnera refuge. Sans une famille compréhensive, la femme est condamnée car, dans notre pays, une célibataire ou une divorcée ne peut pas vivre seule. Il existe des foyers construits par le gouvernement spécialement pour elles, mais la vie y est sinistre et pénible. Peu de divorcées ont la possibilité de se remarier, à moins qu'elles ne soient connues pour leur grande beauté ou leur grande fortune. Comme tout le reste dans la société saoudienne, l'échec d'un mariage et la honte d'un divorce retombent sur la femme.

La mère de Sameera fait partie de celles qui ont eu de la chance. Son mari l'aimait réellement, et il n'a pas songé à l'écarter de sa vie au moment où elle avait tant besoin d'aide. Il n'a pas pris d'autres femmes pour avoir des fils. Dans notre société, le père de Sameera est considéré comme un homme bizarre.

Sameera et Tahani sont les meilleures amies du monde. Et comme nous sommes proches en âge, Sara et moi, de Tahani, nous sommes également ses amies. Il nous est souvent arrivé d'être jalouses de Sameera, et pour bien des raisons. Son père adorait son unique enfant. D'esprit moderne, contrairement à la plupart des hommes de sa génération, il avait promis à sa fille qu'elle ne subirait pas le poids des coutumes ancestrales qui étouffent les femmes d'Arabie.

Sameera a partagé notre peine, en chaque circonstance dramatique. Elle a pris fait et cause pour nous avec passion, à chaque crise paternelle. Je me souviens des larmes de Sameera lors du mariage de Sara. Elle s'accrochait à mon cou en gémissant que Sara allait mourir sous les fers de l'esclavage ! Et c'est à son tour, maintenant, d'être cloîtrée dans la plus noire des prisons, où même les servantes n'ont pas le droit d'entrer, où on lui passe ses repas par un guichet spécial, en bas de l'unique porte. Elle n'entendra plus jamais le son d'une voix humaine. Les bruits du monde entier se réduiront désormais à ceux de son propre souffle.

Cette idée m'est insupportable. Je suggère à Sara de demander l'aide de Karim et d'Asad. Tahani se montre dubitative. Sara, avec lenteur, secoue négativement la tête. Asad a déjà mené sa petite enquête. Ni l'oncle, ni le mari choisi pour Sameera ne lèveront la sentence d'enfermement dans le noir et le silence jusqu'à la mort. Il s'agit d'une histoire entre leur famille et leur Dieu.

L'année de mon mariage, déjà, Sameera avait préparé son avenir avec beaucoup de soin. Depuis sa petite enfance, elle avait l'étrange désir de devenir ingénieur. Aucune femme en Arabie Saoudite n'a eu une telle formation, car on nous oriente vers des carrières réservées : pédiatres, enseignantes, assistantes sociales pour les femmes et les enfants... De plus, les étudiantes saoudiennes ne doivent pas avoir de contact avec des professeurs masculins. Si bien que

228

le père de Sameera avait engagé pour sa fille un professeur particulier, venant de Londres.

Après des années d'efforts et d'études à la maison, Sameera a été acceptée dans une école technique londonienne. Son père était tellement fier de sa fille, si belle et si intelligente, qu'il l'a accompagnée à Londres avec sa mère.

Ses parents l'ont installée dans une maison à elle, avec deux servantes indiennes et un secrétaire égyptien. Puis ils ont dit au revoir à leur fille et sont rentrés à Riyad. Évidemment, ils n'imaginaient pas qu'ils ne se reverraient jamais.

Les mois ont passé. Comme nous nous y attendions, Sameera était une étudiante brillante.

Au bout de quatre mois de séjour à Londres, elle a rencontré Larry, un étudiant venu de Californie.

Les contraires s'attirent, dit-on. Larry, grand, musclé, blond, affichait les manières libres des Californiens, alors que Sameera était mince, d'une beauté exotique, et traumatisée par l'oppression masculine qui règne chez nous.

Elle a écrit à Tahani que cet amour lui alourdissait le cœur car elle savait qu'on lui interdirait d'épouser un chrétien. Larry, catholique, n'accepterait jamais de se convertir à la foi musulmane, ce qui aurait pu simplifier leur situation.

Un mois après, Tahani a reçu une autre lettre encore plus désespérée. Sameera et Larry ne supportaient plus de vivre séparés. Elle allait emménager avec lui à Londres, pour, plus tard, s'enfuir en Amérique, où ils se marieraient. Sameera ajoutait que ses parents pourraient acheter une maison aux États-Unis, afin d'être près d'elle. Elle était persuadée qu'ainsi ses relations étroites avec sa famille ne seraient pas détériorées. Mais il lui faudrait abandonner la nationalité saoudienne et nous ne la reverrions plus au pays, car elle savait bien qu'après son scandaleux mariage avec un non-croyant, son retour ne serait plus possible.

Malheureusement, les parents de Sameera n'ont jamais connu le dilemme de leur fille, car ils sont morts tous les deux, ainsi que leur chauffeur, dans un accident de voiture. Un camion-citerne les a fauchés à un carrefour de Riyad.

Dans le monde arabe, lorsque le chef de famille — toujours un homme — meurt, le frère aîné prend le contrôle de ses affaires et assume la responsabilité des membres survivants. Depuis la mort de son père, le frère aîné est donc devenu le geôlier de Sameera.

Jamais deux hommes d'une même famille n'ont montré si peu de ressemblance. Alors que le père de Sameera était tendre et indulgent, son oncle est un homme dur, inflexible, un extrémiste qui a toujours exprimé sa profonde désapprobation devant l'indépendance de sa nièce. Scandalisé par l'entrée de Sameera dans une école londonienne, il ne parlait plus à son frère.

Faisant peu de cas de l'éducation des filles, il estime que l'on doit les marier le plus tôt possible à un homme d'âge et d'expérience. Récemment, il a lui-même épousé une enfant de treize ans. Elle n'avait eu ses règles que quelques mois plus tôt.

L'oncle de Sameera, père de quatre filles et de trois garçons, les a prudemment mariées au premier signe de puberté. Elles n'ont suivi qu'une scolarité réduite à la couture, la cuisine et des rudiments de lecture leur permettant de déchiffrer le Coran.

Le jour suivant l'annonce de la mort de ses parents, Sameera a reçu un second choc, sous la forme d'un ordre comminatoire de son oncle, maintenant chef de famille : « Rentre à Riyad par le premier avion. Rapporte toutes tes affaires. » Effrayée par la brutale perspective d'une vie sous la coupe de son oncle, Sameera a rassemblé tout son courage et plongé sans réfléchir dans l'irrationnel et l'inconnu. Elle s'est enfuie avec Larry en Californie. L'erreur allait bientôt se révéler fatale.

230

Cette désobéissance flagrante, venant d'une femme, a d'abord fait exploser de colère le nouveau gardien de Sameera. À ce moment-là, il ignorait encore qu'elle avait un amant étranger. N'ayant aucune expérience des femmes non soumises, il n'arrivait pas à comprendre sa rébellion.

À la fin du mois, n'ayant aucune nouvelle de Sameera et ignorant où elle était, il a cru qu'elle était morte et que son corps pourrissait en terre impie. Il s'est obstiné à la rechercher, jusqu'à ce que, sur l'insistance de son fils aîné, il se décide à louer les services d'un détective privé, chargé de retrouver la trace de l'unique enfant de son frère.

Un matin, très tôt, le tyran est arrivé chez Tahani en hurlant de rage, le rapport du détective à la main. Il voulait que ma sœur, la confidente de Sameera, lui dise où se cachaient sa nièce « impie » et son « infidèle » d'amant...

Quand elle raconte cette scène, Tahani a encore les yeux grands ouverts d'étonnement devant la fureur de cet homme. Il se tapait la tête contre les murs. Il suppliait Allah de lui venir en aide en faisant périr sa nièce. Il jurait de se venger de l'amant impie, de le dénoncer. Il maudissait le jour où la fille de son frère était née. Il hurlait des prières pour que Dieu envoie toutes les calamités possibles à cette fille sans foi. Il clamait qu'elle avait détruit l'honneur de la famille pour les générations à venir.

Terrorisée par la violence et les hurlements de cet homme, Tahani a couru au bureau de son mari, Habbib. À leur retour au palais, l'oncle était sur le point de partir, non sans prévenir méchamment les domestiques que celui ou celle qui aiderait Sameera encourrait sa colère. Pour calmer les craintes de Tahani, Habbib a reconduit l'oncle dehors en essayant d'éteindre sa fureur. Il lui a juré que sa nièce n'était pas en relation avec les siens.

Isolée à l'étranger, Sameera ignorait que son oncle, acharné à la retrouver, interceptait maintenant le courrier des membres de sa famille. Il avait intimidé tout le monde, en promettant une punition sévère à quiconque aurait un contact direct avec elle. Sameera ne tarderait pas à se mettre en rapport avec quelqu'un de son sang et, lorsque la « grande pécheresse », ainsi qu'il la nommait, aurait cette faiblesse, elle n'échapperait pas à son œil vigilant. Il n'avait qu'à attendre.

Pendant ce temps, en Californie, Larry n'était plus aussi sûr de son amour. Sameera se sentait délaissée, la nouvelle indifférence de son amant l'atteignait profondément. Un jour, terrorisée par son avenir immédiat, elle a téléphoné à Tahani. Elle n'avait que peu d'argent et peu d'amis, dans ce nouveau pays ; si Larry ne l'épousait pas, elle ne pourrait pas résider aux États-Unis. Que pouvait-elle faire ? Tout en laissant sa femme libre de témoigner son amitié à Sameera, Habbib a refusé sa requête de lui envoyer de l'argent.

Comme il ne lui restait plus que quelques milliers de dollars sur son compte, Sameera, désespérée, a commis l'imprudence de téléphoner à sa tante préférée, la plus jeune sœur de son père. Et la tante, soumise au pouvoir de son frère, lui a consciencieusement rapporté l'appel de sa nièce. Ainsi averti des difficultés de Sameera, l'oncle a diaboliquement préparé sa capture et sa soumission.

Il l'a d'abord appâtée en lui promettant la tranquillité dans sa famille si elle prenait un vol pour Le Caire. Il lui a envoyé de l'argent pour ce voyage. Sameera a téléphoné à Tahani en pleurant, et lui a avoué qu'elle n'avait pas le choix : Larry ne l'aimait plus et ne voulait pas l'aider financièrement. Elle n'avait pas encore obtenu son diplôme et ne pouvait donc pas travailler. Elle n'avait plus d'argent. Elle était obligée de venir téléphoner ou de recevoir des appels par l'intermédiaire de l'ambassade d'Arabie Saoudite à Washington et à Londres. Le personnel y était désagréable avec elle. Elle avait expliqué sa situation, et on lui avait répondu sèchement qu'elle n'avait qu'à retourner en Arabie Saoudite.

Elle ne pouvait plus échapper au piège.

Sameera a expliqué à Tahani qu'elle avait du mal à croire que sa tante lui ait dit la vérité, car elle lui avait juré que son frère s'était radouci et qu'il avait accepté qu'elle continue ses études à Londres. Mais, après tout, peut-être l'oncle était-il capable d'indulgence envers la fille unique de son frère !

Convaincue que la colère de l'oncle ne s'était pas éteinte, Tahani ne pouvait pas, malheureusement, mettre Sameera en garde : elle voyait bien que la situation de son amie aux États-Unis était trop précaire, et sans issue.

Deux de ses tantes et deux de ses cousins sont venus chercher Sameera à son arrivée au Caire. Ils l'ont d'abord rassurée, en lui parlant de son prochain retour à Londres, dès qu'elle aurait renoué avec sa famille. Très heureuse, Sameera a cru que tout irait bien. Elle est donc retournée à Riyad...

Comme elle ne recevait pas le coup de téléphone attendu, Tahani s'est mise à craindre le pire pour son amie. Finalement, elle s'est décidée à appeler elle-même des parents de Sameera. On lui a seulement expliqué que Sameera avait un peu de fièvre et ne se sentait pas assez bien pour parler à ses amies. Tahani s'est dit qu'elle recevrait un appel lorsqu'elle irait mieux.

Deux semaines après son retour, l'une des tantes de Sameera a réveillé l'inquiétude de Tahani en lui annonçant que le mariage de sa nièce était fixé, et que Sameera ne souhaitait plus avoir de relations avec Tahani, le futur époux ne voyant pas d'un œil favorable les amies d'enfance de sa fiancée.

Enfin, Sameera s'est arrangée pour prendre elle-même contact, en secret, avec Tahani...

Tous les espoirs de Sameera s'étaient évanouis à l'instant même où elle avait retrouvé son oncle. La fureur de cet homme n'avait cessé de croître dans l'attente de son retour, et avait atteint son comble lorsqu'il a vu devant lui le visage de sa nièce « impie ». Sameera a pu chuchoter au téléphone que, le soir de son retour, on l'avait enfermée dans sa chambre dans l'attente du verdict de l'oncle. Aucun membre de la famille n'avait protesté contre ce mauvais traitement. Une union convenable avait été arrangée pour elle ; elle devait se marier dans moins d'un mois. Et elle avait terriblement peur, car son amour pour Larry avait été complet et, bien entendu, elle n'était plus vierge.

De notre côté, il nous était difficile d'obtenir de plus amples détails sur ce mariage, car personne n'était invité, en dehors de la famille de Sameera. On se doutait bien que l'union ne se ferait pas dans la joie. Nous avons pu savoir tout de même que le fiancé avait passé la cinquantaine et que Sameera était sa troisième femme.

Bien plus tard, Habbib a eu vent des commérages familiaux par l'un des cousins de Sameera, qui a raconté que, le soir de sa nuit de noces, elle s'était battue contre son mari avec une telle force et une telle détermination, qu'il n'en était pas sorti indemne. Il était petit et gros, et pas tellement musclé. Certes, le sang avait coulé, mais c'était celui du mari. Dans la fureur de la bagarre, il n'avait guère eu le temps de vérifier la virginité de sa femme.

La tante de Sameera regrettait amèrement le rôle qu'elle avait joué dans la capture de sa nièce et, questionnée par Tahani, elle a dit que, au début, le mari était attiré par la tigresse qu'il avait épousée. Les insultes, le courage qu'elle mettait à se défendre ne l'empêchaient pas d'avoir envie de la contraindre par la force. Mais, avec le temps, il en a eu assez d'être repoussé avec dédain ou violence, et s'est mis à regretter de l'avoir sous son toit.

Dans son désespoir, Sameera s'est vantée auprès de sa

tante d'avoir hurlé à la tête de son mari qu'elle ne pourrait jamais aimer un homme comme lui. Elle avait, elle, connu les caresses d'un autre homme, un fort, un vrai... Elle s'était moquée ouvertement du manque d'expérience de son époux, en le comparant cruellement à l'autre, l'amant américain, si grand et si beau. Alors, sans plus de cérémonie, le mari a divorcé de Sameera et l'a ramenée à la porte de son oncle. Avec colère, il a déclaré que sa famille n'avait pas d'honneur pour avoir sciemment donné en mariage une fille qui n'était plus vierge. Avec un luxe de détails, il a étalé l'impudeur de Sameera, qui avait osé évoquer dans le lit conjugal les souvenirs d'un autre homme.

L'oncle est retombé dans une fureur noire et a cherché de l'aide dans les pages du Coran. Il n'a pas tardé à trouver les versets susceptibles de conforter sa décision d'enfermer à jamais celle qui avait déshonoré la famille.

L'ex-époux, encore sous le choc cuisant des insultes à sa virilité, a encouragé cette décision en hurlant qu'il raconterait à tout le monde l'indignité de cette maison si une punition sévère n'était pas infligée à cette fille.

Habbib a apporté un jour la triste nouvelle à Tahani : Sameera était condamnée à « la chambre de femme », une punition particulièrement cruelle.

Une pièce spéciale a été préparée pour Sameera, au dernier étage de la maison de son oncle. On y a aménagé une cellule capitonnée et sans ouverture, pour l'y emprisonner. Les fenêtres ont été obstruées avec des blocs de ciment. Une isolation phonique a été installée de façon que l'on n'entende pas les cris et les pleurs de la prisonnière. Une porte spéciale a été posée avec une lucarne pour le passage des aliments. On a creusé dans le sol un trou pour ses besoins. Aux ouvriers étrangers trop curieux, on a raconté qu'une femme de la famille avait été gravement blessée dans un accident, et que l'on craignait qu'elle ne soit dangereuse pour elle-même et pour les autres.

Nous nous sommes réunies, avec mes sœurs, pour consoler Tahani, qui a beaucoup de chagrin depuis l'incarcération de sa meilleure amie. Nous avons toutes de la peine, car Sameera est une femme comme nous, une femme saoudienne qui n'a aucun recours contre l'injustice.

Alors que je m'ingénie à inventer des plans d'évasion, mes sœurs aînées voient la situation de manière plus rationnelle. Elles ont entendu des histoires semblables, et savent qu'il n'y a aucun espoir d'arracher Sameera à son isolement à vie.

Le sommeil m'abandonne plusieurs nuits durant. Je me ronge de désespoir, de rage et d'impuissance. Moi aussi, j'ai entendu des rumeurs sur certaines condamnées qui ont subi la punition de la « chambre de femme » dans mon pays, mais je n'avais jamais réalisé, imaginé les hurlements d'angoisse de quelqu'un que j'ai connu, d'une femme qui portait en elle l'avenir et l'espoir de notre pays, d'une femme maintenant enterrée vivante, dans la nuit, sans un regard, sans une voix pour l'encourager à survivre.

Je me réveille parfois le matin en croyant avoir fait un cauchemar. L'effroi me saisit quand je me rends compte que le cauchemar est réel. Toutes celles qui ont connu Sameera et savent qu'elle est au désespoir, en captivité totale, isolée du monde, ne connaîtront plus jamais la paix.

Dans ma tête, une question tourne : quelle force peut la libérer ?

Je lève les yeux vers le ciel étoilé du désert, et je sais qu'il n'en existe pas.

La deuxième épouse

Jeudi 28 août 1980, un jour que je n'oublierai jamais. Nous venons juste de rentrer, Karim et moi, de Tayf, une rafraîchissante station de repos dans la montagne. Je suis étendue sur un divan, l'une de nos domestiques philippines masse mes pieds douloureux. Nos trois enfants sont dans un camp de vacances à Dubay, dans les Émirats, et ils me manquent beaucoup.

En fouillant dans la pile de journaux accumulés pendant nos deux mois d'absence, je tombe sur un article intéressant. L'un de mes parents, gouverneur d'Assir, le prince Khaled al Faysal, a récemment pris des mesures pour limiter le coût croissant des mariages dans sa province. Il veut restreindre le montant de la dot qu'un fiancé doit payer pour acheter une épouse dans sa région, et a fixé à vingt-cinq mille riyals saoudiens (sept mille dollars américains) le maximum que peuvent demander les parents pour leur fille. L'article indique que ces directives ont été bien accueillies par les célibataires concernés, car le prix habituellement pratiqué pour obtenir une épouse est, en 1980, de cent mille riyals saoudiens, soit vingt-sept mille dollars. Le résultat est que nombre de jeunes Saoudiens ne peuvent pas s'offrir d'épouse.

Je lis l'article à ma servante philippine, mais cela ne

l'intéresse guère ; la condition des femmes saoudiennes, que l'on vend et que l'on achète, ne la concerne pas. Le problème de simple survie est un souci beaucoup plus important pour les Philippines, qui pensent que nous avons bien de la chance de ne rien faire de nos mains, et de dilapider des montagnes d'argent pour satisfaire nos caprices.

Je suis déjà mère de deux filles, pourtant le prix actuel d'une épouse ne me tracasse pas particulièrement, car lorsqu'il sera temps pour elles de se marier, l'argent n'aura pas d'importance. Karim et moi sommes excessivement riches ; l'argent ne fait certes pas partie de mes frustrations quotidiennes. En revanche, j'entrevois une tendance au retour en arrière chez les hommes de notre famille. Dans l'intimité de nos palais, ils défendent avec éloquence la liberté des femmes, alors que dans les directives légales qu'ils fixent eux-mêmes par écrit, ils continuent à exercer une forte pression en faveur du statu quo, et nous ramènent fermement et tranquillement aux temps primitifs.

Je ne serai satisfaite que par la suppression totale du système de la dot. Combien d'années faudra-t-il encore avant qu'on cesse de nous vendre et de nous acheter comme du bétail ?

Je suis fatiguée et même irritable, car toutes mes sœurs, Sara mise à part, sont encore à l'étranger. Ma sœur préférée est dans les dernières semaines de sa quatrième grossesse ; elle dort la plupart du temps.

Mon existence, que j'avais si bien planifiée dans ma jeunesse, ne m'apporte pas ce que j'avais espéré. Au contraire, je vis la même routine que mes sœurs ou que les autres princesses royales de mes amies. Comme les domestiques servent le petit déjeuner des enfants le matin et organisent leurs journées, je dors généralement jusqu'à midi. Après une collation de fruits, je trempe paresseusement dans la baignoire. Je m'habille pour rejoindre Karim, ou mes sœurs s'il est occupé, pour un déjeuner tardif. Ensuite, nous lisons au salon, puis Karim et moi, nous faisons une petite sieste, après quoi il retourne à son bureau, ou va rendre visite à ses cousins princiers, pendant que je passe quelques moments avec les enfants.

En fin d'après-midi, je me rends à une réception entre femmes, et regagne notre palais aux environs de huit ou neuf heures du soir. Karim et moi assistons au dîner des enfants, afin de discuter avec eux et de savoir comment s'est passée leur journée. En soirée, nous sommes presque toujours invités à souper puisque nous faisons partie des gens qui sortent en couple. Généralement, nos hôtes sont des membres de la famille royale ou, à l'occasion, des étrangers de haut rang. Ministres des Affaires étrangères, riches hommes d'affaires saoudiens peuvent se joindre à notre cercle privé.

Avide de liberté, la jeune génération, que nous représentons, a décidé de la prendre en force. Nous n'ignorons pas que les groupes religieux enragent de ces soirées entre hommes et femmes, mais ils n'osent pas faire pression sur Khaled, notre pieux et vénéré souverain.

Pour ces soirées en société, les femmes s'habillent avec extravagance — nous avons si peu l'occasion de faire étalage de nos robes et de nos bijoux. Karim et moi, nous ne rentrons jamais avant deux ou trois heures du matin. Cette habitude ne varie guère, excepté lorsque nous sommes en dehors du pays.

Une question me préoccupe perpétuellement : où cela nous mène-t-il? Je ne peux le nier plus longtemps : moi, l'orgueilleuse Sultana, je suis devenue l'une de ces femmes saoudiennes, terne et futile, et rien d'important ne remplit mes journées. Je hais cette vie de paresse et de luxe, mais j'ignore quel pas franchir pour me sortir de l'ornière de l'ennui.

Après un massage relaxant des pieds, je ressens le besoin d'aller faire un tour dans les jardins. En les faisant dessiner, je me suis inspirée de ceux de Nura. Rien ne m'apaise plus qu'une promenade à l'ombre fraîche de la minuscule forêt que douze jardiniers sri-lankais entretiennent à grand renfort d'arrosage et de travail.

Nous vivons dans l'un des déserts les plus arides du monde, et pourtant nos palais sont environnés de verdure et de jardins luxuriants. Nous pouvons payer indéfiniment l'eau pompée dans les ports et adoucie quotidiennement dans quatre centrales hydrauliques. Nous pouvons échapper aux patients sables rouges qui n'attendent qu'une toute petite occasion pour submerger nos villes et éliminer jusqu'à la mémoire de notre peuple de la surface de la terre. Un jour, le désert triomphera, mais pour l'instant, nous sommes les maîtres de ce pays.

Je m'arrête afin de me reposer sous la tonnelle spécialement construite pour notre fille aînée, Maha, qui va fêter son cinquième anniversaire. C'est une rêveuse, elle passe des heures entières cachée sous le dôme recouvert de vigne, à jouer à des jeux compliqués en compagnie d'amies imaginaires. Elle me rappelle tellement moi, au même âge. Dieu merci, elle n'a pas mon tempérament revendicatif, puisqu'elle a, elle, l'amour de son père et donc nul besoin de se rebeller.

Je cueille les fleurs qui envahissent le massif favori de Maha. Elle y a laissé traîner tout un assortiment de jouets. Je me demande en souriant comment elle peut être aussi différente de sa petite sœur. Amani, qui a trois ans, est une enfant parfaite, exactement comme sa tante Sara.

Songer à mes enfants me plonge dans une sombre dépression. Je remercie Dieu de m'avoir donné deux filles et un garçon en bonne santé, mais des larmes s'échappent de mes yeux chaque fois que je pense au fait que je ne pourrai plus avoir d'enfants.

240

L'année dernière, au cours d'un examen de routine au centre de recherche hospitalier, on m'a découvert un cancer du sein. Le choc a été rude pour Karim et pour moi ; nous imaginions que cette maladie ne touchait que les personnes âgées. Je n'avais jamais été malade de ma vie, et j'ai mis au monde sans difficulté mes enfants. Les médecins sont certains, à présent, que je n'ai plus de cellules cancéreuses, mais j'ai perdu un sein. En outre, ils m'ont recommandé de ne plus être enceinte.

Par précaution, et pour ne pas être tenté d'avoir tout de même des enfants, ce qui serait plus que déraisonnable, Karim a pris la décision de me faire subir une stérilisation. J'avais eu tellement peur de ne pas voir grandir mes enfants, que je me suis à peine rendu compte, sur le moment, que ma famille était si restreinte. En Arabie Saoudite, il est rare qu'une femme ne fasse plus d'enfants ; seul l'âge nous prive de la souffrance d'enfanter.

La voix de Karim interrompt le cours de mes idées noires. Je le vois traverser d'un air décidé la pelouse épaisse. Nous avons eu plusieurs différends l'année dernière en raison du stress de ma maladie. Il me vient la résolution soudaine de redevenir l'ancienne Sultana, celle qui amuse son mari, qui le détend et provoque son rire. Je souris à la vue de ses longues jambes athlétiques empêtrées dans sa djellaba. Sa présence me réjouit toujours le cœur.

Il se rapproche, et je devine qu'il est ennuyé. Je fais le tour des possibilités ; je connais bien mon mari : il lui faudra du temps pour me raconter ce qui le tracasse. De la main, je lui fais signe de venir s'asseoir près de moi. J'ai envie d'être près de lui, aussi près que le permet notre coutume rigide — nous pouvons nous toucher à travers nos vêtements, et tant que personne ne nous voit.

Karim me déçoit en s'asseyant dans le coin le plus éloigné de la tonnelle. Il ne me rend même pas mon sourire de bienvenue. Serait-il arrivé quelque chose aux enfants ? Je saute sur mes pieds pour lui demander quelles mauvaises nouvelles il apporte. Il paraît surpris de mon pressentiment. Puis, il murmure des mots que jamais, dans mes pires suppositions, je n'aurais cru entendre de la bouche de mon mari.

— Sultana, j'ai pris une décision, une décision très difficile, il y a quelques mois. Je n'ai pas voulu en discuter avec toi, à cause de ta maladie.

Je hoche la tête sans me méfier de ce qui m'attend, et suis terrorisée par ce que j'entends :

— Sultana, tu es, et tu seras toujours, la femme la plus importante de ma vie, de mon cœur.

Je n'ai pas la moindre idée de ce que mon mari veut me faire comprendre, mais il est évident qu'il s'efforce de me préparer à quelque chose qui ne me plaira pas.

Une torpeur m'envahit tout à coup. Je n'ai plus du tout envie de l'écouter.

— Sultana, je suis un homme et j'ai envie d'avoir beaucoup d'enfants. J'en voudrais dix, vingt, autant que Dieu voudra bien m'en donner.

Il s'arrête un moment, qui me paraît une éternité. Je retiens mon souffle de peur.

— Sultana, je vais épouser quelqu'un d'autre. Une deuxième femme qui ne sera là que pour me donner des enfants. Seulement des enfants. Mon amour est à toi pour toujours.

Je n'entends plus ce qu'il dit, le sang bat dans ma tête avec un bruit d'enfer. Je suis piégée, étouffée par la sinistre réalité à laquelle je ne voulais pas croire. Jamais, jamais, jamais, je n'aurais pensé mon mari capable d'une telle chose.

Karim attend ma réaction. Au début, je me sens incapable de bouger. Puis je reprends enfin mon souffle, par petits halètements rauques, et là je commence à comprendre vraiment. Lentement, la réalité pénètre mon cerveau. Je reviens à la vie.

Mes forces retrouvées, je suis prise d'un accès de colère qui nous jette à terre tous les deux. Impossible d'exprimer ma douleur par des mots. J'ai besoin de l'entendre me supplier, besoin de le griffer au visage, de lui tordre le nez, dans un effort désespéré pour le tuer, lui qui se dit mon mari.

Karim se démène en vain pour se remettre debout, car je suis animée d'une force et d'une violence démesurées, littéralement possédée, physiquement indomptable. Pour arriver à me maîtriser, Karim est obligé de me plaquer au sol et de s'asseoir en travers de mon corps.

Mes hurlements percent l'air. Je le traite de tous les noms, au grand effroi des domestiques. Comme un animal sauvage, je lui crache au visage. Il en est ébahi, et reste sans voix devant la fureur qu'il a déclenchée. Les domestiques s'enfuient de tous côtés, effrayés par ce qu'ils viennent de voir. Ils se faufilent dans les bâtiments, ou se cachent derrière les buissons.

Enfin, ma colère tombe. Un calme mortel m'envahit. Je retrouve mes esprits. J'avertis Karim que je veux divorcer. Jamais je ne supporterai l'humiliation d'une deuxième épouse.

Il rétorque que le divorce est hors de question, à moins que je n'abandonne mes enfants à sa seconde femme, qui les élèvera. Il ne les laissera jamais quitter la maison.

En une sorte d'éclair, j'entrevois mon avenir. Je vois Karim, bien éloigné de la décence et de la dignité d'un homme civilisé, prendre femme après femme. La plupart des hommes et des femmes connaissent les limites de ce qu'ils peuvent supporter. Moi, je n'ai aucune disposition pour accepter philosophiquement une pareille débauche.

Karim peut évoquer la déception de son choix mais, moi, je comprends les motivations qui lui font prendre une deuxième femme. Son désir d'avoir d'autres enfants n'est pas la vraie raison. Le problème est bien plus simple : nous sommes mariés depuis huit ans ; son but, c'est la liberté sexuelle. Plus précisément, mon mari est las de goûter au même plat, il en cherche un nouveau, plus pimenté et plus exotique.

L'idée qu'il a pu me trouver assez stupide pour admettre ses prétendues bonnes explications me met en rage. Oui, je dois accepter ce que Dieu m'envoie, mais cette obéissance ne s'étend pas à mon mari terrestre. Je lui demande de s'en aller, de s'éloigner de moi. J'ai trop de mal, pour l'instant, à contenir mon envie de meurtre.

Pour la première fois, je ressens douloureusement de l'aversion pour mon mari. Sous son apparence de sagesse et de gentillesse, c'est un être viscéralement hypocrite et égoïste. Je me suis trompée sur lui pendant huit ans. Il m'apparaît soudain comme un étranger dont je ne saurais rien. Il faut qu'il disparaisse de ma vue, et je le lui dis, écœurée de découvrir qu'il n'est qu'une coquille vide, et pas très estimable après tout.

Je le regarde partir, la tête basse, les épaules voûtées. Comment est-ce possible, j'aimais cet homme il y a à peine une heure encore ? Déjà cet amour se meurt. Je l'avais placé si haut, je le trouvais tellement plus honorable que les hommes de notre société. Et voilà que, malheureusement, au fond de son âme, il est comme les autres.

Oui, nous avons traversé une année difficile. Oui, un mariage est une contrainte et une source d'agacements. Nous avons vécu sept années de bonheur et de joies intenses, pour une seule année de soucis et d'interrogations. C'est pour cela, pour retrouver des joies neuves, que l'idée d'une femme nouvelle et sans complications est née dans les rêves de mon compagnon.

Le comble, c'est qu'il est capable de faire du chantage à la mère de ses enfants ! Sans aucune honte, il a brandi la sinistre menace de sa deuxième femme prenant la responsabilité du bonheur de mes enfants adorés. Voilà qui me ramène sévèrement à la réalité de ce monde dominé par les hommes.

Tandis que je prépare un plan dans ma tête, je commence à avoir pitié de mon mari. Il a effacé de sa mémoire la femme fougueuse que j'étais en l'épousant. Karim aura du mal à être plus malin que moi dans ce combat pour la possession de nos enfants.

Évasion

Au contraire de la plupart des époux saoudiens, Karim laisse les passeports et les papiers de la famille à portée de main de sa femme. De toute façon, je suis déjà passée maîtresse dans l'art d'imiter sa signature. Son cachet personnel est rangé sur sa table de travail, dans son bureau, à la maison.

Le temps de rassembler mes idées et de rentrer au palais, Karim n'est déjà plus visible. Donc, c'est aussi un lâche. Je suis certaine qu'il va se réfugier une nuit ou deux au palais de son père.

Soudain, je pense à Noorah, et j'enrage à l'idée du plaisir qu'éprouvera ma belle-mère devant ma situation difficile. Il est plus que certain qu'elle a déjà choisi la deuxième femme de son fils aîné. Je ne me suis même pas demandé de qui il s'agissait. Peut-être l'une de ses jeunes cousines royales, puisque les princes de sang préfèrent épouser leurs semblables...

Je remplis tranquillement une valise des centaines de milliers de dollars que nous tenons en réserve. Comme tous les princes, Karim envisage toujours l'éventualité d'une poussée révolutionnaire, ce qui peut arriver, et sans que l'on s'y attende, dans les régimes monarchiques. Nous avons discuté ensemble de son plan de survie au cas où le peuple des faibles terrasserait les puissants.

Je murmure une prière assassine pour que la minorité shiite de la province orientale renverse les leaders sunnites. La vision de la tête de Karim fixée à un poteau amène un sourire sinistre sur mon visage fatigué.

Après avoir entassé une fortune en joyaux dans un petit sac, je rédige mes papiers de voyage avec une extrême aisance. Me voilà fin prête.

Il n'est pas question de faire confiance à l'une ou l'autre de mes sœurs, elles pourraient être tentées de divulguer mon plan à leurs maris respectifs. Les hommes ne faisant qu'un, Karim serait immédiatement averti.

J'appelle la domestique en laquelle j'ai le plus confiance, car je suppose qu'elle sera la première à être interrogée par Karim. Je lui raconte que j'ai décidé d'aller à Djeddah pour quelques jours. Je lui recommande bien d'avertir mon mari de ce projet, au cas où il s'en informerait. Puis je téléphone à l'un des pilotes de la famille, mon préféré, afin de lui demander de se préparer à un vol pour Djeddah, dans une heure. Qu'il me retrouve à l'aéroport. J'appelle ensuite les domestiques à Djeddah, les informe de mon intention de rendre visite à une amie en ville, et de mon possible passage à la villa. Si Karim téléphone et demande à me parler, ils pourront répondre que je suis chez l'amie en question, et que je le rappellerai dès que possible. Toutes ces manigances sont destinées à tromper le plus longtemps possible Karim sur ma véritable destination.

Sur le chemin de l'aéroport, je regarde avec le même étonnement que d'habitude l'intense circulation de cette soirée de jeudi à Riyad. La ville est pleine d'ouvriers étrangers, les Saoudiens refusant d'effectuer eux-mêmes les bas travaux. Un jour viendra où les défavorisés en auront assez d'être mal traités, et nos carcasses serviront de festin aux chiens sauvages qui rôdent autour de nos cités.

Le pilote américain sourit en reconnaissant la silhouette

noire qui avance vers lui. Il m'a souvent emmenée en voyage. C'est l'un de ceux qui, il y a longtemps, nous avaient conduites, ma mère et moi, au chevet de Sara. Il est sympathique et chaleureux. Ce souvenir me fait mal au cœur. Aujourd'hui les bras de ma mère me manquent tant.

En montant à bord de l'avion, j'explique au pilote que j'ai changé d'avis. L'un de nos enfants est tombé malade à Dubay, je viens de recevoir un appel téléphonique de Karim, nous n'allons donc plus à Djeddah, mais à Dubay. Karim nous rejoindra demain, si c'est réellement grave.

Je mens avec une aisance parfaite, en racontant au pilote que « nous pensons, mon mari et moi, que notre petit dernier se sent tout simplement loin de la maison, et que ma présence va le rassurer... » Je ris même en ajoutant que les enfants sont partis depuis trois semaines, et que c'est un peu long pour le petit.

Sans m'en demander davantage, le pilote modifie son plan de vol. Il travaille pour notre famille depuis des années, il sait que nous sommes un couple heureux. Il n'a donc aucune raison de douter de mes ordres.

Une fois à Dubay, je lui conseille de s'installer comme d'habitude à l'hôtel *Sheraton*. Je l'appellerai demain, ou après-demain, pour l'informer de la suite ; il peut d'ailleurs se considérer au repos pour l'instant, puisque Karim n'aura pas besoin de l'avion, ni de lui, ces jours-ci. Nous possédons trois Lear Jets. L'un d'eux est en permanence prêt à prendre l'air, à la disposition de Karim.

Les enfants sont fous de joie de voir arriver leur mère. Ils ne s'y attendaient pas. Le directeur du camp de vacances, un Britannique, me fait part de toute sa sympathie quand je lui annonce que leur grand-mère est tombée gravement malade et que je dois les ramener le soir même à Riyad. Il se précipite dans son bureau pour aller chercher leurs passeports.

En lui serrant la main avant de partir, je précise que je

n'ai pas pu joindre les domestiques qui s'occupent des enfants à Dubay. On ne répond pas au téléphone dans leur chambre, je suppose qu'ils sont allés déjeuner. Aurait-il la gentillesse de les prévenir demain matin que Joël, le pilote, les attend au *Sheraton*? Ils devront partir immédiatement, et n'auront qu'à donner ce mot au pilote. Là-dessus, je tends au directeur une enveloppe adressée au pilote américain.

Dans la lettre, je le prie de m'excuser de m'être servie de lui de cette manière. J'ai même rajouté un post-scriptum pour Karim, expliquant comment j'ai menti au pilote. Je sais que la première réaction de mon mari sera de se mettre en colère contre lui mais, lorsqu'il connaîtra les circonstances exactes, il se calmera. Joël est le pilote favori de Karim, il ne perdra pas son emploi.

Nous montons, les enfants et moi, dans la limousine, et le chauffeur file à l'aéroport. Un vol direct pour Londres est affiché dans une heure. J'inventerai n'importe quel mensonge pour obtenir quatre places.

Je n'ai même pas besoin de me reprocher un péché supplémentaire devant Dieu, l'avion est presque vide. La plupart des gens quittent le Golfe, en cette fin d'été caniculaire. Les enfants ont sommeil et ne posent pas beaucoup de questions. Je leur ai promis qu'ils auraient un surprise à la fin du voyage.

Une fois qu'ils sont endormis, je feuillette nerveusement les pages d'un magazine, incapable d'enregistrer quoi que ce soit de ce que je lis. Je dois envisager la suite avec précaution. Le reste de ma vie est suspendu aux événements des prochaines semaines.

J'ai l'impression désagréable que quelqu'un est en train de me regarder avec insistance. Karim aurait-il déjà découvert ma fuite?

Je jette un coup d'œil par-dessus mon épaule. Une femme arabe d'une trentaine d'années m'observe effectivement avec trop d'intérêt. Elle berce une petite fille de trois ou quatre ans. Je suis soulagée que l'intruse soit une femme, et une mère. Les Saoudiens n'utiliseraient pas une femme comme espionne.

Son regard perçant est un tel mystère que je me lève pour contourner le chariot de service, et m'asseois derrière elle, sur un siège libre. Là, je lui demande ce qu'elle a. L'aurais-je offensée d'une manière quelconque ?

Le visage de pierre paraît revenir à la vie. Elle crache quasiment les mots à mon intention.

— J'étais à l'aéroport quand tu es arrivée. Toi et ta nichée.

Elle regarde les enfants avec mépris.

— Tu nous as bousculées, ma fille et moi, en te précipitant au comptoir des billets !

Elle plante son regard dans le mien, avec méchanceté, pour exprimer une autre insulte et en mettant l'accent sur ma nationalité.

— Vous, les Saoudiens, vous croyez que vous pouvez acheter le monde entier !

Cette journée d'hypocrisie et de mensonges m'a vidée de mes forces. J'éclate en sanglots, à la surprise de la femme, autant qu'à la mienne. En manière d'excuse, je lui tapote l'épaule, je suis vraiment désolée. Je viens de vivre un drame familial, et il était très important pour moi de prendre cet avion. Puis je vais me rasseoir à ma place, le visage baigné de larmes.

Cette femme a sûrement bon caractère, car il lui est difficile de ne pas réagir après avoir vu mon émotion. Elle installe sa petite fille soigneusement sur son siège, et vient s'asseoir à son tour derrière moi. Je me raidis un peu, mais elle se penche pour rapprocher son visage du mien.

— Excuse-moi, s'il te plaît, excuse-moi. Moi aussi, je

viens de vivre un drame. Si je te racontais ce qui est arrivé à ma fille dans ton pays, par la faute de certains hommes, tu comprendrais que j'ai tellement de rancœur.

J'ai déjà supporté plus que ma dose d'horreur, et n'ai aucune envie d'inscrire dans mon cœur une nouvelle image d'injustice. Sans vraiment m'en rendre compte, je murmure, fatiguée :

— Je suis désolée.

Elle semble comprendre que je suis au bord de l'effondrement nerveux, et me laisse seule. Mais elle a grandement besoin de raconter sa terrible histoire, il doit lui être insupportable que personne ne l'entende et, avant la fin du vol, j'apprends la raison de son désespoir.

En transcrivant son récit, ma rancune personnelle s'enflamme davantage encore contre cette société patriarcale, archaïque et dégénérée, qui met femmes et enfants en danger, tous ceux qui ont pris le risque de mettre le pied sur le sol d'Arabie Saoudite, et cela quelle que soit leur nationalité.

Cette femme, Widad, est originaire du Liban. L'Arabie Saoudite, comme les États du Golfe, est submergée de Libanais à la recherche d'emploi, en raison de la guerre civile qui n'en finit pas d'anéantir leur merveilleux pays. Le mari de Widad est l'un des privilégiés qui ont réussi à trouver du travail. Il est employé dans l'une des nombreuses sociétés d'affaires de Riyad. Après des débuts prometteurs, il a jugé prudent de faire venir sa femme et sa petite fille dans la capitale du désert.

Widad était contente de vivre à Riyad. La guerre au Liban lui avait ôté toute envie de retourner dans son pays, sous les bombardements, au milieu des morts innocents. Elle s'est installée avec bonheur dans une contrée pourtant très différente de la sienne. Ils ont loué une villa spacieuse, acheté des meubles, reconstruit leur vie. Ce qui impressionnait le plus Widad, c'était la quasi-absence de criminalité. En Arabie Saoudite, les châtiments envers les coupables sont si sévères que peu de criminels se risquent à agir. Un voleur sait qu'il perdra la main, un meurtrier ou un violeur sait qu'il perdra la tête.

Ce sentiment de sécurité a fait oublier à Widad la nécessité de protéger sa petite fille.

Il y a deux mois, Widad a organisé une petite réception pour un groupe de ses amies. Comme les Saoudiennes, les femmes étrangères ne trouvent pas à s'occuper dans mon pays. Widad a servi des rafraîchissements et joué aux cartes avec ses invitées. Deux femmes avaient amené leurs enfants, et la petite fille de Widad jouait avec eux dans le jardin.

La dernière invitée partie, Widad a aidé ses deux domestiques à faire le ménage avant le retour de son mari. Le téléphone a sonné, elle a discuté plus longtemps qu'elle ne l'aurait pensé. Lorsqu'elle a regardé par la fenêtre, la nuit était tombée. Elle a appelé une servante pour faire rentrer la petite fille.

L'enfant demeurait introuvable. La dernière invitée s'est souvenue qu'elle avait vu, en partant, l'enfant debout au bord du trottoir, sa poupée dans les bras. Le mari de Widad a aussitôt entamé une enquête auprès des voisins. Personne n'avait remarqué la petite fille.

Au bout de semaines et de semaines de recherche, Widad et son mari ont été bien obligés de se rendre à l'évidence : leur unique enfant avait dû être enlevée, et probablement assassinée. Quand ils ont perdu tout espoir de retrouver leur petite fille chérie, Widad n'a plus voulu rester dans leur maison, ni même en Arabie Saoudite. Elle est retournée dans sa famille, dans son Liban déchiré par la guerre. Pour gagner leur vie, le mari a gardé son travail, et la même maison.

Dix jours après son arrivée à Beyrouth, Widad a entendu tout à coup cogner violemment à la porte de son appartement. Effrayée par les récentes batailles entre miliciens du voisinage, elle n'a pas répondu, jusqu'au moment où elle a reconnu la voix d'un voisin, hurlant que son mari venait de téléphoner de Riyad.

La ligne avait été interrompue, mais le voisin a pu entendre le message, incroyable pour Widad. Elle doit prendre le bateau pour Chypre, et là se rendre immédiatement à l'ambassade d'Arabie Saoudite, où l'attend son visa de retour en Arabie. Il faut qu'elle parte aussi vite que possible. Leur fille est en vie ! Elle est à la maison !

Widad a voyagé par bateau durant trois longs jours pour aller du Liban à Chypre, où elle a récupéré son visa et pris l'avion pour Riyad. En arrivant, elle a enfin appris ce qui était advenu à sa petite fille. La vérité, terrifiante.

Son mari avait découvert l'enfant devant la porte de leur villa. Une fois remis du choc de ces retrouvailles miraculeuses, il a emmené sa fille à l'hôpital, sa plus grande peur étant qu'elle n'ait été violée. Un examen minutieux a révélé tout autre chose au médecin stupéfait : la petite fille n'avait pas souffert de violences sexuelles ; en revanche, elle venait de subir une grave opération. En fait, la fille de Widad avait été utilisée comme donneur de rein. Les cicatrices étaient vilaines, une infection s'était développée en raison du manque d'hygiène.

Quantité de questions se posaient au médecin qui a examiné l'enfant concernant la compatibilité du donneur, les procédures sophistiquées des transplantations. Il était impossible que l'enfant ait subi cette opération en Arabie Saoudite. À cette époque, une telle opération n'était pas courante dans le royaume.

La police a suggéré que la petite fille avait été kidnappée par un riche Saoudien, dont l'enfant avait besoin d'une transplantation, et emmenée en Inde. Il est permis de penser que ce même riche Saoudien avait enlevé plus d'un enfant afin de choisir le donneur compatible.

Personne ne saura jamais ce qui s'est passé avant l'opération, car la petite fille ne se souvient que d'une longue voiture noire, et d'un homme grand, tenant un vaste mouchoir qui sentait mauvais.

Elle s'est réveillée en souffrant affreusement. Isolée dans une chambre avec une infirmière qui ne parlait pas l'arabe, elle n'a vu personne d'autre. Le jour de sa libération, on lui a bandé les yeux, la voiture a roulé longtemps, et elle s'est retrouvée devant la porte de sa maison.

Celui qui a enlevé l'enfant est sans conteste un homme très riche, car lorsque le père a bondi de sa voiture pour prendre l'enfant dans ses bras, elle tenait à la main un petit sac rempli de vingt mille dollars en billets et de bijoux de valeur.

Il est compréhensible que Widad haïsse mon pays, les riches magnats du pétrole qui estiment que leur fortune leur donne le droit de tout prendre, de tout conquérir, de franchir toutes les limites. Ainsi, on a arraché à une enfant innocente une partie de son corps, en laissant de l'argent pour prix de la colère et de l'humiliation.

Widad voit bien que j'ai écouté son histoire avec un immense dégoût et une stupéfaction totale. Elle court chercher sa petite fille endormie pour me montrer la longue cicatrice rouge, symbole visible de l'ignominie de certains hommes.

Je ne peux que regarder en hochant la tête avec horreur.

Widad contemple son enfant endormie avec amour. Son retour est un véritable miracle. Ce qu'elle ajoute efface ce qui me restait de fierté fragile et de confiance en ma nationalité.

— Toi, en tant que femme saoudienne, tu m'es sympathique. Je suis restée peu de temps dans ton pays, mais j'ai vu comment vous vivez. Bien sûr, vous marchez sur des tapis d'argent, mais un peuple comme les Saoudiens est insupportable.

Elle s'arrête un instant et réfléchit, avant de poursuivre :

— C'est vrai que le besoin d'argent attire les étrangers en Arabie Saoudite, mais ceux qui vous ont connus vous haïront toujours.

J'ai aperçu Widad une dernière fois à l'aéroport de Londres, tenant fièrement par la main sa précieuse petite fille. Elle préférait les bombes du Liban à l'hypocrisie et à la méchanceté inconcevables de ceux de mon pays.

Je passe la nuit à Londres avec les enfants. Le lendemain nous traversons la Manche pour la France. De là nous prenons le train pour Zurich, où je laisse les enfants à l'hôtel quelques heures, le temps d'aller vider le compte en banque de mon fils. Avec une réserve de plus de six millions de dollars, je suis tranquille.

Je loue une voiture avec chauffeur pour nous emmener à Genève. De là, nous retournons à Londres en avion, puis vers les îles anglo-normandes. J'y dépose mon argent sur un compte à mon nom, en gardant le liquide emporté de Riyad pour nos dépenses. Nous volons ensuite vers Rome, où je loue une autre voiture avec chauffeur pour nous conduire cette fois à Paris.

À Paris, j'engage en même temps une gouvernante, un chauffeur et un garde du corps. Sous un nom d'emprunt, je loue une maison en banlieue. Après un circuit aussi compliqué, je peux être sûre que Karim ne nous retrouvera pas.

Un mois plus tard, je confie les enfants à la garde de la gouvernante pour me rendre à Francfort. J'entre dans une banque, je dis que j'arrive de Dubay et que je voudrais faire un dépôt important. Le directeur de la banque m'escorte complaisamment jusqu'à son bureau, j'ai droit au traitement de faveur avec courbettes. Je sors un énorme paquet de billets de mon sac, et le pose sur la table.

Pendant qu'il est sous le choc de la surprise, j'en profite pour demander au directeur l'autorisation de téléphoner à mon mari, que ses affaires retiennent en Arabie Saoudite. Bien entendu, j'ai largement de quoi payer la communication, et je pose cinq cents dollars sur son bureau. Le directeur saute sur ses pieds comme une marionnette, claque des talons, m'assure que j'ai tout mon temps, absolument tout mon temps. Il ferme la porte derrière lui. Si j'ai besoin de lui, il se tient à ma disposition trois bureaux plus bas, dans le hall.

Je téléphone à Sara. Je sais que son enfant est né maintenant, et qu'elle doit être chez elle. Je pousse un soupir de soulagement quand la domestique me confirme que Madame est effectivement à la maison.

Sara pleure en entendant ma voix. Je lui demande rapidement si son téléphone est sur écoute, elle n'en est pas certaine. Dans un flot de paroles, elle ajoute que Karim est fou d'inquiétude! Il a suivi ma trace de Dubay à Londres mais, depuis, il l'a perdue. Il a raconté à la famille ce qui s'était passé et avoué être bourrelé de remords. Il n'attend qu'une chose : que je revienne à la maison avec les enfants. Et Karim a dit que nous devions en discuter!

Je prie Sara de transmettre à mon mari un message concis : je veux qu'il sache que je le trouve méprisable. Il ne nous reverra jamais. J'ai d'ailleurs pris mes dispositions pour demander une autre nationalité, dans un autre pays, pour les enfants et moi. Lorsque je serai en sécurité dans cette nouvelle contrée, je donnerai de mes nouvelles à mes sœurs, mais lui ne saura jamais où je suis. Et, pour lui ajouter un souci, je demande à Sara d'avertir Karim que notre fils Abdullah ne veut plus avoir de contact avec lui.

J'abandonne le sujet de Karim pour apprendre avec

délices que le dernier bébé de Sara est un fils, et que toute la famille se porte bien. Sara m'explique que notre père et Ali sont furieux et exigent que je rentre à Riyad. Évidemment, ils sont d'accord pour que je fasse ce qu'ils considèrent comme mon destin en me soumettant aux caprices de Karim. Je n'attendais rien d'autre des hommes de mon propre sang.

Sara essaie de me convaincre en douceur, et me suggère de tolérer une deuxième femme plutôt que de vivre en exil. Mais l'accepterait-elle d'Asad? Son silence est ma réponse.

Notre conversation terminée, je récupère mon argent et file hors de la banque en évitant soigneusement de me faire repérer par le directeur obséquieux. Je regrette un peu d'avoir recours à ce genre de manigance mais, si je téléphone d'un poste public, l'opérateur sera obligé de dire d'où vient l'appel, et l'enregistreur de Karim fera son office.

Je repense à ce que m'a dit Sara, et un sourire me vient aux lèvres. Mon plan a marché! Mais il vaut mieux que Karim souffre encore un peu. Il a besoin de temps pour admettre que je ne supporterai jamais une autre femme dans sa vie, quoi qu'il m'en coûte.

Les enfants ne savent rien du drame qui nous sépare. Je leur ai simplement raconté une histoire convaincante à propos du travail de leur père qui l'oblige à rester en Orient plusieurs mois. Au lieu de nous laisser nous ennuyer à Riyad, il a pensé que nous nous amuserions mieux quelque part en France.

Abdullah s'est étonné de ne pas recevoir d'appels téléphoniques de son père; je l'ai distrait en l'occupant sans arrêt avec ses devoirs et de nombreuses activités de groupe. Les jeunes esprits s'adaptent bien plus facilement qu'on ne le croit. Nos deux filles sont encore des bébés, incapables de comprendre les difficultés de l'existence.

Elles ont passé leurs vies à voyager. La seule chose qui leur manque, c'est la présence de leur père. Je fais de mon mieux pour compenser.

Et je me console en examinant les différentes possibilités qui s'offrent à moi. La vie des enfants à Riyad avec leurs parents, au milieu d'une bagarre permanente, me paraît inacceptable. Vivre sans leur mère ne serait pas naturel. Car si Karim amène une autre femme dans notre foyer, j'envisage comme réellement possible le meurtre de mon mari. Or quel bien pourrais-je faire à mes enfants, privée de ma tête? Car il est indubitable qu'on la séparerait de mon corps, si j'ôtais la vie à leur père! Un instant, j'imagine l'acier aiguisé de la lame du bourreau, et je tremble à l'idée que je pourrais un jour en sentir le froid mortel. J'ai de la chance, je le sais, d'être une princesse de sang royal; comme Ali, il y a des années, j'ai plus de facilités pour échapper aux contraintes légales et aux interventions des religieux. Si je n'étais pas de sang royal, une tonne de pierres mettrait fin à ma vie, en punition de mon comportement actuel. Mais les princes gardent leurs secrets, et le scandale ne franchit pas les murs de leurs palais. Personne, en dehors de la famille, ne connaîtra ma défection. Seul Karim peut demander ma mort et, quoi que je fasse, je suis sûre que mon mari n'aura pas l'audace de réclamer mon sang.

J'appelle Sara une fois par mois. Pendant cette interminable absence, loin de ma famille et de mon pays, je passe des jours et des nuits sans repos, mais je sais que j'ai tout à y gagner. Détermination et patience obligeront Karim à revenir à une vision saine de notre existence, sans autres femmes dans sa vie.

Cinq mois après mon départ, j'accepte de lui parler au téléphone. Je prends un avion pour Londres afin d'appeler de là-bas. Notre conversation me persuade que Karim meurt d'envie de nous revoir, les enfants et moi. Il vient de franchir la seconde étape que j'ai soigneusement prévue dans mon piège.

Nous convenons de nous rencontrer à Venise le week-end suivant. Mon mari est stupéfait de me voir arriver encadrée par quatre gardes du corps allemands. Je lui explique que je ne crois plus à ce qu'il dit. Il a très bien pu engager des brutes pour me kidnapper et me réexpédier à Riyad, afin que je subisse l'injustice légale réservée aux femmes désobéissantes !

Son visage devient écarlate. Il jure qu'il rougit de honte. Mais je me demande s'il n'est pas tout simplement furieux de ne pas pouvoir dominer sa femme.

Nous sortons de l'impasse par un compromis. Je retournerai à Riyad à condition que Karim signe un document légal, certifiant que tant que nous serons mariés, lui et moi, il ne prendra pas d'autre femme. S'il rompt sa parole, je demanderai le divorce, la garde des enfants et la moitié de sa fortune.

De plus, Karim doit me laisser l'argent que j'ai retiré en Suisse, de ma propre initiative, sur le compte de mon fils. C'est à lui de le reconstituer. Enfin, il doit déposer un million de dollars au nom de chacune de nos filles, toujours sur des comptes suisses. Je garderai aussi en ma possession nos passeports, ainsi que des autorisations anti-datées afin de pouvoir voyager à ma guise avec les enfants.

En attendant qu'il signe les documents, je resterai un mois de plus en Europe avec les enfants. Karim doit se méfier de ma détermination. Après tout, il est possible que son désir pour moi ait diminué, mais je n'ai pas l'intention de chanter deux fois le même air. Karim se raidit en entendant les mots que je viens de prononcer avec une dureté dont il n'a pas l'habitude.

Je le raccompagne à l'aéroport. Mon mari n'est pas un

homme heureux. Je m'en vais, moins satisfaite que je ne l'aurais cru ; après avoir couru le plus grand risque de ma vie et obtenu une victoire écrasante, je viens de découvrir que l'on tire bien peu de joie à forcer un homme à bien se comporter.

Un mois plus tard, j'appelle Karim pour connaître sa décision.

Il avoue enfin que je suis toute sa force, toute sa vie. Il souhaite que sa famille revienne et que tout recommence comme avant.

Je l'avertis brutalement qu'il ne peut pas avoir blessé notre amour par une froide indifférence, et s'attendre tout de même à ce qu'il reste un semblant d'union entre nous. Nous faisions partie des couples privilégiés en amour, en famille, et nantis d'une fortune illimitée. C'est lui le destructeur de toute cela, pas moi.

Je rentre à Riyad. Mon mari m'y attend, les lèvres tremblantes sur un sourire hésitant. Abdullah et les filles sont fous de joie de retrouver leur père. Le plaisir renaît doucement du bonheur de mes enfants.

Mais je me sens étrangère dans ma propre maison, sans joie et sans intérêt. Trop de choses se sont passées pour que je puisse redevenir la Sultana de l'année précédente. J'ai besoin d'un but réel. D'un défi. Je décide de reprendre mes études. À présent, il existe dans notre pays des collèges pour les femmes. Je veux vivre une vie normale et oublier la routine.

En ce qui concerne Karim, je ne peux que laisser faire le temps, pour effacer les mauvais souvenirs de sa conduite.

J'ai subi une longue période de transition, dans ce combat pour sauver mon mariage de la présence d'une étrangère. Karim était l'homme de ma vie, jusqu'à ce qu'il mine notre union en parlant d'en épouser une autre. Une part importante de notre amour est détruite. Maintenant, il est simplement le père de mes enfants, guère plus. Nous nous efforçons de reconstruire notre nid, pour offrir aux enfants le calme et la tranquillité nécessaires.

Karim prétend qu'il ressent profondément la mort de notre amour. Il s'efforce vaillamment de se racheter à mes yeux. Il dit que, si je continue à condamner son comportement passé, nous, et les enfants avec nous, allons perdre tout bonheur dans l'avenir. Je ne suis pas loin de penser qu'il a raison.

Le traumatisme de notre guerre personnelle est oublié, mais la saveur de la paix est loin d'être douce.

Je médite souvent sur les cicatrices émotionnelles qui m'ont été infligées en une si courte vie.

Malheureusement, tous les coups que j'ai reçus m'ont été donnés par les hommes. C'est pourquoi je ne pourrai plus jamais tenir en haute estime un membre du sexe opposé.

Le grand espoir blanc

Nous voilà soudain en août 1990. Au beau milieu d'une brillante réception dans notre villa de Djeddah, nous apprenons la terrible nouvelle : deux de nos pays voisins se sont lancés dans une lutte sans merci à la frontière du minuscule Kuweit.

Nous recevons une vingtaine d'intimes, lorsque Abdullah, notre fils aîné, crie depuis la cage d'escalier les nouvelles en provenance de la BBC qu'il a captées sur son poste à ondes courtes. Après un long et lourd silence, un murmure incrédule s'élève dans la pièce.

Peu de Saoudiens, même les princes engagés dans les négociations entre le Kuweit et l'Iraq, croyaient réellement que Saddam Hussein allait envahir le Kuweit. Ce 1er août 1990, à Djeddah, Karim a assisté à une conférence qui a abouti à une impasse. Le prince royal du Kuweit, cheikh Saad al Abdallah al Salem al Sabah, vient de rentrer dans son pays avec l'espoir que la guerre serait évitée.

Lorsque notre fils s'écrie que les troupes irakiennes envahissent la ville de Kuweit, nous nous rendons compte de la gravité de l'agression. Je me demande si la grande famille des Al Sabah a pu s'échapper vivante. Et moi qui suis une mère, je tourne mes pensées vers les enfants innocents.

Je cherche le visage de Karim dans le salon où se pressent les invités. Sous son calme apparent, il est furieux. Les Irakiens ont renié leur parole, si bien que les dirigeants de mon pays ont l'air d'avoir été de parti pris en minimisant le danger. Ses yeux bruns ont un éclat qui fait courir un frisson le long de mon dos. Il ne va pas tarder, avec tous les invités saoudiens présents, à convoquer à la hâte le conseil de famille.

J'ai souvent entendu Karim évoquer le régime barbare du parti Baath irakien. À plusieurs reprises, il m'a raconté que les Irakiens, agressifs de nature, se montraient enclins à la violence jusque dans leur vie privée, ce qui explique, selon lui, leur adhésion à un État policier brutal.

Je connais moi-même peu de chose sur les réalités politiques de la région, car les informations saoudiennes sont extrêmement censurées, et les hommes ne parlent presque pas de leurs activités politiques à leurs femmes. Mais l'opinion de Karim est confirmée par une histoire que j'ai entendue de la bouche d'un Irakien. C'était il y a plusieurs années, au cours d'un dîner à Londres, auquel nous assistions, Karim, Asad, Sara et moi. J'écoutais, fascinée, un Irakien de nos relations se vanter avec une désinvolture incroyable d'avoir tué son père pour une histoire d'argent. Il lui avait envoyé le montant de ses salaires, alors qu'il travaillait à Paris, afin d'effectuer des investissements en Iraq. Le père, veuf, est tombé amoureux et a dépensé tout l'argent de son fils pour offrir à sa maîtresse des cadeaux dispendieux. Lorsque le fils est rentré en Iraq, il a découvert que son argent s'était volatilisé. Il ne lui restait, d'après lui, qu'une seule chose à faire : tirer un coup de fusil sur son père.

Karim a protesté vivement contre cet acte incroyable. L'Irakien, surpris de l'ahurissement et du mécontentement évident de mon mari, a répondu :

— Mais il avait dépensé mon argent ! C'était le mien !

Selon lui, c'était un motif suffisant pour tuer son père.

C'était tellement impensable et écœurant que Karim, oubliant sa réserve et son calme habituels, a bondi vers cet homme en lui demandant de quitter immédiatement notre table. L'Irakien est parti avec précipitation. Karim a grommelé que ce genre de comportement était relativement fréquent en Iraq, mais que l'acceptation par la société du meurtre d'un père par son fils ne pouvait que semer la méfiance dans son esprit. Comme tous les Saoudiens, Karim vénère, respecte son père. Il ne lui viendrait jamais à l'idée d'élever le ton en sa présence ni même de lui tourner le dos. En maintes occasions, je l'ai vu contraint de quitter la pièce à reculons. Comme beaucoup d'Arabes, je dois reconnaître que je suis une grande fumeuse, cependant, je ne me suis jamais permis de fumer devant mon beau-père.

En sa qualité de membre d'une monarchie désuète, Karim s'intéresse beaucoup aux soulèvements du Moyen-Orient qui ont évincé les monarques de leurs trônes. Au cours de l'histoire arabe, beaucoup de rois ont été remerciés sans cérémonie, et bon nombre d'entre eux ont achevé leur vie le corps criblé de balles. Prince royal lui-même, Karim a toujours craint l'émergence de troubles sociaux dans notre pays.

En outre, comme tous les Arabes, il ressent une honte profonde devant le spectacle de ce combat sans fin entre musulmans.

· Les Saoudiens ont, pour la plupart, baissé les armes quand le pays, à l'origine constitué d'une mosaïque de tribus, est devenu un royaume unifié. Le carnage n'est pas notre manière de combattre l'ennemi ; chez nous, c'est la quête du pouvoir qui est considérée comme la méthode civilisée pour obtenir la victoire.

Mais, pour l'heure, notre existence risque d'exploser dans la folie d'une guerre bien réelle. Tandis que les hommes recherchent à la hâte une solution diplomatique, nous, les femmes, nous contentons d'écouter la radio d'Abdullah au salon. Les nouvelles sont rares, mais il semble que tout va de mal en pis pour les malheureux Kuweitiens.

Avant de nous séparer de nos invités, nous apprenons que le Kuweit est occupé. Des milliers de réfugiés envahissent notre territoire. Les Saoudiens se sentent pour l'instant en dehors du conflit, et nous ne craignons ni pour notre propre sécurité ni pour notre pays.

La semaine qui suit, notre confiance va basculer.

Alors que les troupes de Saddam Hussein s'installent près de nos frontières, des rumeurs courent dans notre royaume : il aurait l'intention de ne faire qu'une seule bouchée de deux pays. Les Saoudiens paniquent !

Des flots de gens venus de la partie orientale du pays rejoignent les Kuweitiens dans leur exode. Nous recevons des appels téléphoniques affolés des membres de la famille disant que Riyad est submergé de milliers de gens terrorisés. Aussitôt les Saoudiens se persuadent que Riyad est devenu une ville dangereuse : les aéroports et les routes en direction de Djeddah sont bloqués par les fuyards. La folie s'est emparée de notre douillet royaume.

Sara et moi, nous apprenons avec émotion que les Kuweitiennes qui, elles, ont le droit de conduire et de ne pas porter de voile, roulent dans les rues au volant de leurs voitures au beau milieu de la capitale ! Une Occidentale ne peut pas imaginer à quel point cette émotion qui nous agite alors se mêle de stupeur et d'envie.

Nous sommes en pleine tempête, pourtant l'allégresse l'emporte en présence du miracle et, en même temps, la jalousie nous dévore de voir nos sœurs arabes conduire des voitures et dévoiler leurs visages dans notre pays !

266

Que sont devenus les fondements de notre existence ? Le voile, les traditions saoudiennes sont-ils si peu importants pour disparaître avec autant de facilité au cœur des hostilités ?

La vie est facile pour ces Kuweitiennes, le contraste est éclatant avec la puissante domination masculine que nous subissons. L'aiguillon de la jalousie fait tressaillir nos cœurs.

En dépit de la sympathie que nous éprouvons pour ces femmes qui ont perdu leurs pays, leurs maisons et ceux qu'elles aimaient, un ressentiment indéniable grandit envers celles qui mettent à ce point en lumière le ridicule de notre condition puritaine. Nous sommes si affamées des droits dont elles disposent avec une telle aisance !

Dans ces jours sombres du mois d'août, se propage maintenant une rumeur de dernière minute. Lorsque Karim me confie que cette rumeur est vraie, que notre roi a accepté l'installation de troupes étrangères sur notre sol, je sais que notre vie ne sera plus jamais la même.

Avec l'arrivée des troupes américaines, les rêves les plus ambitieux des féministes saoudiennes trouvent un regain de vie. Pas un Saoudien n'aurait imaginé voir un jour des femmes en uniforme militaire monter la garde dans le dernier bastion de la domination du mâle qu'est l'Arabie Saoudite. C'était impensable ! Nos intégristes, consternés, parlent ouvertement du danger que court notre pays.

Personne ne pourra jamais mesurer la perturbation que cela apporte dans notre vie. Aucun tremblement de terre ne nous aurait secoués davantage.

Alors que je suis heureuse de la tournure des événements et que je devine ce changement bénéfique, beaucoup de Saoudiennes se sentent outragées. Il y en a même, que j'estime complètement folles, qui craignent de voir ces étrangères leur voler leur mari! Je suppose qu'une telle inquiétude s'explique par le fait que de nombreuses Saoudiennes endurent avec anxiété les voyages de leur époux à l'étranger... Si peu d'entre elles ont confiance en la fidélité de leur conjoint face aux blondes tentatrices occidentales!

Parmi mes amies, certaines se rassurent en affirmant que seule une prostituée, ou une femme qui ne se respecte pas, peut envisager de partager ses quartiers avec des hommes. Elles chuchotent même que ces Américaines sont admises dans l'armée uniquement pour satisfaire les besoins sexuels des soldats.

Nos sentiments sont contradictoires envers ces super-femmes qui vont et viennent à leur gré sur une terre qui n'est pas la leur. Nous ne savons presque rien des femmes-soldats américaines, puisque notre pays censure toutes les informations sur la liberté féminine. Et lorsque nous voyageons à l'étranger, nos chemins ne traversent que les quartiers de boutiques, pas les bases militaires.

Asad a apporté à Sara des exemplaires non censurés de journaux et de magazines américains et européens. Nous découvrons avec stupéfaction la séduction de ces femmes-soldats. Nombre d'entre elles sont mères de famille! Une liberté pareille dépasse notre entendement. Nos combats à nous sont si modestes : ne plus porter le voile, conduire, travailler... Alors que notre pays nous montre actuellement des femmes parfaitement préparées à la bataille, comme les hommes, nous, femmes d'Arabie, avons l'impression d'être lâchées sur des montagnes russes. Par moments, nous haïssons ces étrangères, autant les Kuwei-tiennes que les Américaines. Cependant, paradoxalement, les premières nous remontent le moral, tant elles affichent de désinvolture face à nos traditions centenaires de domination masculine. Bien qu'elles soient demeurées conservatrices, les Kuweitiennes n'ont pas entièrement succombé aux coutumes insanes du pouvoir mâle. Alors, les périodes de jalousie vont et viennent, montent, descendent, remontent, au fur et à mesure que nous réalisons ce qu'elles ont accompli pour améliorer le statut des femmes, alors que nous, Saoudiennes, nous ne savons que nous plaindre.

À quel moment, et sur quoi, nous sommes-nous trompées ? Comment ont-elle obtenu le droit de conduire et celui de jeter leurs voiles aux orties ? C'est à en mourir d'envie... et d'admiration.

Troublées par ces événements, nous passons nos journées à disséquer le changement d'attitude et le réveil soudain des Saoudiennes à propos de la condition féminine. Jusqu'à présent, peu d'entre nous ont osé exprimé leur souhait de réforme dans l'Arabie Saoudite islamique, et pour cause : l'espoir était trop mince, et les condamnations trop sévères, pour oser mettre le statu quo en péril. Après tout, notre pays est la terre de l'islam, et les Saoudiens sont les « gardiens de la foi ». Pour cacher la honte de la répression que nous subissons, il ne nous reste plus qu'à nous enorgueillir devant nos sœurs kuweitiennes de notre unique héritage : nous, les Saoudiennes, nous sommes le flambeau de la foi musulmane à travers le monde.

Puis, tout à coup, les femmes saoudiennes de la classe moyenne rejettent leurs entraves ! Elles affrontent les fondamentalistes et en appellent au monde pour qu'on les libère au moment même où l'on se bat pour les Kuweitiens assiégés.

Un jour, Sara me fait trembler en se ruant, hurlant, dans notre palais. Je pense immédiatement aux gaz risquant d'empoisonner l'air que respirent mes enfants. Un avion chargé de bombes chimiques a-t-il échappé aux radars ? Je reste un instant paralysée, retenant mon souffle, incapable de décider où aller et que faire. Je ne suis pas loin de m'aplatir sur le sol, croyant vivre mes derniers instants. Je m'en veux : j'aurais dû suivre les conseils de Karim et emmener les enfants à Londres, loin de tout cela, de la mort lente qui peut me prendre ceux que j'ai portés dans mon sein.

Enfin, les mots de Sara parviennent jusqu'à moi, et les informations qu'elle apporte résonnent comme un cantique à mes oreilles. Asad vient de lui téléphoner la nouvelle : des Saoudiennes, oui, des Saoudiennes ! conduisent des automobiles dans les rues de la ville ! C'est une manifestation !

Je hurle de joie. Je danse et tourbillonne avec Sara. Ma fille cadette se met à pleurer de peur en voyant sa mère et sa tante se rouler par terre en criant. Je la prends dans mes bras pour la rassurer et lui expliquer que cette folie est le résultat d'une joie immense. Mes prières ont été entendues. La présence américaine va changer notre existence, d'une merveilleuse, si merveilleuse manière !

Karim surgit à la porte, le regard noir. Il veut savoir ce qui se passe ici, car il nous a entendues depuis le jardin.

Il ne sait pas ? Les femmes viennent de briser la première des barrières infranchissables, elles ont gagné le droit de conduire ! C'est enivrant !

La réponse de Karim nous dessoûle immédiatement. Je croyais pourtant connaître son opinion sur le sujet : il a toujours affirmé que notre religion ne fait aucune mention de cet interdit et, comme beaucoup de Saoudiens, il trouve absurde que nous ne puissions pas conduire. Maintenant, d'un ton las, mon mari prétend que cette manifestation est irresponsable :

— C'est exactement le genre d'action que nous ne voulons pas voir les femmes entreprendre ! Nous avons combattu la doctrine des fanatiques à chaque occasion ! Leur plus grande peur, c'est que nos concessions encouragent les femmes à réclamer davantage de privilèges.

Puis il se met à crier à mon intention :

— Qu'est-ce qui est le plus important à tes yeux, Sultana? Avoir des soldats pour nous protéger de la menace irakienne, ou choisir justement ce moment-là pour conduire une voiture?

Je suis furieuse! Combien de fois a-t-il protesté contre cette coutume idiote qui enchaîne les femmes dans leurs propres maisons? Et, maintenant, le voilà qui a si peur des religieux que sa lâcheté remonte à la surface? Comme j'aimerais être mariée à un guerrier, à un homme guidé par la flamme de la droiture et du courage!

Dans un mouvement de colère, je lui rétorque sèchement que les femmes ne sont pas des « éternelles mendiantes ». C'est un luxe de choisir l'heure et le lieu! Il faut saisir la moindre occasion qui se présente. C'est notre heure aujourd'hui, et Karim devrait être avec nous. Le trône ne va pas basculer simplement parce que des femmes roulent en voiture dans les rues!

Karim en veut à toutes les femmes, en ce moment, et me répond durement que cet incident ne fera que retarder la cause féminine et pour des décennies. Il ajoute que notre joie va tourner à la tristesse, quand nous verrons la punition réservée à une telle folie. Le bon moment pour gagner le droit de conduire viendra, mais l'époque est mal choisie.

Ses mots résonnent encore dans l'air, alors qu'il a quitté la pièce. Un homme a parlé!

Karim vient d'étouffer notre bref instant de plaisir. Je crache comme un chat derrière son dos, et Sara a du mal à retenir un sourire. Elle balaie avec mépris les grandes phrases de Karim, en me rappelant que les hommes de notre famille défendent toujours, en paroles, le droit des femmes, mais qu'en réalité, ils ne sont pas très différents des extrémistes. Ils adorent exercer leur pouvoir sur leurs femmes, sinon nous aurions vu depuis longtemps s'alléger notre fardeau. Nos maris, notre père appartiennent à la famille royale, qui dirige le pays. S'ils ne peuvent pas nous aider, qui le pourrait ?

En souriant, je réplique :

— Les Américains ! Les Américains !

Les avertissements de Karim se révèlent fondés. Les quarante-sept courageuses jeunes femmes coupables d'avoir manifesté contre l'interdiction de conduire sont maintenant les boucs émissaires des *mutawas*. Nos activistes appartiennent à la classe moyenne des enseignantes, des étudiantes, des intellectuelles. Leur bravoure leur coûte cher ; on leur confisque leur passeport, on les chasse de leur emploi, on persécute leur famille.

En faisant des courses dans un centre commercial, nous surprenons, Sara et moi, une discussion entre des jeunes étudiants islamistes et un groupe de Saoudiens. Les étudiants les montent contre ces femmes rebelles, ces maîtresses du vice, qui se conduisent comme des prostituées. Elles ont été dénoncées comme telles à la mosquée, par des hommes de bon sens !

Ma sœur et moi nous attardons devant une vitrine pour écouter ces jeunes excités affirmer que les tentations venues de l'Occident vont provoquer la désintégration de l'honneur des Saoudiens.

Je voudrais rencontrer ces femmes, pour partager leur gloire. Quand je parle de mon souhait à Karim, sa réaction est tellement violente qu'elle clôt immédiatement le sujet. Il menace de m'enfermer à la maison, si je lui inflige un tel outrage.

Je hais mon mari, à cet instant, je le hais car je le sais capable de mettre sa menace à exécution. Il crève de peur pour le pays, tout à coup, devant les ravages que les femmes pourraient faire dans la famille royale.

Je rassemble mon courage et m'efforce de localiser ces femmes. Je retourne au centre commercial. Dès que j'aperçois un rassemblement d'hommes, j'envoie mon chauffeur philippin les rejoindre. Il a pour mission de leur dire qu'il est musulman — il y a beaucoup de Philippins musulmans en Arabie Saoudite —, et de réclamer le tract qu'ils répandent, portant les numéros de téléphone des « femmes perdues ». Il n'aura qu'à prétendre qu'il veut téléphoner à leurs pères ou à leurs maris pour protester contre le comportement de leurs filles ou de leurs femmes.

Il revient avec le papier. Je lui ai recommandé de ne pas en parler à Karim. Heureusement, contrairement aux domestiques arabes, les Philippins se tiennent à l'écart de nos histoires de famille et ne dénoncent pas aux maris les petites libertés que prennent leurs femmes.

Il y a une liste de trente noms avec les numéros de téléphone. Ma main tremble en composant le premier. J'obtiens trois réponses seulement, après une semaine d'appels acharnés et, pour chacune d'elles, on me dit qu'il s'agit d'un faux numéro. La persécution a dû être telle que les familles ont préféré nier ou ne pas répondre au téléphone.

Avant de partir pour l'étranger, Ali nous rend visite. Lui et sa famille de quatre épouses et de neuf enfants se préparent à séjourner quelques semaines à Paris. Mon frère assure qu'il ne demande qu'à se battre contre les Irakiens, mais... il a tant de responsabilités, tant de travail, tant d'affaires, tellement plus importantes pour notre pays qu'un nouvel homme en uniforme ! Ali doit faire son devoir... et quitter l'Arabie Saoudite. Je sais que mon frère va tout simplement attendre ailleurs, en toute sécurité, la fin de la guerre. Je ne suis pas d'humeur, aujourd'hui, à lui mettre le nez dans sa lâcheté, mieux vaut sourire et lui souhaiter un bon voyage.

Le sujet des femmes au volant a surgi dans la conversation lorsque Ali a insinué sournoisement que l'une des manifestantes aurait été mise à mort par son père pour avoir déshonoré son nom. Le père a pensé qu'en exécutant sa fille, les fanatiques religieux le laisseraient tranquille, lui et sa famille. Ali se moque, en réalité. Oh, que je déteste ce frère ! Un pays où les femmes sont à ses pieds lui convient parfaitement. Il se battra jusqu'au bout pour les maintenir en position d'infériorité. Un homme tel que lui serait terrorisé par une femme de personnalité et de caractère.

J'essaie de me renseigner auprès de Karim, mais il ne sait rien de l'incident, ce qui ne l'empêche pas de me prier d'oublier cette histoire qui ne nous regarde pas. D'ailleurs, il n'est pas surpris que les familles de ces femmes aient souffert de persécutions. Il fanfaronne :

— Je vous l'avais bien dit.

Effectivement, il l'a dit le jour de la manifestation. Karim m'a menti, il a triché quand il parlait de la liberté féminine. Intellectuellement, il n'est guère plus avancé qu'Ali sur ce sujet. Il n'y a donc pas, dans ce pays, d'homme désireux de briser nos chaînes ?

La rumeur de la mort de cette jeune femme a fait le tour du pays, et à ce jour, nul ne l'a démentie ou confirmée.

Elle est là, suspendue au-dessus de nos têtes, la menace sourde de l'ultime sacrifice qui attend celles qui font montre de courage.

Cette guerre que nous craignions tant suit son cours. Nos hommes se battent et meurent, mais j'entends dire par Karim que nos soldats ne combattent pas avec bravoure. En fait, les Alliés ont jugé préférable de mettre en place des tactiques pour s'assurer que nous, les Arabes, ne serions pas vexés en découvrant la vérité sur nos guerriers. Mon mari rougit de honte lorsqu'il décrit les Saoudiens fuyant devant l'ennemi, au lieu de lui foncer dessus. Notre unique fierté militaire est venue de la prouesse d'un pilote qui a combattu seul avec honneur.

274

Asad estime que nous ne devrions pas ressentir de la honte, mais du soulagement. Une force militaire serait un trop grand risque pour nous : le trône ne survivrait pas à une armée efficace. Dans le monde arabe, les militaires organisés renversent les monarchies et exigent de faire entendre leur voix dans les programmes politiques de leur pays. Notre famille a l'expérience de ce genre d'événements et, par conséquent, a préféré maintenir un ensemble d'hommes peu enthousiastes au combat. Mais il est vrai que la famille régnante a agi sournoisement en entretenant sciemment des soldats débraillés et désorganisés.

Finalement, les événements de la guerre n'ont servi qu'à faire avorter l'espoir d'un changement social pour les femmes d'Arabie Saoudite. Le combat qui a ouvert les yeux des Occidentaux sur les désordres de notre société s'achève trop vite. L'affaiblissement de Saddam éloigne l'intérêt pour notre cause ; les murmures qui s'étaient élevés pour nous défendre évoquent maintenant le destin affligeant des Kurdes, refoulés dans leurs montagnes enneigées.

À la fin de la guerre, nos hommes se confondent en prières avec une pieuse diligence, car ils ont échappé à la menace d'une invasion armée... et à celle des femmes libérées.

Je me demande quelle menace les a le plus perturbés.

Épilogue

L'appel obsédant qui soulève de joie le cœur de chaque musulman emplit l'air. Les croyants sont invités à la prière. « Dieu est grand, il n'y a pas d'autre dieu que Dieu, et Mohammed est son prophète. Viens prier, viens prier. Dieu est grand. Il n'est pas d'autre dieu que Dieu. »

C'est le crépuscule. Le grand cercle jaune du soleil s'estompe lentement. Pour les musulmans croyants, le temps est venu d'entamer la quatrième prière de la journée.

Depuis le balcon de ma chambre à coucher, je regarde partir mon mari et mon fils, main dans la main, vers la mosquée. D'autres hommes se rassemblent, se saluent en esprit de fraternité.

Les souvenirs turbulents de mon enfance remontent à ma mémoire. Je suis la petite fille exclue de l'amour exclusif que mon père porte à son trésor de fils. Près de trente ans ont passé, rien n'a changé. Ma vie revient à son point de départ. Père et Ali, Karim et Abdullah : hier, aujourd'hui, et demain, les mêmes pratiques immorales passent de père en fils. Hommes que j'aime, hommes que je déteste reçoivent en héritage la honteuse condition des femmes.

Je suis du regard les mouvements de ma chair bien aimée, de mon sang le plus précieux ; mon mari et mon fils pénètrent dans la mosquée, main dans la main. Sans moi.

Je me sens l'être le plus solitaire du monde.

Commentaire

À la fin de la guerre du Golfe, en 1991, un désir universel de paix est né dans le tumultueux Moyen-Orient. Les dirigeants de nombreuses nations n'ont cessé de faire des propositions pour que s'éteigne enfin la violence qui agite en permanence cette partie du monde.

Tous ceux que le Moyen-Orient et ses peuples intéressent se sont efforcés de lier à ce désir de paix la condition des femmes arabes, si impatientes de modifier les traditions anciennes qui n'ont pas de fondement religieux.

Alors que l'éventualité d'une paix durable prenait un essor dans les actions diplomatiques du président George Bush, le rêve insaisissable de liberté pour les femmes d'Arabie s'est évanoui... Les Occidentaux au pouvoir n'ont guère envie de brandir haut la bannière de la justice en faveur d'êtres démunis de prestige politique.

La guerre du Golfe, ostensiblement destinée à libérer le Kuweit, a révélé le conflit déchirant les hommes et les femmes d'Arabie. Hélas ! là où celles-ci ont aperçu un espoir de changement social, les hommes ont senti le danger que ferait courir la moindre évolution à une société figée depuis deux siècles. Les maris, les pères, les fils n'ont pas la volonté de défier les forces religieuses et radicales pour défendre leurs femmes. En Arabie Saoudite, la cause de la liberté féminine a été menée à sa perte par l'opposition des extrémistes religieux, car la venue des troupes étrangères a décuplé leur pouvoir. Les religieux ont promis que la répression serait extrêmement dure, et ont répandu la peur dans tout le pays.

Malheureusement, en 1992, Sultana, comme les autres Saoudiennes, s'est vue condamnée à un repli. Curieusement, pour la première fois, les riches et les puissants sont les cibles de la police religieuse. Comme les autres Saoudiens, ils sont victimes de descentes de police et d'arrestations. Au lieu de s'inquiéter de cette nouvelle perte de liberté qui concerne tous les citoyens, les gens ordinaires se réjouissent ouvertement à l'idée que les princes et les riches endurent la surveillance acharnée qu'ils ont eux-même toujours connue.

Liberté de conduire, d'ôter le voile, ou de voyager sans autorisation sont des rêves perdus, alors que grandit encore la menace des religieux extrémistes.

Pendant que les sociétés modernes s'efforcent d'améliorer les conditions de vie de tous les individus, à travers le monde, des femmes du XXe siècle sont menacées des pires tortures, ou de mort, sous prétexte de la suprématie originelle d'un sexe sur l'autre.

Au printemps 1983, j'ai rencontré une femme saoudienne qui a changé ma vie pour toujours. Vous la connaissez sous le nom de Sultana. Notre attirance mutuelle, notre désir d'amitié se sont développés et épanouis ; presque immédiatement, nous nous sommes comprises.

La passion de vivre de Sultana et ses étonnantes capacités intellectuelles ont modifié mes *a priori* d'Occidentale sur les « femmes en noir ». En ce temps-là, je les considérais comme des spécimens incompréhensibles de la race humaine. Ayant vécu dans la région saoudienne depuis 1978, j'ai connu beaucoup de Saoudiennes mais, à mes yeux d'Américaine, elles présentaient toutes le même masque de résignation. La vie dans la classe des riches commerçants ou des familles princières auxquelles elles appartiennent est trop confortable pour en modifier l'équilibre délicat.

Dans les villages les Bédouines supportent une vie intolérable avec une étonnante dignité. Le comble, c'est que, en faisant ma connaissance, elles montraient de la sympathie envers moi, contrainte à se risquer dans le monde extérieur sans la protection ni les directives d'un homme. En me tapotant l'épaule, elles disaient « *Haram* » (quelle pitié), exprimant ainsi toute leur compassion pour une femme comme moi. Derrière ce vernis d'autosatisfaction ou de bienveillance se cachait la réalité de leur condition.

Sultana m'a dévoilé la frustration qui engendre le désespoir des Saoudiennes, dissimulées derrière leurs voiles. Cette découverte m'a convaincue que les femmes de ce pays font peu pour agir sur la culture saoudienne; au contraire, c'est la culture saoudienne qui les forme.

Vers la fin de 1988, Sultana m'a demandé si moi, son amie, je pourrais écrire l'histoire de sa vie. Elle croyait que, plus on révélerait de détails sur sa jeunesse et sur la vie des autres Saoudiennes, plus la nécessité d'un changement se ferait sentir. Mon bon sens a d'abord prévalu et j'ai exprimé des doutes quant au bénéfice qu'elle pourrait tirer d'une tentative aussi risquée. En même temps, j'ai pensé à mon intérêt personnel, et des excuses pouvant expliquer ma neutralité m'ont sauté aux lèvres : j'aime le Moyen-Orient; mes meilleurs amis y habitent; je connais beaucoup de Saoudiennes heureuses.

Mes doutes et mes réticences sont nombreux, car je suis

lasse des constantes critiques qu'émettent les journalistes occidentaux sur ce pays qui est un peu le mien. Indéniablement, l'isolement des musulmans pousse les journalistes à publier interminablement les mêmes informations négatives dans la presse internationale. Des articles et des livres hypercritiques sur le Moyen-Orient sont déjà parus en surabondance. Je refuse de m'associer à l'habituelle condamnation des Arabes, pratiquée par ceux qui, pourtant, vivent à l'abri du parapluie économique des riches pays pétroliers.

J'ai déclaré à Sultana : « Non, je ne veux pas condamner. » Je désirais présenter les Arabes sous un jour favorable, mettre en valeur leur gentillesse, leur hospitalité et leur générosité.

Sultana, la princesse féministe, m'a contrainte à ouvrir les yeux. Il est vrai que beaucoup de bonnes choses prospèrent en Arabie Saoudite, mais on ne peut faire l'apologie de cette société tant que les femmes ne seront pas libérées de la peur. Sultana a mis le doigt sur une évidence en me disant :

— Jean, tu es une femme et, en tant que femme, ta loyauté est mal placée !

Sultana ne pouvait pas accepter la défaite : elle s'est obstinée à analyser la corruption de son propre sexe. Elle est une meilleure femme que moi. Elle a refusé, au risque de sa vie, de cesser le combat pour la cause à laquelle elle croyait.

Comme dans sa vie, Sultana a surmonté tous les obstacles, y compris ma résistance têtue. Après avoir pris la difficile décision de collaborer avec elle pour écrire son histoire, j'ai compris au fond de mon cœur que je n'avais pas d'autre choix. L'Occident chrétien et l'Orient islamique sont unis par des liens qui m'ont aidée à résister à la peur que j'avais de cette entreprise. Pour moi aussi, ce livre prenait un sens.

Il a fallu beaucoup de renoncements, de la part de bien des gens, pour écrire ce livre : assurer la sécurité de Sultana et de sa famille, craindre pour des amis encore en Arabie, qui n'avaient aucune idée de l'existence de cet ouvrage et, plus que tout, envisager la perte de l'affection, du soutien et de l'amitié de Sultana, l'être dont la fierté m'a électrisée et inspirée. Car, malheureusement, au moment où cette publication commence à être connue, nos chemins ne peuvent plus se croiser. Ma plus chère amie doit demeurer loin de moi, se cloîtrer derrière un silence de plomb. Ainsi en avons-nous décidé, d'un mutuel et affectueux accord. Révéler notre complicité ferait encourir de graves sanctions à de nombreuses personnes, et à Sultana en premier lieu.

Lors de notre dernier rendez-vous, en août 1991, un terrible sentiment d'impuissance a assombri ma joie, alors que je m'émerveillais de la vague d'optimisme qui envahissait Sultana. Soutenue par l'espoir de voir l'aboutissement de nos efforts, elle disait qu'elle préférait mourir que de vivre en esclave. Ses mots m'ont donné la force d'affronter la tempête à venir :

— Tant que ces faits méprisables ne seront pas rendus publics, il n'y aura aucun espoir. Ce livre est comme les premiers pas d'un enfant, qui n'apprendra jamais à courir sans une première et courageuse tentative pour se tenir debout tout seul. Toi et moi, Jean, nous remuons les braises pour rallumer le feu. Dis-moi, comment le monde pourrait-il nous venir en aide s'il n'entend pas nos pleurs ? Je le sens au plus profond de mon âme, c'est le commencement du changement pour les femmes d'ici.

Adulte, j'ai longtemps vécu au Moyen-Orient. Pendant trois ans, j'ai lu et relu les notes et le journal de Sultana. Nous avons organisé des rendez-vous clandestins dans de grandes capitales du monde. Je lui ai montré le manuscrit final, qu'elle a parcouru avec beaucoup de plaisir... et de chagrin. Lorsqu'elle est arrivée à la dernière phrase, mon amie a fondu en larmes. Puis elle s'est reprise, et m'a dit que j'avais parfaitement saisi son caractère et les expériences de sa vie, aussi clairement que si j'avais été à son côté — où j'ai été durant des années.

Sultana m'a demandé de compléter les informations absentes de son journal. Voici ce qu'elle veut que vous sachiez :

Son père est encore vivant. Il possède quatre femmes, et quatre palais, dans les villes qu'il préfère dans le monde. Il a de nombreux jeunes enfants de ses épouses. Malheureusement, ses relations avec Sultana ne se sont pas améliorées avec l'âge. Il rend rarement visite à ses filles, mais fait grand cas de ses fils et petits-fils.

Ali n'a jamais atteint la maturité, et ses habitudes sont les mêmes que lorsqu'il était un petit garçon gâté. Il réserve ses pulsions de cruauté à ses filles, qu'il traite exactement comme il a vu son père traiter ses sœurs. Aujourd'hui, Ali a quatre femmes et un nombre de maîtresses incalculable. Récemment, il a été châtié par le roi pour excès de corruption, mais rien ne pourra modifier son comportement.

Sara et Asad vivent toujours dans la béatitude de leur mariage. Ils sont parents de cinq enfants. Qui sait si la prédiction de Huda se réalisera un jour ? De toutes les sœurs de Sultana, Sara est la seule à connaître l'existence de ce livre.

Les autres sœurs et leurs familles vont bien.

Omar a péri dans un accident sur la route de Dammam. L'entretien de sa famille en Égypte est assumé par le père de Sultana.

Le père de Randa a acheté une villa dans le sud de la France, où elle vit maintenant la plupart de l'année. Elle ne s'est pas remariée après son divorce d'avec le père de Sultana. Une rumeur court dans la famille selon laquelle Randa aurait un amant français, mais personne ne sait si c'est vrai.

Sultana n'a plus jamais entendu parler de Wafa. Elle suppose qu'elle vit dans un village, environnée d'une multitude d'enfants.

Marci est retournée aux Philippines et a pu réaliser son ambition. Elle a travaillé un moment comme infirmière à Riyad, puis Sultana a reçu une lettre dans laquelle elle parlait d'un emploi au Kuweit. Elle trouvait les contraintes trop sévères pour elle en Arabie Saoudite. Sultana n'a plus entendu parler d'elle. Elle espère avec ferveur que Marci n'a pas été violée ou tuée pendant l'invasion irakienne, sort qu'ont subi beaucoup de jeunes et jolies femmes.

Huda est morte il y a des années. On l'a enterrée dans les sables d'Arabie, bien loin de son pays natal, le Soudan.

Le plus affreux concerne Sameera, toujours enfermée dans la « chambre de femme ». Il y a deux ans, Tahani a entendu dire qu'elle était tombée malade. Les domestiques racontaient qu'elle pleurait à longueur de journée et qu'elle s'était mise à parler une sorte de jargon incompréhensible. Le plateau de nourriture était vidé tous les jours, elle vivait donc toujours. La famille a promis qu'elle serait libérée quand le chef de famille mourrait, mais il est encore en bonne santé, à un âge avancé. De toute façon, Sameera ne peut pas profiter de cet espoir.

Sultana a obtenu son diplôme de philosophie il y a deux ans. Elle n'exerce pas de profession, mais le savoir qu'elle a acquis lui a apporté la paix intérieure et le sentiment d'être en accord avec le monde. Au cours de ses études, elle a découvert que nombre d'autres peuples avaient survécu à de graves injustices. Il est vrai que l'humanité progresse lentement, dit-elle, mais les âmes braves continuent d'avancer, et elle est fière d'être l'une d'elles.

Karim et Sultana se sont installés dans une relation où se mêlent l'habitude et leur amour commun pour leurs enfants. Sultana regrette que leur amour n'ait pas survécu à l'incident de la deuxième femme.

Il y a six ans, Sultana a souffert d'une maladie vénérienne. Après bien des atermoiements, Karim a fini par admettre qu'il avait des liaisons hebdomadaires avec des étrangères. De nombreux princes envoient chaque semaine à Paris un avion qui ramène des prostituées sélectionnées pour un voyage en Arabie Saoudite. Karim a parlé de l'existence, dans les grandes villes du pays, de palaces particuliers qui hébergent jusqu'à une centaine de filles. À Paris, une « Madame » choisit les plus jolies filles de tous les coins du monde. Chaque mardi, elles prennent l'avion pour l'Arabie. Le lundi suivant, les prostituées fatiguées sont renvoyées et, le mardi, un groupe tout frais débarque. La plupart des princes de haut rang sont invités à participer à ces réunions, ils sont libres de choisir les femmes qu'ils veulent. Aux yeux de ces hommes, les femmes ne sont que des objets de plaisir, ou un moyen d'engendrer des fils.

Effrayé par la maladie, Karim a promis qu'il éviterait ce genre de rencontre amoureuse, mais Sultana a vu sur son visage d'homme faible qu'il se laisserait à nouveau tenter par ces parties fines, et qu'il continuerait à en abuser sans aucune honte.

Leur merveilleux amour s'est évanoui, restent les souvenirs et les enfants. Sultana déclare qu'elle demeurera avec son mari et continuera le combat par égard pour ses filles. Elle ajoute que le plus triste, dans sa vie, est de regarder évoluer les silhouettes sombres de ses deux jeunes filles, maintenant voilées et enveloppées de leurs manteaux noirs. Ce noir qui, après des années de rébellion, s'accroche à la nouvelle génération des femmes d'Arabie Saoudite. Encore et toujours, ce sont les coutumes primitives, et elles uniquement, qui déterminent le rôle des femmes dans la société saoudienne.

La présence des troupes américaines pendant la guerre du Golfe, qui avait apporté tant d'espoir de liberté à Sultana, n'a fait que renforcer le pouvoir des *mutawas*. Ils se vantent désormais de gouverner le roi qui occupe le trône.

Sultana m'a demandé de dire ceci au lecteur : son esprit provocateur poursuit sa rébellion à travers les pages de ce livre, mais cette rébellion doit demeurer secrète car, si Sultana a la force d'affronter tous les procès du monde, elle ne peut pas prendre le risque de perdre ses enfants. Qui sait le châtiment que l'on infligerait à celle qui a parlé si franchement et si sincèrement de la vie cachée des femmes au pays des lieux les plus saints de l'islam ?

Le destin de Sultana a été tracé en janvier 1902, lorsque son grand-père Abd al Aziz a reconquis les terres d'Arabie Saoudite. Une dynastie était née. La princesse Sultana al Sa'ūd restera aux côtés de son époux, le prince Karim al Sa'ūd, dans la maison royale des Al Sa'ūd, en Arabie Saoudite.

Le Coran et les femmes

Le Coran est le livre saint de l'islam. Composé de 114 sourates, ou chapitres, ce livre énonce les règles d'une conduite convenable pour un musulman croyant.

Les musulmans croient que le Coran est la parole de Dieu, telle qu'elle a été révélée par l'ange Gabriel au prophète Mohammed. Mohammed a eu des visions alors qu'il se trouvait dans les villes de La Mecque et de Médine, situées dans un pays que l'on appelle de nos jours l'Arabie Saoudite.

La Mecque est le lieu de naissance du Prophète, Médine abrite sa tombe, c'est pourquoi ces deux villes sont les plus saintes aux yeux des musulmans. Les infidèles, ou « non-croyants », ne sont pas admis à l'intérieur des limites de ces villes. Peu d'Occidentaux comprennent le pouvoir suprême et absolu qu'accordent les musulmans aux paroles du prophète Mohammed. Chacun des aspects de leur vie est guidé par le Coran, qu'ils considèrent comme sacré. Alors que beaucoup d'Occidentaux élevés en chrétiens doutent de l'existence d'un Être suprême, il est rare qu'un musulman ne s'attache avec conviction à une foi inébranlable envers le Dieu de Mohammed.

Sur la terre musulmane d'Arabie Saoudite, il n'existe pas de séparation entre la religion et l'État, comme en Occident. La religion islamique est une loi absolue.

Durant les dix années où j'ai vécu à Riyad, j'ai demandé à un ami saoudien de me traduire et de m'expliquer certains versets du Coran. Je me suis particulièrement intéressée aux versets qui régissent le comportement des femmes[1].

1. La traduction des versets du Coran proposée ici, et les commentaires qui l'accompagnent, est celle d'André Chouraqui, éd. Robert Laffont, 1990, à l'exception des passages appelés « sujet », qui sont de l'auteur.

SOURATE 2

LA GÉNISSE
AL-BAQARAT

La sourate 2, la plus longue du Coran, compte deux cent quatre-vingt-six versets. Elle semble dater de la seconde année de l'Hégire, en juillet 622, avant la bataille de Badr, en 624. Elle a été proclamée, dans sa plus grande partie, à Médine, étant ainsi la première des sourates médinoises. L'Islam est déjà devenu une institution dotée d'un culte nouveau, en arabe distinct.

Les versets 1 à 19 datent de Médine où Muhammad condamne les polythéistes qui effacent Allah, Sa Parole, Ses prophètes. Les versets 19 à 37 sont traditionnellement considérés comme appartenant à la période mekkuoise. Suivent les versets que les données traditionnelles rapportent à l'époque du voyage de La Mecque à Médine, puis dans cette ville, devenue le centre de la religion nouvelle.

Nous sommes ainsi dans les années tournantes de la vie de Muhammad qui, au Nom d'Allah, prend la tête d'une religion nouvelle. Il affronte ses adversaires, au premier rang desquels se situent les polythéistes, les effaceurs d'Allah, de Ses prophètes, de Sa Parole. À l'époque, il ne désespère pas d'être enfin suivi par ceux qui restent fidèles à la Parole révélée de la Tora et des Évangiles, les Fils d'Israël et les Nazaréens.

Sourate 2, *187*

Sujet : les relations sexuelles pendant le mois du Ramadān, quand tout bon musulman jeûne et évite de s'adonner aux plaisirs tant que dure le jour.

Les nuits de jeûne,
il vous est permis de cohabiter avec vos épouses.
Elles sont une vêture pour vous,
vous êtes une vêture pour elles.
Allah sait quand vous trahissez vos êtres :
mais Il retourne vers vous et vous pardonne.
Maintenant, réjouissez-les, veuillez ce qu'Allah prescrit :
mangez et buvez jusqu'à ce que vous puissiez
distinguer un fil blanc d'un fil noir,
à la lumière de l'aube.
Puis poursuivez le jeûne jusqu'à la nuit.
Ne les réjouissez pas quand vous serez
retirés dans la Mosquée.
Telles sont les bornes d'Allah ;
ne vous en approchez pas.
Allah fait distinguer ainsi ses Signes aux hommes.
Peut-être frémiront-ils.

une vêture : la métaphore désigne le corps de l'épouse.
à trahir vos êtres : en commettant des actes interdits. Ce changement concernant la cohabitation intervient au moment où le jeûne du mois de Ramadān est institué. Les époux pouvaient difficilement se soumettre à une aussi longue chasteté, d'où la permission donnée ici, valable la nuit, de la rupture du jeûne jusqu'à l'aube.
Ne les réjouissez pas : en cohabitant avec elles. Les commentateurs divergent sur la nature de cette cohabitation interdite aux retraitants ; les uns ne pensent qu'au coït ; d'autres à tout contact entre époux pendant le temps de la retraite.

Sourate 2, *221*

Sujet : le mariage entre les musulmans et les non-croyants. Le Coran établit des règles identiques pour les hommes et pour les femmes. Cependant, en Arabie Saoudite, les hommes peuvent épouser des chrétiennes, alors qu'il est formellement interdit aux femmes d'épouser un non-musulman.

> N'épousez pas les associatrices tant qu'elles n'adhèrent pas.
> La servante qui adhère vaut mieux qu'une associatrice,
> celle-ci vous plairait-elle davantage.
> N'épousez pas les associateurs tant qu'ils n'adhèrent pas.
> L'esclave qui adhère vaut mieux qu'un associateur,
> celui-ci vous plairait-il davantage.
> Ceux-là vous appellent au Feu,
> mais Allah vous invite au Jardin,
> au pardon, par sa permission.
> Il fait discerner ses Signes aux hommes.
> Peut-être le commémoreront-ils.

Sourate 2, *222*

Sujet : les relations sexuelles pendant les menstruations.

> Ils t'interrogent sur les menstrues.
> Dis : « C'est une souillure. »
> Écartez-vous des femmes pendant leurs menstrues,
> ne les approchez pas avant qu'elles ne se soient purifiées.
> Quand elles sont purifiées, allez à elles
> comme Allah vous l'a ordonné.
> Voici, Allah aime les conciliateurs, Il aime les purs.

Sourate 2, *228*

Sujet : quand un homme divorce d'une femme, il doit s'assurer qu'elle ne porte pas son enfant. Si la femme est enceinte, son mari doit prendre soin d'elle.

Les femmes répudiées attendront
trois périodes.
Il ne leur est pas licite
de cacher ce qu'Allah crée dans leur matrice
si elles adhèrent à Allah et au Jour ultime.
Leurs maris sont en droit de les accueillir alors,
s'ils veulent se réconcilier.
Elles ont des droits équivalant à leurs obligations,
selon la justice.
Mais les hommes sont un degré au-dessus d'elles.
Allah, puissant, sage.

Sourate 2, *229, 230, 231*

Sujet : le divorce. Le divorce peut avoir lieu deux fois. Quand un homme divorce d'une femme, il peut se remarier avec elle si, entre-temps, elle a épousé un autre homme et a divorcé. Si, après l'avoir épousée pour la seconde fois, il divorce à nouveau d'avec elle, il ne pourra plus la prendre pour femme. Le mari doit assurer la subsistance de la femme répudiée.

La répudiation peut avoir lieu deux fois.
L'homme doit alors reprendre la femme, selon la justice,
ou la libérer, selon la décence.
Il ne serait pas licite pour vous de reprendre
ce que vous leur avez donné,
à moins que chacun ne redoute
de ne pas tenir les bornes d'Allah.
Si vous redoutez de ne pas tenir les bornes d'Allah,
nul grief contre les deux, à ce qu'elle se rachète.
Ne transgressez pas les bornes d'Allah,
Les transgresseurs des bornes d'Allah
sont des fraudeurs.

Si l'homme répudie sa femme,

elle n'est plus licite pour lui
avant d'avoir épousé un autre conjoint.
Si celui-ci la répudie, nul grief contre les deux,
s'ils reviennent ensemble,
pour tenir les bornes d'Allah.
Telles sont les bornes d'Allah,
ce qu'Il fait discerner au peuple qui sait.

Un pécule est dû aux répudiées,
selon l'usage,
par droit des frémissants.

SOURATE 4

LES FEMMES
AN-NISÂ'

Les Femmes : *ce titre est tiré du verset 3 ; la sourate a été proclamée, semble-t-il, à Médine après la campagne du Fossé, entre la défaite d'Uhud et la retraite des Mekkois. Elle comprend cent soixante-seize versets, chronologiquement proclamés à la suite de la sourate 60.*

Sourate 4, 3, 4

Sujet : le nombre de femmes qu'un homme peut épouser, et les devoirs envers les épouses ; le droit des femmes à conserver leurs biens.

Si vous craignez de ne pas être équitables
envers les orphelines,
il vous est permis de vous marier,
à deux, trois ou quatre femmes !
Si vous craignez de manquer d'impartialité envers
elles,
prenez une seule femme,
ou les captives que votre droite maîtrise.
C'est plus sûr, pour ne pas être inique.

Restituez aux femmes leurs douaires, spontanément.
Si, librement, elles vous en offrent une partie,
consommez-la, bel et bien.

deux, trois ou quatre : cette limitation tente de contenir un état
de fait répandu dans tous les pays et tous les temps. Là où la
monogamie légale est instituée, même assortie par l'indisso-
lubilité du mariage en pays catholiques, on connaît les
drames nés de la polygamie clandestine.
votre droite : au pluriel dans le texte. Il s'agit d'esclaves
conquises de force à la guerre — épée en main — servant de
concubines, sans porter atteinte au statut de l'épouse légi-
time. Ce verset permet au musulman d'avoir quatre épouses
légitimes et un nombre indéterminé de concubines.
spontanément : au moment de la dissolution du mariage par
décès ou par répudiation. L'accaparement des biens s'exerce
contre les veuves aussi bien que contre les orphelins.

Sourate 4, *11*

Sujet : l'héritage. Les enfants mâles recevront une part
d'héritage deux fois supérieure à celle que recevront les
enfants femelles.

Allah vous l'ordonne pour vos enfants :
au mâle, une part égale à celle de deux femelles.

Sourate 4, *15, 16*

Sujet : la punition des crimes sexuels commis par les
femmes, d'une part, par les hommes, d'autre part.

Pour celles de vos femmes qui sont perverses,
faites témoigner contre elles quatre d'entre vous.
S'ils témoignent contre elles,
faites-les demeurer dans les maisons
jusqu'à ce que la mort les enlève
ou qu'Allah fraye pour elles un sentier.

Deux qui, parmi vous, commettent une infamie,
sévissez contre les deux.
S'ils font retour et s'amendent, écartez-vous des
deux.
Voici, Allah, conciliateur, matriciel.

perverses : par vice, obscénité, ou adultère.
les enlève : en 24. 28, la lapidation est prononcée contre elles.
commettent une infamie : turpitude sexuelle ou adultère. Les
commentateurs comprennent dans ce verset la condamnation de l'homosexualité.

Sourate 4, *22, 23, 24*

Sujet : les femmes que les hommes n'ont pas le droit
d'épouser.

Ne vous mariez pas à des femmes
qui ont été mariées à vos pères,
sauf pour ce qui est déjà du passé.
Voici, c'est perversion, vice, mauvais sentier.

Sont interdites pour vous :
vos mères, vos filles, vos sœurs,
vos tantes paternelles et maternelles,
les filles du frère, les filles de la sœur,
vos mères qui vous ont allaités, vos sœurs de lait,
les mères de vos femmes,
vos belles-filles qui sont sous votre protection,
vos femmes que vous avez pénétrées,
— si vous ne les avez pas pénétrées,
nul grief contre vous —
et les épouses de vos fils nés de vos reins.
Ne vous unissez pas à deux sœurs,
sauf pour ce qui est déjà du passé.
Voici Allah, indulgent, matriciel.

Parmi les femmes, les vertueuses vous sont interdites

— sauf les captives que votre droite maîtrise.
Écrit pour vous par Allah.
En dehors d'elles, vous sont permises
les vertueuses acquises de vos biens,
sans être des fornicateurs.
Donnez leurs douaires en tant qu'imposition
à celles dont vous jouissez.
Pas de grief contre vous
pour ce que vous vous consentirez après l'imposition.
Voici, Allah, le Savant, le Sage.

vertueuses, muhsanât : il s'agit d'une femme libre, majeure, saine d'esprit, dont le mariage est prohibé du fait d'un interdit sexuel. Elles sont interdites, le verset 24 poursuivant l'énumération commencée au verset 23 : *interdites pour vous.*
votre droite : il s'agit de femmes faites captives à la guerre et converties à l'islam ; elles sont permises même si elles étaient auparavant mariées.
Pas de grief : ce verset, dont deux versions sont admises, semble concerner le mariage temporaire, primitivement admis, où la femme recevait son indemnité après consommation de l'acte sexuel, non avant. Ce type de mariage fut ensuite interdit après la conquête de La Mecque.

Sourate 4, *43*

Sujet : un musulman ne doit pas adresser ses prières à Dieu s'il a touché une femme ; voici ce qu'il doit faire lorsqu'il n'a pas d'eau pour se laver.

Ohé, ceux qui adhèrent,
n'entrez pas en prière en étant ivres,
quand vous ne savez pas ce que vous dites,
ni pollués — sauf les voyageurs —
avant de vous laver.
Si vous êtes malades ou en voyage
ou si l'un de vous revient des latrines,
ou si vous avez touché les femmes,

et ne trouvez pas d'eau, recourez à un bon sable,
frottez-vous le visage et les mains
Voici, Allah est clément, il pardonne.

SOURATE 24

LA LUMIÈRE
AN-NÛR

Cette sourate de soixante-quatre versets, la cent deuxième dans l'ordre chronologique traditionnel, aurait été proclamée à Médine vers 626. Son titre est pris au verset 35 : la lumière, nûr, est un thème central dans le Coran, comme dans la Bible et notamment dans les traditions mystiques issues de ces sources.

Elle débute par les sanctions prévues pour les crimes sexuels (versets 1 à 10), évoqués à propos de l'accusation d'adultère portée contre 'Aïcha (versets 11 à 31). La sourate évoque ensuite la condition des esclaves (versets 32-33), puis introduit à une méditation sur la lumière et les ténèbres (34-40); l'hymne à Allah (41-45) précède une nouvelle diatribe contre les adversaires médinois du Prophète (46-56). La sourate s'achève par des prescriptions de bienséance à l'égard des hommes et, singulièrement, du Prophète.

Sourate 24, 2, 3

Sujet : les crimes sexuels sont des crimes contre Dieu. Les coupables encourent des peines très sévères.

Fouettez le putain et la putain :
cent coups de fouet chacun.
Que nulle indulgence ne vous saisisse
dans la créance d'Allah,
— adhérez à Allah et au Jour ultime —,
un groupe d'adhérents sera témoin de leur supplice.

Le putain ne coïtera
qu'avec une putain ou une associatrice.
La putain ne coïtera
qu'avec un putain ou un associateur.
Cela est interdit aux adhérents.

Sourate 24, *4*

Sujet : l'accusation de fornication ou d'adultère est une chose si grave que son auteur doit présenter quatre témoins.

Ceux qui dénoncent des femmes vertueuses,
sans produire quatre témoins,
sont fouettés de quatre-vingts coups de fouet.
Leur témoignage sera à jamais irrecevable,
les voilà, les dévoyés.

Sourate 24, *6, 7*

Sujet : un homme qui accuse sa femme de fornication ou d'adultère et ne peut produire quatre témoins à charge doit jurer au nom de Dieu qu'il dit la vérité.

Celui qui accuse ses épouses
sans avoir d'autres témoins que lui-même
témoignera quatre fois :
« Par Allah ! », qu'il est sincère,

et un cinquième serment, pour appeler
l'exécration d'Allah sur lui-même,
s'il ment.

un cinquième : si, après chacun des quatre premiers serments du mari, la femme continue à nier, le cinquième serment exigé de lui sera particulièrement redoutable au regard d'Allah ; le menteur sera irrémédiablement condamné et voué à la Géhenne.

Sourate 24, *31*

Sujet : le voile et l'*abayaa*.

Dis aux adhérentes de baisser leurs regards,
de préserver leur nudité,
de ne montrer que l'extérieur de leur beauté,
de rabattre leur voile sur leur gorge.
Elles ne montreront leur beauté qu'à leurs époux
ou à leurs pères ou aux pères de leurs époux,
ou à leurs fils ou aux fils de leurs époux,
ou à leurs frères, ou aux fils de leurs frères,
ou au fils de leurs sœurs ou à leurs femmes
ou aux esclaves que leur droite possède,
ou aux esclaves exempts de convoitise parmi les hommes,
ou aux garçons qui ne sont pas attirés
par le giron des femmes.
Elles ne battront pas des pieds
pour révéler ce qu'elles dissimulent de leur beauté.
Retournez à Allah, vous tous, les adhérents :
peut-être serez-vous féconds.

leur beauté : celle de leur visage ou de leur corps. Les commentaires entendent également par ce mot leurs atours, colliers, bagues, bracelets, anneaux de pied, boucles d'oreilles ou de narines.
aux esclaves exempts de convoitise : les eunuques, les impuissants ou encore certains déments et débiles.
Elles ne battront pas des pieds : pour faire tinter les clochettes qui ornaient leurs chevilles, afin d'attirer les regards sur leurs personnes.

féconds : en aboutissant au Jardin d'Allah au lieu d'être engloutis dans le Feu de la Géhenne.

Sourate 24, *60*

Sujet : le droit, pour les femmes âgées, de se dévoiler. Cependant, en Arabie Saoudite, les femmes demeurent voilées toute leur vie.

> Les femmes rassises,
> qui n'espèrent plus se marier,
> pas de grief contre elles,
> si elles délaissent leurs atours,
> sans exhiber leur beauté :
> s'abstenir vaut mieux pour elles.
> Voici Allah, entendeur, savant.

Les lois en Arabie Saoudite

En Arabie Saoudite, les lois sur la criminalité obéissent aux préceptes de l'islam le plus strict. Le mot islam signifie « soumis à la volonté de Dieu ». Le concept le plus important de l'islam est la Shari'a, qui prescrit le mode d'existence voulu par Dieu. Tous les musulmans sont censés mener leur vie selon les valeurs traditionnelles léguées par Mohammed, le prophète de Dieu, né en 570 et mort en 632.

La majorité des Occidentaux a du mal à comprendre la soumission complète et absolue des musulmans aux lois du Coran, dans tous les aspects de leur vie quotidienne. Le Coran, ainsi que les traditions léguées par Mohammed, composent la loi d'Arabie Saoudite.

Quand je vivais dans ce pays, j'ai demandé à un islamiste, qui gagnait sa vie comme juriste, de me décrire la façon dont, en Arabie Saoudite, on applique la justice conformément à l'enseignement du Prophète. Ses explications m'ont aidée à dissiper mes incompréhensions. Voici un extrait du résumé qu'il m'a écrit :

1. On attribue quatre sources à la Shari'a : le Coran, composé de milliers de versets révélés par Dieu à son prophète, Mohammed ; la *Sunna,* qui est l'ensemble des

traditions léguées par le Prophète et qui ne sont pas répertoriées dans le Coran ; le *Ijma,* que forment les interprétations des *Ulémas,* les étudiants islamites ; enfin le *Qiyas,* méthode permettant aux juristes de s'accorder sur de nouveaux principes légaux.

2. Le roi d'Arabie Saoudite est, tout autant qu'un autre, soumis aux principes de la Shari'a.

3. Le système juridique est compliqué. En cas d'appel, le jugement peut être réexaminé par une cour d'appel. Généralement composée de trois membres, elle est augmentée jusqu'à cinq si la sentence expose l'accusé à la mort ou à la mutilation. Le roi est l'arbitre final ; il est la dernière cour d'appel ou la source de pardon.

4. Les crimes sont classés en trois divisions : *Hudud, Tazir* et *Qisas.* Les crimes de *Hudud* sont ceux dénoncés par Dieu ; le châtiment est inscrit dans le Coran. Les crimes de *Tazir* sont soumis aux châtiments de l'autorité appropriée. Les crimes de *Qisas* autorisent la victime à se venger elle-même.

Les crimes de *Hudud*

Ils comprennent le vol, l'absorption d'alcool, le blasphème contre l'islam, la fornication et l'adultère.

Les voleurs subissent pour châtiment le paiement d'amendes, l'emprisonnement, ou l'amputation de la main droite. La main gauche est amputée si la main droite a déjà été coupée.

Les personnes coupables d'avoir bu, vendu ou acheté de l'alcool, d'avoir sniffé ou de s'être injecté des drogues, ou d'en avoir vendu, sont condamnées à recevoir quatre-vingts coups de fouets.

Les personnes coupables de blasphémation contre l'islam sont punies en fonction des circonstances. La sévérité de la sentence varie selon que le blasphémateur est musulman ou non. En général, les musulmans subissent la flagellation.

Les personnes coupables de fornication sont fouettées. Les hommes supportent le châtiment debout, les femmes assises. Le visage, la tête et les organes vitaux sont protégés. On inflige habituellement quarante coups, mais cela peut varier avec les circonstances.

L'adultère est le crime le plus grave. Si le ou la coupable est marié(e), il ou elle est lapidé(e), pendu(e) ou fusillé(e). La lapidation est le châtiment le plus usité. La preuve de ce crime doit être établie par confession ou par le témoignage de quatre témoins de l'acte.

Les crimes de *Tazir*

Ils sont semblables aux délits de droit commun. La punition n'est pas établie, et l'accusé est jugé selon des critères individuels, en fonction de la gravité de son crime et des remords qu'il exprime.

Les crimes de *Qisas*

Si une personne est reconnue coupable de crime, la victime ou sa famille a le droit de se venger. La sentence est décidée par la famille, et la sanction est appliquée en privé.

Si un meurtre a été commis, la famille peut mettre à mort le coupable en appliquant la méthode dont il s'est servi pour son crime, ou le procédé de son choix.

Si un individu a été tué par accident, sa famille peut exiger l'« argent du sang ». Autrefois, cet « argent du sang » était payé en chameaux ; aujourd'hui, il est payé en espèces. Le montant dépend des circonstances : le dédommagement peut aller de 45 000 à 80 000 dollars. Si une femme est tuée, l'indemnité est moitié moins élevée que pour un homme.

Si une personne mutile une autre personne, la famille peut infliger au responsable une mutilation identique.

Qui peut témoigner lors d'un procès criminel ?

Le témoin doit être un musulman adulte, mentalement sain. Les non-musulmans ne peuvent pas déposer devant un tribunal criminel. Les femmes ne peuvent pas témoigner, sauf s'il s'agit d'une affaire personnelle qui n'a pas eu lieu sous les yeux des hommes. En fait, le témoignage d'une femme n'est pas considéré comme un fait, mais comme une présomption. La cour décide s'il est valide en fonction des circonstances.

Pourquoi les femmes ne sont-elles pas autorisées à témoigner dans un procès criminel ?

Quatre raisons expliquent que l'on considère le témoignage des femmes comme non valide :

1. Les femmes, plus émotives que les hommes, risquent de laisser leurs émotions déformer leurs dires.

2. Les femmes, ne participant pas à la vie publique, sont incapables de comprendre ce qu'elles observent.

3. Les femmes sont complètement dominées par les hommes, qui, par la volonté de Dieu, leur sont supérieurs, et accordent leur témoignage aux propos que leur a tenus le dernier homme qui leur a parlé.

4. Les femmes étant distraites, leur témoignage n'est pas fiable.

Remerciements

Une fois que j'ai accepté d'écrire ce livre, j'ai lu et relu les notes et les journaux intimes que Sultana m'avait confiés. Tandis que je choisissais, dans son existence étonnante, les aventures que je désirais conserver, je me sentais l'âme d'un détective. En même temps, je brûlais à l'idée de ma responsabilité : les événements que j'allais raconter apporteraient certainement le trouble à sa porte. Car les mots sont les miens, mais l'histoire est la sienne.

Merci, Sultana, pour avoir bravement partagé avec le monde l'histoire de ta vie. En faisant ce pas audacieux, tu nous permets de regarder d'un œil nouveau le peuple arabe, si mal compris par l'Occident. J'espère qu'en révélant ton existence de femme arabe, dans toute sa peine et toute sa gloire, tu aideras à dissiper les nombreux a priori *négatifs concernant ton peuple. Ceux qui liront ton témoignage comprendront que, partout dans le monde, le meilleur côtoie le pire. Nous, Occidentaux, n'avons entendu que le pire concernant l'Arabie Saoudite. Je sais, et tu sais, qu'en dépit des coutumes primitives qui asservissent les femmes de ton pays, il existe de nombreux Arabes, comme toi, qui méritent notre respect et notre admiration, car ils luttent contre des siècles d'oppression.*

Je remercie sincèrement Liza Dawson, mon éditeur chez William Morrow, qui a été emballée, dès la première lecture, par l'histoire de Sultana. Ses suggestions m'ont été précieuses.

Je remercie Peter Miller, mon agent littéraire. Son goût pour ce récit n'a jamais failli, ce que j'ai apprécié.

Je remercie tout spécialement Pat L. Creech, Ph. D., qui, depuis le début, m'a épaulée de ses conseils éditoriaux. Elle a beaucoup contribué à l'élaboration de ce livre.

J'aurai bien plus souffert en écrivant l'histoire de Sultana si je n'avait pas été entourée par ma famille. Je témoigne toute ma gratitude à mes parents, Neatwood et Mary Parks.

Table des matières

309

Cet ouvrage a été réalisé par la
SOCIÉTÉ NOUVELLE FIRMIN-DIDOT
Mesnil-sur-l'Estrée
pour le compte de France Loisirs
123, boulevard de Grenelle, Paris
en août 1994

Imprimé en France
Dépôt légal : avril 1994
N° d'édition : 24354 - N° d'impression : 27943